D0228793

Katie's keuze

Katie's Keuze

Luisa Plaja

Vertaald door Sabine Mutsaers

moon

Eerste druk juli 2008
Tweede druk september 2008

Oorspronkelijke titel *Split by a Kiss*

Zetwerk ZetSpiegel, Best
www.moonuitgevers.nl

ISBN 978 90 488 0082 7
NUR 284

Voor degenen die me van de ijsbaan hebben gehaald

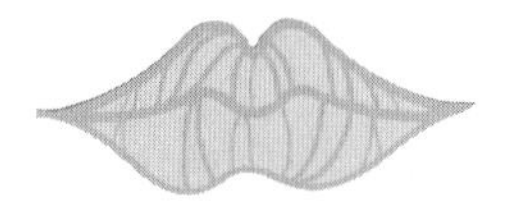

EERSTE HONK

Mazzel

Ik sta hier in een kast te zoenen met de coolste en lekkerste jongen van de hele school. En het is een gigantische school. Het Engelse woord *snogging* voor zoenen kennen ze hier trouwens niet, en een kast heet niet *cupboard* maar *closet* – ik word telkens uitgelachen om mijn rare Britse taalgebruik. Ik heb een tip voor je: als je uit Engeland komt, zeg dan in Amerika nooit *tomato and basil*, want ze komen een jaar lang niet meer bij. Dat spreken ze hier heel anders uit! Ik weet het uit ervaring.

Maar daar gaat het nu niet om. Waar het WEL om gaat: ik sta te zoenen met Jake Matthews, de coolste jongen van de hele school! Misschien wel van de hele wereld.

En weet je wat het ongelooflijkste is? Ik ben zelf het tegenovergestelde van cool. Of eigenlijk wás ik dat.

Ik zal je vertellen hoe het is gegaan. Want denk erom: als ik het kan, kun jij het ook. Niet met Jake Matthews natuurlijk – afblijven, die is van mij! Maar je vindt vast wel iemand zoals hij. Zulke types zitten op iedere school.

Deze gegevens over mij zijn vast niet belangrijk voor jouw zoen-de-knapste-jongen-van-school-plan, maar ik geef ze toch maar even. Ik heet Katherine Reilly, ook wel Kate genoemd, ik woon bij mijn moeder, mijn vader is hertrouwd met Kelly, een stom dom blondje, ik heb een hartstikke lief zusje van drie, Lolly-Lauren, en mijn beste vriendin heet Hailey.

De volgende gegevens zijn WEL belangrijk voor je plan.

Je moeder moet slim genoeg zijn om in aanmerking te komen voor een Amerikaanse werkvergunning. Of je vader, neem ik aan, maar dat is in mijn geval niet van toepassing – die van mij is bij mijn fantastische moeder weggegaan voor Kelly, dus hij is aantoonbaar hersenloos. Maar goed, mijn moeder kreeg dus een baan in Amerika omdat ze echt superintelligent is. Een *egghead* noemen we dat in Engeland. Dat heeft niks met zombies te maken, hoewel die ook best cool zijn, maar dan in een ander opzicht.

Verder moet je een accent hebben waardoor iedereen je opmerkt. De meeste mensen moeten zeggen: 'O, wat een héérlijk accent heb je toch.' Het maakt verder niet uit waar je vandaan komt, wees maar niet bang. Zelf kom ik uit Sufgehucht in het Engelse graafschap Suffenberg, maar toch heeft mijn accent me dit alles opgeleverd. Je kunt natuurlijk ook een bijzonder accent nadoen, maar dingen verzinnen werkt niet altijd even goed. Je zult later nog wel zien wat ik daarmee bedoel.

Bovendien – anders werkt het accentverhaal niet – moet je verhuizen naar de Verenigde Staten van Amerika.

Dat is alles. Meer was er voor mij niet nodig om van Nerdy Kate van de Sufschool te veranderen in Coole Katie op mijn nieuwe school, zoenend met Jake Matthews. Slimme moeder, accent, VS. Nou denk je natuurlijk: zo eenvoudig kan het niet zijn. Nerdy lelijke eendjes veranderen niet in hippe zwanen, behalve in sprookjes. Sterker nog: als je me zo ziet met Jake Matthews, betwijfel je of ik wel ooit in de verste verte niet-cool ben geweest.

Ik snap dat je dat denkt, dus zal ik je nog wat meer over mezelf vertellen. Dan mag je dadelijk zelf oordelen.

Bij de kleinste aanleiding – en soms had ik zelfs helemaal geen aanleiding nodig – citeerde ik, Nerdy Kate, woord voor woord oude afleveringen van *Buffy the Vampire Slayer*. Ik had alle dvd-boxen van *Buffy* en was vaste bezoekster van forums en chatrooms over de serie.

En dat is nog niet alles. Ik had een enorme kennis van televisiefilms. Je weet wel, van die zwijmelverhalen die de bioscoop niet eens halen, waarin veel wordt gehuild en iedereen tragische problemen overwint, gebaseerd op een waargebeurd verhaal. Oké, die kennis bezit ik nog steeds, net als de *Buffy*-boxen. Maar dat houd ik tegenwoordig liever voor me.

Er is nog meer. Vroeger kocht ik al mijn kleren tweedehands. Dat was een kwestie van geldgebrek, niet van misplaatste hipheid (je weet wel: dat je zo niet-cool bent dat het weer cool wordt). Dus meestal zag ik er niet uit, echt niet. Ik geef het meteen toe.

Verder gebruikte ik geen make-up. Dat was GEEN geldkwestie, want ik had best de afdankertjes van Kelly kunnen vragen. Of me stiekem bij de parfumerie kunnen opmaken met testers. Maar ik vond dat meisjes geen make-up hoorden te gebruiken. Ik was van mening dat je jezelf 'verlaagde' als je probeerde eruit te zien 'alsof je voortdurend in een staat van opwinding was'. Dat had ik ooit in een feministenblad van mijn moeder gelezen. Ik zei het ook tegen de meiden bij mij op de Sufschool in Sufgehucht die zich wel opmaakten, de meisjes die Hailey en ik 'de Poppetjes' noemden. Het was niet zomaar een excuus voor de keren dat ik me wel opmaakte en de make-up 's middags in mijn eten terechtkwam, dat daardoor erg onsmakelijk werd.

Geloof je me nu? Dat dacht ik al. Zo niet-cool was ik dus. Tot op het bot, zonder een greintje schaamte.

Wees maar niet bang, ik ben niet totaal veranderd. Nerdy

Kate schuilt nog wel ergens in me. Maar Coole Katie is hier op het feestje – een tweepersoonsfeestje in een kast vol rotzooi. En ik sta hier te feesten – sorry, te ZOENEN – met Jake Matthews.

Bij mijn party-outfit hoort tegenwoordig ook make-up. En volgens mij heeft mijn zoengenoot inmiddels net zoveel lippenstift op als ik.

Mijn oude ik zou waarschijnlijk gezegd hebben dat ik me met Jake Matthews net zo 'verlaagde' als met make-up. Het is zo'n type dat zo knap is dat hij nooit ergens moeite voor hoeft te doen, je kent dat wel: hij knipt met zijn vingers en de meisjes komen letterlijk aangehold. Maar ja, mijn oude ik zou dan ook nooit hebben meegemaakt dat iemand als Jake Matthews voor haar met zijn vingers knipte.

Ik zal je wat meer vertellen over hoe het precies is gegaan.

Mijn moeder zegt tegen me dat ze een baan aangeboden heeft gekregen in Amerika. Ze komt onhandig bij me op bed zitten en friemelt aan haar houten kralenketting, en als de naam 'Boston' valt, vraag ik meteen: 'Boston in Lincolnshire?' Dat ligt dus in Engeland. Ik geloof mijn oren niet als ze antwoordt: 'Nee, in Massachusetts.' Hoe kan ik ooit onthouden hoe je dat spelt? Is daar niet een ezelsbruggetje voor, iets op rijm? Of ben ik nou in de war met Mississippi?

Mijn moeder zegt dat het voor haar een buitenkans is. Ze doet iets technisch met computers, en er zijn maar weinig mensen die kunnen en weten wat zij kan en weet. Dus is ze weggekaapt door een headhunter. (Dat doet me weer aan zombies denken!) En ze heeft die baan gekregen. In Amerika. Dat had ik al gezegd, hè? Maar het is ook niet niks.

Waarschijnlijk is het tijdelijk, voor ongeveer een jaar, en

ik hoef niet met haar mee, zegt ze. Al kan ze wel een visum voor me krijgen. Ik kan nu makkelijk weg, want het schooljaar is net om en ik heb volgend jaar eigenlijk heel saaie vakken – geschiedenis, Engels, aardrijkskunde – vergeleken met wat je schijnbaar in Amerika allemaal kunt kiezen, zoals psychologie en trigonometrie. Dat klinkt toch net wat lekkerder dan wiskunde.

Ik mag ook in Engeland blijven, zegt mijn moeder, dan kan ik bij mijn vader en Kelly gaan wonen. Ze heeft het er al met hem over gehad, maar als ik daarvoor kies, zal ze me wel heel erg missen. Ik zou zelfs een eigen kamer krijgen bij mijn vader, terwijl ik nu bij Lolly moet slapen als ik bij hen logeer. Ik kan dus gewoon in Sufgehucht op school blijven, bij Hailey in de klas.

Mijn moeder zegt nog dat ze het heel rot voor me vindt dat ze me dit moet aandoen. Maar het visum is nog niet helemaal rond, misschien gaat het wel niet door, of moet ze de baan maar gewoon afslaan? Ze wil mijn leven niet verpesten. Ze weet nog goed dat haar eigen leven totaal overhoop werd gehaald op haar vijftiende. Ze heeft het mijn opa nooit vergeven dat hij in het examenjaar bij oma is weggegaan.

Ik moet me inhouden. Ik wil niet te gretig reageren. Dan wordt ze misschien wantrouwig over mijn ware reden om weg te willen; misschien wil ze me dan wel niet meer meenemen.

Maar wat denk je nou?! Een ander leven dan dat in Engeland, waar ik onmogelijk NOG lager op de sociale ladder zou kunnen staan, waar ik geen vriendje heb en waar ik de pest heb aan school. Ik woon nota bene in Sufgehucht, waar nooit iets te doen is en waar ik al sinds mijn vijfde word beschouwd als een nerd, omdat ik op de eerste schooldag heb rondgebazuind dat ik familie ben van Batman. (Ik word nu nog wel eens Batgirl genoemd. En nee, ze lachen niet MET me, ze lachen me vierkant uit.)

Ik ben wel bang dat ik in Amerika gepest zal worden omdat ik Britse ben. Dat is misschien nog wel erger dan het Batmanverhaal.

'Gaan ze me dan Limey noemen?' vraag ik aan mijn moeder, want ik weet nog dat we dat bij geschiedenis hebben gehad: in de negentiende eeuw zogen de Britse zeelieden op limoenen (*limes*, dus) om scheurbuik tegen te gaan, en sindsdien gebruiken de Amerikanen 'Limey' als scheldwoord voor Britten.

Maar mijn moeder zegt lachend: 'Dat woord wordt allang niet meer gebruikt, Kate, wees maar niet bang. Je moet gewoon jezelf blijven, dan vinden ze je vast hartstikke leuk.'

En hoe moet het dan met de mensen die me nu al leuk vinden? Zal ik mijn vader niet gaan missen, met zijn slaapverwekkende wijze spreuken? Of de natte klapzoenen van Lolly? Ik weet wel dat ik Kelly niet zal missen, dus dat is geen probleem. Maar zal mijn beste vriendin Hailey me in een jaar tijd niet vergeten? Straks krijgt ze eerder verkering dan ik, met een jongen die ik niet eens voor haar kan keuren.

Mijn moeder herinnert me eraan dat ik altijd kan mailen en bellen. En gaan logeren. We vertrekken nou ook weer niet naar het einde van de wereld. Ik kan Haileys potentiële vriendjes ook per e-mail keuren. Lolly kan me door de telefoon natte klapzoenen geven, met als extraatje dat Kelly daar natuurlijk gek van wordt en er een telefoonhoornontsmettingscrisis uitbreekt in het huis van mevrouw Reilly de Tweede.

Trouwens, Hailey zou geen moment aarzelen als ze zo'n kans kreeg, dus ik hoef me niet schuldig te voelen. Dat weet ik omdat ze altijd een Amerikaans accent opzet en dan een *awesome* figurant uit een Amerikaanse zwijmelfilm nadoet. Ze is gek op Amerikaanse acteurs, en al wonen die misschien niet in Boston, het is toch in ieder geval hetzelfde werelddeel.

Wil ik mijn Batgirlbestaan verruilen voor het leven dat ik ken uit al die tv-programma's en films? Met grote schoolfeesten en logeerpartijtjes en ijssalons waar je een bananasplit kunt eten?

'Mam,' zeg ik, 'het lijkt me best te doen. Ik bedoel, ik zal mijn huiswerk natuurlijk vreselijk missen' – hier laat ik even een stilte vallen, en ik moet mijn best doen om mijn gezicht in de plooi te houden – 'maar ik red me wel. Bovendien wil ik bij jou blijven. Om je te steunen.'

O jee, misschien was dat huiswerk in combinatie met 'om je te steunen' wat te veel van het goede. Mijn moeder kijkt me bevreemd aan.

Ik voeg eraan toe: 'En ik heb altijd al willen weten hoe het op zo'n Amerikaanse *high school* is. Zouden er van die echte sporttypes rondlopen? Die de valse cheerleaders meevragen naar het schoolbal?' Ik fantaseer heel even dat ik een populair type met steil haar ben, en dat ik met zo'n strakke American footballspeler naar *the prom* mag.

Mijn moeder slaat glimlachend haar armen om me heen, want ze kent me door en door, en ze begrijpt dat ik het daar net zo fantastisch zal vinden als zij.

'Je bent een fijne dochter,' zegt ze; een zinnetje dat voorkomt in acht van de tien zwijmelfilms die we samen altijd kijken als een van ons ziek is of zich gewoon rot voelt.

Ik glimlach terug en antwoord, alsof het zo afgesproken is: 'Ik hououou van je, mam.'

En even doen we alsof we samen vreselijk moeten snikken.

De weken daarna zijn lastig. We moeten lang wachten op ons visum, met veel zorgen en paniek en een hoop spullen die ingepakt moeten worden.

Ik ben treuriger dan ik had verwacht bij het afscheid van Hailey. Ze komt langs op de ochtend van ons vertrek, met een verjaardagscadeau. Ik pak het op de stoep al uit. Het is een ingelijste foto van ons samen – een die ze afgelopen zomer heeft genomen met de camera van haar nieuwe telefoon, die ze met gestrekte arm voor zich uit hield. Op die foto zien we eruit alsof we weerspiegeld worden in een heel grote pollepel. Onze vervormde gezichten grijnzen breed, mijn neus lijkt nog groter dan hij al is en je ziet het prachtige kastanjebruine haar van Hailey amper. Maar mijn eeuwige woeste krullen zijn duidelijk in beeld; er hangt zelfs een pluk voor een van Haileys ogen.

Als ik naar die foto kijk, word ik opeens bang dat het nooit meer hetzelfde zal zijn tussen ons.

'Ik mail je iedere vijf minuten,' beloof ik met een bibberstemmetje.

'Echt niet. Je hebt daar natuurlijk veeeeel te veel *fun*.' Ze trekt een pruilmondje en knippert overdreven met haar ogen. Hailey huilt nooit. Ze is er trots op dat ze zo stoer is. Vroeger noemden oude mensen bij de bushalte haar altijd 'jongeman', tot ze vorig jaar meer rondingen kreeg. Nu kijken ze alleen maar afkeurend naar haar sweater met capuchon en naar haar sportschoenen, haar onmeisjesachtige voorkomen. 'Maak je om mij maar geen zorgen, ik red me hier wel. Ik heb de hardloopgroep, en misschien word ik volgend semester wel dikke maatjes met de Poppetjes. Kunnen we samen nepwimpers gaan kopen als het twee halen, één betalen is.'

'Hailey! Waag het niet om te veranderen!'

'Jij bent hier degene die gaat veranderen, Batgirl. Over

een week weet je niet eens meer dat je buiten ook kunt lopen. In Amerika doen ze alles met de auto. Ze rijden naar het winkelcentrum en dan gaan ze daar in de sportschool op zo'n loopband staan voor de lichaamsbeweging.'

'Dat doe ik heus niet.'

'Nee, jij blijft thuis aan je luxe zwembad liggen om naar de jongens met ontbloot bovenlijf te gluren.' Ze grijnst.

Dat beeld had ik zelf ook al in gedachten.

'O, Hailey, kan ik je niet stiekem in mijn koffer meenemen?' zeg ik sniffend.

'Ga nou maar, het wordt vast hartstikke leuk. Stuur mij maar zo'n strandwacht.' Ze zwaait even, draait zich om en holt de straat in, met extra verende passen door haar nieuwe hardloopschoenen. Ik kan bijna niet geloven dat ik haar maandenlang niet zal zien. Met de foto tegen me aan gedrukt blijf ik een eeuwigheid staan sniffen.

Als mijn vader en de kleine Lolly-Lauren later die dag afscheid komen nemen, moet ik pas ECHT huilen. Het begint zodra ze binnenkomen, en bij het uiteindelijke afscheid stromen de tranen over mijn wangen.

'Doei-doei, Lolly-Lol,' weet ik nog uit te brengen. Ik houd haar heel stevig vast en er komen zoute traanvlekken op haar volmaakte designer-T-shirtje. Kelly kijkt me aan alsof ik het expres doe.

'Doei-doei, Kate-peteet.' Lolly worstelt zich los, klautert op de bank en duikt ervanaf. 'Kijk eens hoe goed ik kan springen.'

'Heel goed gedaan,' zeg ik snikkend.

Ook de schouder van mijn vader maak ik kletsnat, als hij stijfjes zijn armen om me heen slaat en zegt: 'Vergeet niet om regelmatig de wisselkoers te bekijken – de dollar is niet zo zwak als je zou denken. En poets je tanden minstens twee keer per dag.'

Jankerig beloof ik het allebei. Dan geef ik Kelly een kusje op haar wang. Dat maakt tenminste een einde aan de tranenvloed.

Mijn vader zegt dat hij vlak voor de kerst langs zal komen, en dat is al over een paar maanden. Maar het lijken wel jaren. Lolly heeft dan al een periode op de peuterschool achter de rug. En ze wordt natuurlijk zienderogen groter en ouder. Misschien kan ze tegen die tijd zelfs haar eigen naam wel fatsoenlijk uitspreken.

Kelly zegt dat ze zich erop verheugt om te gaan shoppen in New York. Ik vertel haar maar niet dat ze vast niet zomaar voor een dagje de bus naar Madison Avenue kan nemen vanuit Boston. Dit is niet het juiste moment om weer ruzie met mijn vader te krijgen over het onderwerp 'geen respect voor Kelly'.

Mijn moeder duikt pas aan het einde van het grote afscheid op. Ze zwaait luchtig naar mijn vader en zegt: 'We zien elkaar tegen Kerstmis, zoals afgesproken. Sorry, maar ik moet nog een hoop inpakken.'

Ik bedenk hoe heerlijk het voor haar zal zijn om hier weg te kunnen. Even strijk ik met mijn vinger over de foto van Hailey die in mijn zak zit, samen met de halfgesmolten snoepjes die Lolly me heeft gegeven voor in het 'fiegtuig'.

Ik zal ze allemaal missen, maar ik sta te trappelen om te vertrekken.

Naar het thuishonk

Dadelijk komen we bij het spannende gedeelte – over Jake Matthews. Maar nog heel even geduld, graag. Er zijn nog wat dingen die je eerst moet weten.

Ik woon nu in een buitenwijk van Boston: Milltown, Mass. Ja, 'Mass.' kan ik wel spellen, geen probleem.

Het is hier heel anders dan het Amerika dat ik had verwacht; misschien zou ik een paar filmproducenten voor de rechter moeten slepen. Ik heb gehoord dat ze hier in de States voortdurend rechtszaken aanspannen. Bijna niemand woont in een hoge flat, en ik woon niet – zoals Hailey voorspelde – op de eenenvijftigste verdieping. Maar goed dat ik mijn telescoop niet heb meegenomen. (Grapje! Zo ben ik niet! Mijn telescoop is kapot. Weer een grapje! Ik heb helemaal geen telescoop.) (Niet meer.)

We wonen in een groot houten gebouw waarvan elke verdieping een flat is (of zoals ze hier zeggen: appartement). Een driegezinshuis noemen ze het, en wij zijn het gezin in het midden. Onze flat heeft de beste douche die ik ooit van mijn leven heb gezien, maar verder is alles kapot en zelfs de deuren sluiten niet fatsoenlijk. Eigenlijk is het meer een superdouchecabine dan een appartement. Het heeft mijn moeder en mij twee paniekerige maar ook luxe dagen in een hotel gekost voordat we woonruimte hadden gevonden. De paniek was voor mijn moeder, de luxe voor mij. Ooo, wat een heerlijke donuts hadden ze in dat hotel!

Mijn moeder was zoveel geld kwijt aan borg en extra kosten en donuts dat we drie nachten op de grond hebben geslapen voordat ze, na een speciale overboeking vanuit Engeland, geld had om bedden te huren. En we hebben een hoop huisraad gekocht bij de tweedehandswinkel in Walnut Street, een enorme zaak die veel hipper is dan je zou verwachten. Ik heb er zelfs nieuwe kleren gekocht voor school.

Over school gesproken: ik zal je even vertellen over de allereerste dag.

Daar gaat-ie. Het is pas een paar dagen geleden dat we hier op het vliegveld zijn aangekomen (op mijn verjaardag – die duurde dit jaar vijf uur langer!) en ik was vanmorgen om vier uur al klaarwakker, stijf na een nacht op de harde grond, en ik ben nu dus zestien! Het is geen probleem om op tijd op school te komen. Dit lijkt al een stuk meer op wat ik me had voorgesteld toen mijn moeder me vertelde dat ik was ingeschreven op een Amerikaanse high school.

De school is heel groot, een soort fabrieksgebouw dat iedereen hier *The Mill* noemt, al heb ik geen idee waarom. Het lijkt totaal niet op een molen, tenzij er ooit molens zijn geweest die, eh... eruitzagen als een groot schoolgebouw. Maar goed. The Mill is het hart van Milltown. Bovendien is het om de hoek (*round the block*, zeggen ze hier) van ons appartement, dus niks gele schoolbus 's morgens. Wat Hailey ook beweerde over Amerika en de autocultuur, tot nu toe heb ik alles lopend gedaan.

Mijn moeder vindt het superjammer dat ik nu niet kan roepen: 'Dag, mam, de SCHOOLbus is er!' zoals we in Engeland hebben geoefend. Dat had toch al niet gekund, want mijn moeder moet heel vroeg de deur uit naar haar nieuwe kantoor bij Alleen Maar Bollebozen bv. Ze doen hier niet aan snipperdagen, en door de Grote Huizenjacht kan ze geen vrije dagen meer krijgen. Ik moet dus in mijn eentje naar The Mill lopen.

Maar dat geeft niet. Dat gedeelte is een makkie.

Dan sta ik in de schaduw van dat enorme gebouw van rode baksteen en denk: en nu?

Er staan groepjes leerlingen te praten en te lachen; ze zien er eigenlijk heel gewoon uit. Ik bedoel, vervang de vrolijke sweaters door groezelige, donkerblauwe Sufschooltruien, maak de angstaanjagende types iets minder ontzagwekkend en een stuk verveelder en je hebt dezelfde leerlingen. Geloof ik.

Ik zie een meisje met ongelooflijk mooi, steil zwart haar dat haar halve gezicht bedekt. Haar kleding is ook grotendeels zwart, en haar vuurrode lippenstift vormt zo'n contrast dat haar mond bijna licht geeft. Ze leunt tegen een pilaar en gaat helemaal op in een boek. Als ik langzaam dichterbij schuifel, zie ik dat het *Hekserij voor tienermeiden* heet. Iets aan de manier waarop ze aan haar haar plukt tijdens het lezen doet me aan Hailey denken. Wat heb ik te verliezen?

Ik begin meteen te praten, voordat ik me kan bedenken. 'Neem me niet kwalijk, zou jij me misschien de kamer van Harwood, het schoolhoofd, kunnen wijzen?'

Goed begin, Kate. Kan het nog Britser? Ik heb geen idee waarom dat er nou uitkwam in mijn chicste telefoonstem. Hiermee vergeleken klinkt de koningin van Engeland als een verlopen zwerfster.

Het heksenmeisje kijkt achter zich, naar een jongen met warrig net-uit-bed-haar. Naast hem staat een lang zwart meisje met het uiterlijk en de houding van een mannequin. Ik had niet gezien dat het heksenmeisje niet alleen was.

'Eerste verdieping, linksaf,' zegt het supermodel. 'Ben jij een *transfer*?'

De anderen staren me aan. Volgens mij zijn ze sprakeloos door mijn accent. In plaats van antwoord te geven knik ik, om ze er niet nog een keer aan bloot te stellen. Dankzij *Buffy* weet ik dat *transfer* betekent dat ik van een andere school kom, niet dat ik de bus ben die de vakantiegasten naar hun hotel moet brengen.

Als ik wegloop, hoor ik een van hen iets zeggen wat klinkt als 'té leuk', gevolgd door een hoop gelach, maar ik weet niet wie het zei en of het over mij gaat. En of het positief of negatief is.

Tien minuten en een heleboel trappen later, omdat de 'eerste verdieping' hier de begane grond blijkt te zijn, heb ik de juiste kamer gevonden.

De assistent van schoolhoofd Harwood geeft me mijn rooster, dat ze hier niet *timetable* maar *schedule* noemen, en geeft me mijn keuzevakken door, die ook al anders heten dan bij ons. Ik kies een hoop wiskundeachtige vakken, omdat ik zo vaak mogelijk de afkorting *'math'* wil gebruiken. Hij zegt dat ik, op grond van mijn Engelse rapport, een *honour student* ben (Hailey zou het 'stuudje' noemen) en hij koppelt me aan een andere honour student, een net, superdegelijk meisje. Het nette meisje leidt me de hele morgen rond en ratelt maar door over de *school spirit*. Ik begin al te denken dat we misschien wel vriendinnen kunnen worden, maar tussen de middag brengt ze me naar een enorme zaal en verdwijnt met een snel 'doei'.

Daar sta ik dan! Ik ken hier helemaal niemand en ik ben MOEDERZIEL alleen. Doodeng.

Op dat moment zie ik het meisje met het steile zwarte haar weer. Deze keer is ze duidelijk niet alleen, maar ze is nog steeds verdiept in het heksenboek. Dat moet wel een heel goed boek zijn. Misschien mag ik het een keer lenen. Ze is de eerste op The Mill met wie ik heb gesproken, dus ze is hier praktisch mijn beste vriendin.

'Hallo,' zeg ik, 'mag ik je wat vragen?'

Deze keer kijkt ze niet eens op. Haar stem klinkt toonloos en onverschillig. 'Hoepel op,' zegt ze, gevolgd door een reeks gelijksoortige opmerkingen, inclusief een paar scheldwoorden die ik niet versta. Ik geloof dat het Spaans is. Maar het zijn duidelijk scheldwoorden. En dan voegt ze er 'Limey' aan toe.

Pff! Ik dacht dat dat woord niet meer werd gebruikt. Net iets voor mij om de enige persoon in de hele Verenigde Staten van Amerika eruit te pikken die het nog WEL zegt.

Maar afgezien daarvan! Ik kan er toch niets aan doen dat ik hier nieuw ben? En neem me vooral niet kwalijk dat ik prááát, hoor. Dat zeg ik dus niet, want zo ad rem ben ik helaas niet. Terwijl ik daar koortsachtig een geestige, scherpe reactie probeer te bedenken, zie ik een clubje perfecte meiden lopen. Ze zijn strak en stijlvol en komen recht op MIJ af!

Ik heb dit in talloze films gezien. Het populaire groepje dat in slow motion door de gangen schrijdt, hun glanzende haar dansend in de mooiste patronen. Bijna begroet ik ze glimlachend, omdat ze me zo bekend voorkomen. Maar dan herinner ik me dat zulke meisjes nooit haardansend op een nieuwe leerling afstappen, tenzij het hun bedoeling is om lullig tegen haar te doen.

O, jee. Waarom blijven ze voor mijn neus staan?

'Hoi, ik ben Chelsea,' zegt de leidster, die blond en mooi is, met een poeslief lachje. 'En dit zijn Kristy, Chris en de anderen.' Kristy en Chris staan aan weerskanten van haar. Ik weet niet wie wie is. Ze doen me denken aan de lelijke stiefzusjes van Assepoester, met een dikke laag make-up en al net zo hooghartig. Hun kleren passen bij die van Chelsea, alsof ze samen hebben afgesproken wat ze vandaag zouden aantrekken. 'De anderen' zijn een sullig type dat ietsje verderop staat en een ander meisje, dat er heel gewoon uitziet.

Ik probeer vast een paar beledigingen achter de hand te houden, voor alle zekerheid. Ik mag de eerste dag niet over me heen laten lopen. Maar eigenlijk weet ik niet beter. Dodelijk vermoeiend.

Chelsea legt welgemeend een hand op mijn arm en fluistert hard: 'Ik weet dat je hier nieuw bent en zo, maar hoe kom je erbij om met Rachel Glassman te praten!' Ze zwiept haar volmaakte blonde manen in de richting van het meisje met het steile zwarte haar.

'Bla bla,' zegt Rachel rustig, nog steeds zonder op te kijken van haar boek.

Chelsea knijpt haar ogen tot spleetjes, maar Rachel ziet het niet eens.

Nog altijd met haar hand op mijn arm troont Chelsea me bij Rachel vandaan, wat ik bijna jammer vind. Ze deed wel bot tegen me, maar ik vind heksen een stuk minder eng dan opgedofte prinsesjes. Van Chelsea word ik al nerveus als ze alleen maar naast me staat.

Maar goed, een nieuwe start! Ik wil toch veranderen? Het wordt tijd voor een nieuwe ik. Hoe moeilijk kan dat nou helemaal zijn?

Dan komen de vragen. Ik krijg geen tijd om na te denken. Het is nog erger dan een overhoring op school!

LELIJKE STIEFZUS 1: Zit je in de onderbouw? Wij wel.

IK: Ik ook, ik...

LELIJKE STIEFZUS 2: Hoe heet je?

IK: Eh, Katherine Reilly. Mijn vrienden noemen me Kate, maar eh...

CHELSEA: Katie, waar kom je vandaan? Je hebt zo'n cool accent.

IK: Engeland, dat...

SULLIG MEISJE: Engeland! Cool! Wacht eens, mijn neef Brad woont in Londen. Ken je die?

STIEFZUS 1: Duh, Tori, jij hebt dus écht geen hersencellen. Katie, hoe ben je hier verzeild geraakt?

IK: Eh, door het werk van mijn moeder. Ze werkt vlak bij Route 128...

SULLIG MEISJE DAT BLIJKBAAR TORI HEET: Hé, ken je prins Charles? Mijn pa zou uit zijn dak gaan! Of prins Harry? Die is echt wel BIJNA lekker.

IK: Eh, nee.

GEWOON MEISJE: Tori! Duh! Katie, heb je een vriend?

STIEFZUS 1: Wij hebben allemaal een vriend, behalve Ana.

De mijne heet Carl en Chris heeft verkering met Anthony, Chelsea met Bryce en Tori met Greg. Maar Ana wordt binnenkort ECHT wel mee uit gevraagd door Jonny Wells, dat kan niet missen.

IK: Eh.

GEWOON MEISJE DAT BLIJKBAAR ANA HEET: Hou je kop, Kristy. O, was het maar waar.

STIEFZUS 1 DIE BLIJKBAAR KRISTY HEET: Hou zelf je kop, ik weet het zeker. Echt wel, hè, Chris?

STIEFZUS 2 DIE BLIJKBAAR CHRIS HEET: Hoe heet hij?

ANA: Ja, hoe heet je Britse vriendje?

IK: Eh, eh... Prins. Nee, William.

KRISTY: Huh?

TORI: Ze zei William. O, dat klinkt goed. Mist hij je niet? Vast wel. Komt hij je binnenkort opzoeken?

CHELSEA: Kom op, meiden, etenstijd. Ga met ons mee, Katie, dan laten we je zien wat de enige coole plek is om te zitten in de pauze. Chris, haal eens een appel voor me.

STIEFZUS 2, CHRIS DUS: Oké. Wat voor appel wil je? Moet ik hem soms ook nog voor je oppoetsen?

Oké, dat laatste zei ze er niet bij, maar ik zweer je dat ik het haar zag denken.

Dat was dus mijn eerste gesprek met het coolste groepje uit de onderbouw van The Mill. Niet slecht, als je even vergeet dat ik zojuist een Engelse vriend heb verzonnen die William heet. Zie je wel, ik kan dit best! Ik kan erbij horen.

Tijdens de lunch zit ik bij hen, en ik val helemaal niet uit de toon. Althans, dat denk ik.

Na de pauze zegt Chelsea: 'Hé, Katie, kom je zondagavond ook naar het feest van Tori? Chris, vertel even.'

Er valt een verbijsterde stilte. Dit is duidelijk niet niks.

Chris is onder de indruk, zo te zien, en Kristy trekt een zwaar afkeurend gezicht. Ana kijkt verbaasd. Tori schijnt er totaal niet mee te zitten dat Chelsea mensen uitnodigt voor HAAR feest.

'Als de ouders van Tori een feestje geven,' legt Chris braaf uit, 'dan mogen wij het hele souterrain gebruiken, zodat ze geen last van ons hebben.'

Tori knikt. Het lijkt wel alsof ze, ook al is het feest bij haar thuis, er verder niks mee te maken heeft. Misschien is ze gewoon de leverancier van de feestlocatie.

'En alle knappe jongens komen ook,' voegt Chris eraan toe.

'Zelfs Jake Matthews, en hij heeft op dit moment geen vriendin,' zegt Kristy.

'Maar jij hebt wel een vriend,' zegt Chelsea. 'Trouwens, Katie weet niet eens wie Jake Matthews is.'

Kristy werpt me een woeste blik toe. Ik laat mijn schouders zakken om mezelf kleiner te maken. Was mijn haar maar blonder en mijn kleding Amerikaanser, uit zo'n echte *shopping mall*. Leek ik maar meer op hen.

'Katie, Jake Matthews is de coolste, lekkerste jongen van The Mill.' Kristy's gezichtsuitdrukking wordt milder en ze slaakt een zucht; haar zure blik verdwijnt onmiddellijk als ter sprake komt hoe smakelijk deze jongen is.

Hij moet wel heel bijzonder zijn. Ik kan bijna niet wachten om hem te zien.

Chelsea gaapt overdreven, al keek ze volgens mij ook tamelijk dromerig toen de naam Jake Matthews viel. 'Maar goed, je moet dus ook komen, Katie. Kom op, ik wil hier weg.'

Ze staat op, zwiept weer met dat haar en schrijdt weg, met Kristy en Chris precies in de maat links en rechts naast haar. Ana en Tori dribbelen achter hen aan en even weet ik niet wat ik moet doen, totdat Tori teruggesneld komt en zegt: 'Kom mee, Katie.'

Mijn hoofd loopt over van de gedachten als: Help! Niks om aan te trekken! Straks merken ze dat ik niet cool ben! Help me!

En dat doet Tori. Ze zegt: 'Heb je zin om straks mee naar mijn huis te gaan? Ik kan je een ongelooflijke metamorfose geven. En je mag ook kleren van me lenen, als je wilt.'

Ik mag Tori wel.

Die middag ga ik met haar mee. Ze woont in een totaal ander huis dan onze 'driegezinswoning'. Hier kunnen wel vijf gezinnen in, maar er woont er maar één.

'Snel, naar mijn kamer,' zegt ze als we de hal in lopen, die zo groot is als ons hele appartement. Alle wanden hangen vol met ingelijste foto's. Ik verwacht babykiekjes van Tori te zien, maar in plaats daarvan zie ik voornamelijk een bekend, ouder gezicht. De koningin van Engeland – in minstens tien verschillende effen gekleurde outfits, poserend met een ernstig glimlachje. Verderop aan de muur hangt een portret, en het duurt even voordat ik doorheb dat het Charles en Camilla zijn, die op groene rubberlaarzen bij een paard staan.

Tori trekt nerveus aan mijn mouw. 'We moeten boven zijn,' zegt ze, en ze loopt naar een trap die niet zou misstaan in Buckingham Palace.

'Lieverd, zijn de corgibeeldjes die ik op eBay heb gekocht al bezorgd?' vraagt een lage mannenstem ergens links van ons.

'Naar boven!' Tori trekt me wanhopig mee, maar het is al te laat. Er gaat een deur open en een man in een tweedjasje lacht breed naar ons.

'O, ben jij het, Victoria. Ik dacht dat je je moeder was. Hoe was het op school? Wie is die vriendin van je? Ze ziet er heel anders uit dan de uitgehongerde modeslavinnetjes die je normaal gesproken mee naar huis neemt.'

'Pa-hap,' jammert Tori.

'Ik ben Kate – Katie,' zeg ik. Ik weet zelf niet meer hoe ik heet. En dan, misschien omdat de vader van Tori me aanstaart alsof ik iets heel bijzonders heb gezegd, voel ik me geroepen eraan toe te voegen: 'Ik kom uit Engeland.'

Tori reageert ontzet. 'Nee, hè?' mompelt ze.

'Nee, maar! Je bent Britse! Nee, maar! *Splendid!* Zeg je dat wel eens, *splendid*? Dat moet wel. Schitterend woord. En zeg je ook *marvellous*? Nee, maar, Tori, waarom heb je me niet verteld dat je een Britse vriendin hebt? Dit is *marvellous, splendid*, eh... *spiffing*? Wat een *spiffing* nieuws.'

Arme Tori – ik heb nog nooit van mijn leven zo'n gênante vader gezien. Mijn eigen vader, die Hailey toch regelmatig verveelde met zijn verhalen over belastingwetgeving, is echt een heel normale man vergeleken met deze ouderlijke vertoning.

'Paaaahap, hou alsjeblieft op.' Tori kijkt diepongelukkig.

'Wil Katie misschien een kopje thee? Volgens mijn neef in Londen is het echt waar dat de Britten de hele dag door theedrinken. Maar mijn andere vragen kon hij niet beantwoorden. Katie, misschien kun jij me helpen?'

Ik knik, ook al schudt Tori van nee en kijkt ze verlangend naar de trap.

'Waar kopen de prinsen hun kleding meestal?'

'Pardon?' Ik weet niet wat ik had verwacht, maar dit in ieder geval niet.

'Harry en William. Is hun kleermaker online bereikbaar? Dat zou ik erg graag willen weten. Ik zou graag een speciaal pak willen kopen voor mijn zoon, voor zijn verjaardag.'

'Pap, Katie en ik moeten studeren.'

'Het spijt me vreselijk, maar dat weet ik niet,' mompel ik.

'Nee, maar. Wat heb je toch een prachtig accent.' De vader van Tori staart me bewonderend aan. 'Victoria, ik moet je moeder vertellen hoe *marvellous* je nieuwe vriendin is. Katie, ik heb enorm veel vragen. Over Windsor Castle en... O ja, zoals je wel zult weten, heten wij ook Windsor. Ja, inderdaad.'

'Ik denk dat mama nog bij het zwembad is. Ga het haar maar meteen vertellen.'

'Wat een *splendid* idee, Victoria. Gegroet, Katie.'

Als meneer Windsor wegbeent, staat Tori erbij alsof ze wel door de grond zou kunnen gaan. Maar als ik begin te lachen, lacht ze mee, en we giechelen tot aan haar kamer.

Daar zoekt ze tussen de designerkleding in haar enorme klerenkast. 'Ik ga binnen de kortste keren jouw coole Britse *look* omzetten in een coole Amerikaanse look, Katie,' zegt ze.

Ik ben allang blij dat ze mijn 'Britse look' cool vindt, dus ik spreek haar niet tegen, maar ik voel me wel ongemakkelijk genoeg om te zeggen dat ik denk dat ik haar hulp goed kan gebruiken, en niet alleen vandaag. Tori zegt dat ik een hoop kleren en schoenen van haar mag lenen. We hebben wel een probleempje met de maat – eerst denk ik dat Tori kinderkleding draagt, zo klein is alles – maar uiteindelijk zit het me gewoon lekker strak. We weten geen van beiden hoe het met de schoenmaten zit, maar met een beetje experimenteren komen we erachter dat ik de meeste van Tori's schoenen ook wel aan kan.

Het daaropvolgende uur onderga ik een ongelooflijke metamorfose. Ik biecht aan Tori op dat ik mijn make-up altijd opeet en dat ik nog nooit hoge hakken heb gedragen. Ze zegt dat ik haar 'flatjes' mag lenen en leert me technieken om te voorkomen dat ik mijn lippenstift als tussendoortje gebruik.

Ik laat Tori tutten. Ze maakt mijn haar glad met een steiltang, zodat het niet langer een eigen leven leidt.

Dan gaat ze haar oudere broer, die bij ons op school in de bovenbouw zit, roepen om mijn gedaanteverandering te laten beoordelen vanuit een mannelijk standpunt. Tori draagt me op me in de kast te verkleden en dan telkens in een andere outfit naar buiten te komen, zodat Albie me punten kan geven.

'Albie is zanger en gitarist, een echte muzieknerd,' zegt ze waar hij bij is, met een grimas. 'Maar hij ijshockeyt met Jake Matthews en is populair bij de coole jongens, dus zijn mening is niet onbelangrijk.'

Albie grinnikt.

Ik vind hem er niet uitzien als een nerd. Hij heeft zwarte stekeltjes en van die ondoorgrondelijke Jake Gyllenhaalogen waar je jezelf in kunt verliezen als je niet uitkijkt. Hij ziet er ook tamelijk *fit* uit, maar dat zeg ik niet tegen Tori, want hij is haar broer en bovendien betekent 'fit' hier vast weer iets anders dan in Engeland.

Eerst vind ik het heel gênant om voor Albie te poseren in mijn verschillende nieuwe outfits, maar hij praat veel en ik begin me te ontspannen. Ik zou de hele avond naar zijn warme stem kunnen luisteren, en naar zijn typisch Amerikaanse-jongensuitdrukkingen als *'All RIGHT!'* en *'Way to go'* en 'Die staat je *cute*'.

Helaas voor mij kijkt Albie na een stuk of duizend outfits op zijn horloge en zegt: 'Ik moet nu gaan, zusje.' Hij loopt naar de deur.

'Je gaat toch niet weer naar mevrouw Cook?' vraagt Tori. 'Blijf nou nog even, het is belangrijk.'

Albie wiebelt met de deurklink. 'Nee, ik moet echt gaan,' zegt hij. 'Maar eh, Katie, je ziet er hartstikke goed uit, wat je ook aantrekt en wat Tori ook met je gezicht doet.'

En dat is het einde van de beoordeling.

Als Albie weg is, zegt Tori dat hij anders nooit naar meisjes kijkt, nog niet als ze zich op hem storten en hem smeken met hen uit te gaan, dus op basis van zijn afsluitende opmerking verdien ik sowieso een tien.

Dankzij Tori verschijn ik op mijn tweede schooldag als Cool Girl. Met mijn nieuwe uiterlijk en het oude accent zit ik gebakken.

In de eredivisie

Weet je nog wat ik zei over een accent? Ik merk nu dat ik de grootste onzin kan uitkramen, want niemand luistert naar wat ik zeg, alleen maar naar de manier waarop ik het zeg. En ze vinden het geweldig.

De uitzondering hierop is Kristy. Zij luistert WEL naar me, en dat is irritant.

'Vertel eens wat meer over William,' zegt ze woensdag in de kantine, waarbij ze me indringend aankijkt. Iets aan haar gezichtsuitdrukking maakt dat ik me afvraag of ze vermoedt dat ik William heb verzonnen, maar dat kan toch niet? Ik geef zo snel als ik kan antwoord op al haar vragen. Gelukkig komt er iemand binnen in een niet-bepaald-designeroutfit en wordt Kristy afgeleid door de stortvloed aan 'Nee, hè?' en 'Moet je DAT zien!'

Donderdagochtend, als Kristy weer met haar vragen begint, bedenk ik dat ik William maar beter zo snel mogelijk kan dumpen. Er komen alleen maar problemen van. Bovendien, besluit ik, beginnen we uit elkaar te groeien. Het is triest, maar een relatie op afstand wordt al snel een last.

Die ochtend doe ik heel somber, en de meiden nemen me mee naar de toiletten voor een heerlijk onderonsje. Ik ben hier nog nooit binnen geweest. Het is geweldig. Het onderonsje met de meiden, bedoel ik, niet de toiletruimte. Die is namelijk nogal walgelijk en scoort behoorlijk hoog op de schaal-van-onhygiënisch.

Zo denkt Chelsea er waarschijnlijk ook over, want zodra we binnenkomen, haalt ze haar amper zichtbare neusje op en gebaart naar Chris. Die pakt een busje schoonmaakmiddel en een doekje uit haar dure handtas en veegt de graffiti van de muur. Als Chelsea weer enigszins tevreden is, zegt ze tegen mij: 'Vertel op, Katie.'

'Het gaat om William... ik mis hem zo.' Ik laat het volgen door een heel vrouwelijk snikje.

De meisjes drommen om me heen, omhelzen me en maken sussende geluidjes, terwijl ik nog wat huil en Tori's mascara laat uitlopen (op MIJN gezicht!). Het is makkelijk om er tranen uit te persen. Ik denk aan Lolly, aan mijn huis in de Doorsneestraat in Sufgehucht. Een deel van mij – de Nerdy-Katekant – heeft echt heimwee. De rest – Coole Katie – geniet van alle aandacht.

'Misschien moeten we er maar mee stoppen,' zeg ik sniffend.

'Welnee, Katie. Ik weet zeker dat jullie je hier doorheen zullen slaan,' zegt Tori, een beetje te behulpzaam. Ik heb haar goedbedoelde geruststellingen over William al de hele week ontlopen.

'Niet waar.'

'Jawel.'

'Nee, echt niet.'

'Echt wel. Ja toch, meiden?'

Ik kan er niet meer tegenin gaan. Ik geniet te veel van hun sussende woordjes. Zelfs Chelsea heeft een vriendelijk woordje voor me over. Heerlijk. Ik snuf nog wat na en laat me lekker door hen betuttelen tot we naar de les moeten.

Tijdens de lunch zie ik Jake Matthews eindelijk. Overal

klinkt geroezemoes als hij naar onze tafel loopt. De meisjes fluisteren zijn naam en staren hem na.

'Hoi,' zegt hij, en hij spant soepel zijn spierballen als hij zich naar Chelsea toe buigt.

Volgens mij moeten alle meisjes moeite doen om niet hoorbaar naar adem te happen.

'Alles goed, Cookie?'

Ik kijk Tori veelbetekenend aan en vraag geluidloos: 'Koekie?' Ik dacht dat Chelsea verkering had met Bryce.

'Cookie. Zo noemt hij haar altijd. Ze heet Cook van haar achternaam,' fluistert Tori, zonder haar blik los te maken van Jake Matthews. 'Jake en zij kennen elkaar al eeuwen.'

Ik denk niet langer dat ze iets met elkaar hebben. Ik kan er namelijk niet omheen dat Jake al die tijd dat hij met Chelsea staat te praten naar MIJ kijkt.

Naar MIJ!

Ik blijf maar naar de grond staren en om me heen kijken, want ik weet me geen houding te geven. Moet ik naar hem lachen? Hem recht in de ogen kijken? Zijn ogen zijn prachtig. Ze hebben verschillende kleuren: het ene is blauw en het andere bruin. En hij kijkt steeds naar me. Die OGEN!

Dan glimlacht hij. Wauw, wat een lach. Ik snap wel waarom Chelsea en Kristy en de rest op hem vallen. Eigenlijk is hij hun mannelijke tegenhanger: blond en volmaakt. Meer dan volmaakt.

Hij kijkt me nog één keer aan en zegt dan: 'Later.'

Er valt een stilte terwijl we hem nakijken. Hij heeft een supergoed figuur. Zijn spieren bewegen soepel mee als hij loopt. Hij is 'fit' in alle opzichten.

Wauw. Mijn eerste week op een Amerikaanse high school is bijna om en ik heb het niet alleen overleefd, ik ben ook nog eens vriendinnen met de coolste meiden van de hele school, de knapste jongen gedraagt zich alsof hij me wel ziet zitten en ik sta op het punt om met hen allemaal naar een exclusief feestje te gaan. Dat had Batgirl nooit durven dromen.

Als we naar het lokaal lopen, beschijft Tori de kleren die ze van plan is aan te trekken op het feest. Vroeger vond ik dat soort praat supersaai, en ergens vind ik dat nog steeds, maar toch zijn de details fascinerend. Ze somt halslijnen op waar ik nog nooit van heb gehoord, en zelfs de kleuren die Tori noemt klinken exotisch. Wat is bijvoorbeeld 'pruimrood'? En 'donkercerise'? Er blijkt een hele regenboog aan tinten te bestaan, hier in de wereld van het coole clubje, die mij tot nu toe onbekend was.

We blijven allemaal staan bij Chelsea's kluisje. Chelsea kijkt me met gefronste wenkbrauwen aan. Het dringt tot me door dat ik zomaar wat voor me uit liep te lachen. Ik trek meteen een soortgelijke frons. Dat zou ik zomaar vergeten: als je cool bent, hoor je niet te lachen, niet zonder toestemming.

Zo staan we een tijdje niet-lachend te zwijgen terwijl Chelsea een paar boeken uit haar kluisje pakt. Een langslopend groepje jongere meisjes kijkt vol bewondering naar haar. Sterker nog: zo kijken ze ook naar mij. Wauw. Er heeft nog nooit iemand naar me opgekeken. Dit mag van mij wel vaker gebeuren.

Kristy slaakt een zucht. 'O, god, Chelsea, een armetierige heks op tien uur.'

Chelsea gaapt verveeld. 'Kristy, niemand zegt nog "op tien uur".' Maar ze draait zich wel om, en wij volgen allemaal haar voorbeeld.

Op tien uur is niemand te zien, maar ergens rond half elf zie ik dat meisje met het steile zwarte haar weer. Rachel. Ze is met het supermodel en de jongen met het warrige haar die ik mijn eerste schooldag ook samen met haar heb gezien. Volgens mij zitten ze alle drie regelmatig bij mij in de les, maar dan heb ik het te druk met bedenken wat ik in de pauze tegen de coole meiden moet zeggen. De andere nerds heb ik eigenlijk nog niet goed bekeken.

De jongen met het warrige haar werpt me een aanstekelijke grijns toe, compleet met twinkelende ogen. Hij lijkt me leuk. Ik grinnik terug.

'O, mijn god, Katie lacht naar die gestoorde idioot!' zegt Kristy.

Ik laat de lach van mijn gezicht verdwijnen.

Rachel heeft mij nu ook gezien. 'Limey!' roept ze. 'Kijk nou eens. Goed gekloond, zeg!'

Warrig Haar zegt iets en slaat een arm om Rachels schouder. Ze schudt hem van zich af.

Hun lange vriendin komt naar me toe. 'Hoi, nieuwe.' Ze heeft een heldere, trotse stem. 'Je moet geen vriendschap met hen sluiten.' Ze lijkt het oprecht en vriendelijk te bedoelen. 'Geloof me, dat wil je niet.'

Wat bedoelt ze nou? De coole meiden hebben me al vanaf de eerste dag geadopteerd. Ik wil juist wel vriendinnen met hen zijn. Trouwens, wat is het alternatief? Niet die lange en haar vrienden – Rachel heeft me heel duidelijk laten weten wat ze van me vindt.

'NEE, hè?' zegt Kristy, en ze zet haar handen in haar zij.

'Kendis, jij bent hier dus echt niet welkom. Blijf toch tussen de mafkezen, waar je thuishoort,' zegt Chelsea. Ze wuift haar met één hand weg.

Het lange meisje – Kendis – knijpt haar ogen tot spleetjes. 'Ik heb veel meer aan deze vrienden dan ik ooit aan jou heb gehad, schat,' zegt ze tegen Chelsea.

Rachel voegt eraan toe: 'En hou dat zogenaamde vriendje van je maar goed in de gaten, want ik heb gehoord dat hij weer tussen de eerstejaars rondliep, op zoek naar vers vlees.'

Rachel en Chelsea staren elkaar een hele tijd aan en ik ben benieuwd wat Chelsea nu gaat zeggen, maar er duikt een jongen achter haar op die zijn armen om haar middel slaat.

'Bryce!' piept Chelsea. Ze kronkelt heen en weer als haar vriend haar in de nek zoent.

Rachel en de jongen met het warrige haar trekken Kendis mee, maar ik hoor Rachel nog fluisteren: 'Je krijgt er spijt van, Limey.'

Ik voel me een beetje slap. Zachtjes zeg ik: 'Waar sloeg dat nou op?'

'Dat wil je niet weten, Katie,' zegt Kristy gewichtig. Ik weet zeker dat ze op het punt staat het toch te vertellen, maar dan verstart ze. Ik ruik een pepermuntachtige rooklucht. Met een ruk draai ik me om.

Jake Matthews staat heel dicht bij me. Ik durf amper adem te halen. Alle meiden staren me aan, behalve Chelsea, die met Bryce staat te zoenen.

'Hoi,' zegt hij nonchalant, alsof hij helemaal niet doorheeft wat voor uitwerking hij op me heeft. Op ons allemaal.

'Hoi,' piep ik.

'Ga je zondag naar het feest?'

Ik knik.

'Cool. Zie ik je daar.'

Hij paradeert weg. Kristy's mond hangt open.

Tori trekt aan mijn arm. 'O, god, Katie, hij vindt je leuk. Hij vindt je leuk!'

Bryce bijt nu zachtjes in Chelsea's oor. Hij fluistert er iets in en Chelsea lacht. Dan roept hij: 'Wacht even!' en stuift achter Jake Matthews aan.

'Naar de les,' verkondigt Chelsea, en we trippelen allemaal achter haar aan.

De tijd tussen dat moment en het feest gaat als een droom voorbij. Ik denk de hele tijd: hij vindt me leuk, hij vindt me leuk.

Een andere keer graag

Het is zondag, de dag van mijn allereerste Amerikaanse feest.

We zijn in het souterrain bij Tori thuis, en dat heeft niets weg van een kelder, zoals ik had verwacht. Niet vochtig en donker, en geen spinnenweb te zien. Waarschijnlijk zijn alle spinnen omgekomen van de honger, want het is hier te mooi voor insecten. Een en al glitter en glans, net als de rest van Tori's huis. Er is een bar, er staan pluchen banken en de verlichting is gedempt. Ik snap wel waarom het coole groepje hier graag feestjes geeft.

Tori's ouders geven boven een etentje, en ze zijn nog niet één keer komen kijken of hier alles goed gaat, zelfs niet om mij nog meer vragen te stellen over de koninklijke familie. Het souterrain heeft een aparte ingang, dus het is net alsof we onze eigen club hebben.

Aan het begin van de avond komt Tori's broer Albie even hallo zeggen. Hij haalt iets te drinken voor me en we gaan samen op een bank zitten. Hij lacht zachtjes met me om zijn vader. Stelt een heleboel vragen over mijn verblijf hier, en hoe het me tot nu toe bevalt. Ik begin een verhaal over mijn moeder, het hotel en de donuts, maar ik word afgeleid als Jake Matthews zich geeuwend uitrekt aan de bar, met rollende spieren. Als ik zijn blik vang, lacht hij naar me.

'Ken je Jake Matthews?' vraagt Albie.

'Hm-hm.' Het lukt me om mijn blik los te rukken van het bargedeelte. Er valt een stilte. Ik kan er niets aan doen, Jake Matthews heeft me op de een of andere manier in zijn macht en ik kan mijn ogen niet van hem af houden.

'Ik moet gaan, we gaan zo spelen. Met de band, bedoel ik. We kunnen wel een extra repetitie gebruiken,' zegt Albie.

'Hm-hm.'

Jake Matthews neemt een grote slok bier. Ontzettend mannelijk.

'Hé, ik wil straks wel van je horen hoe je ons vindt.'

'Hm-hm.'

Jake Mattews gooit zijn hoofd in zijn nek en lacht om iets wat Bryce zegt. Zelfs zijn lach is sexy.

'Nou, dan ga ik maar,' zegt Albie.

'Hm-h...' O, god! Hij komt hierheen. Jake Matthews komt mijn kant op.

'Hoi,' zegt Jake Matthews met die ongelooflijk stralende lach. Tegen mij.

'Hoi,' zeg ik ademloos.

'Nou, tot straks misschien,' zegt Albie, en hij staat op.

'De Red Sox,' zegt Jake, die heeft plaatsgenomen op de plek waarvan Albie net is opgestaan. Hij legt zijn arm over de rugleuning van de bank. 'Dit seizoen tegen de Yankees...' Hij praat verder.

Ik kijk naar het bewegen van zijn mooie mond en vraag me af hoe het zou zijn om hem te zoenen. Ik moet mijn armen tegen mijn zij drukken om mezelf in bedwang te houden. Ik ben een beetje duizelig.

Na een paar minuten hoor ik muziek; gitaren die jankend een alternatieve rocktune inzetten. Het klinkt zo goed dat ik mijn ogen van Jake losmaak en naar de plek kijk waar Albie staat te zingen, zijn gezicht een en al concentratie en passie.

Maar Jake's arm glijdt dichter naar mijn schouder, en het gonzen van mijn hartslag overstemt de muziek. *Woesj-woesj.*

'... Red Sox, vind je ook niet?' Jake kijkt me strak aan met die mooie ogen van hem. Mijn maag maakt een dubbele salto.

Ik knik giechelend, helemaal Coole Katie.

En dan overvalt hij me: 'Je weet niet waar ik het over heb, hè?'

'Eh, nee, niet echt,' zeg ik met mijn gewone stem. Ik gooi er snel een Katiegiechel achteraan om het goed te maken.

Hij lacht bulderend. Raakt mijn schouder aan. Ik huiver. Sexier dan dit kan toch gewoon niet?

Jawel. Toch wel.

Hij buigt zich dichter naar me toe en zegt: 'Luister goed, dan vertel ik je over honkbal. Het gaat allemaal om de verschillende honken. Eerste honk. Tweede honk. Derde honk.' Hij neemt een grote teug bier. 'Homerun,' zegt hij dan betekenisvol, en hij doorboort me met die blik van hem.

Als ik nu in een stripverhaal zat, zou er in het tekstballonnetje staan: 'Slik!'

'Heel anders dan bij jullie, met dat voetbal,' gaat Jake Matthews verder, met hese stem. 'Recht op het doel af. In een vloeiende beweging. Pats, raak, en bedankt.' Hij ramt zijn vuist in de lucht.

Dubbel 'slik!'

Goed, we zijn er bijna. Zoenen.

De band van Albie pauzeert even en er valt een stilte.

Dan zegt Tori: 'Hé, jongens, zullen we *Seven Minutes in Heaven* doen?'

Er wordt luid gekreund en iemand zegt dat we niet meer in de *seventh grade* zitten, wat mij niks zegt, maar ik maak eruit op dat ze het zoenspelletje *Seven Minutes* iets voor kleine kinderen vinden.

Dan overstemt Chelsea het protest: 'Tori wil het graag, en het is haar feestje.' Iedereen houdt op met klagen.

Ik kan bijna niet geloven dat ze hier echt zoenspelletjes doen op feestjes, net als in de film. In Engeland waren alle jongens die ooit hebben geprobeerd me te zoenen (oké, twee maar, en ik noem geen namen, Kleffe Lewis en Sopzoen Steven, gatver) dronken. Dat is nog eens wat anders dan een leuk, beleefd zoenspelletje.

Chelsea zegt dat de regels veranderd zijn; we spelen een vereenvoudigde versie van het spel. We gaan niet met een fles draaien of zoiets, dat is te kinderachtig. Elke jongen kiest gewoon een meisje uit en dan verdwijnen ze samen voor zeven minuten in de kast.

Bryce roept: 'Matthews, jij eerst! Dit is je kans om die met dat accent te nemen!'

Jake Matthews pakt mijn hand en gaat staan. Het lukt me om overeind te blijven op mijn knikkende knieën. Jake Matthews. Houdt. Mijn. Hand. Vast.

'Kom op,' zegt hij, en hij trekt me mee naar de kast.

Hij heeft mij uitgekozen. Jake Matthews heeft MIJ gekozen!

Ik laat me de kast in trekken.

Hij knipt nog net niet met zijn vingers. Ik kom nog net niet als een hondje aangerend. Maar ja... Jake Matthews! Met mij. Ik ben nu definitief geen Batgirl meer.

Ik ga de kast in met Jake Matthews.

Hij doet de deur dicht, draait zich om en drukt zijn lippen op de mijne.

En nu.

Sta ik hier.

Te zoenen met Jake Matthews.

Niet te geloven dat dit echt gebeurt! Ik ben het gelukkigste meisje van de hele wereld.

Zijn lippen zijn zacht en zijn tong is, eh... nat. Niet soppig, zoals die van Steven. Hij smaakt naar zoete pepermunt met in de verte iets rokerigs, maar heel vaag. Niet smerig of zo.

Ik krijg er geen braakneigingen van.

Maar wacht eens even.

Waarom denk ik aan Sopzoen Steven of braakneigingen?

Ik weet al waarom. Omdat ik Nerdy Kate ben. En ik denk: Jake heeft me totaal niets over mezelf gevraagd. Wat weet hij nou helemaal van me? Ik had ieder willekeurig meisje kunnen zijn.

Maar mijn Coole Katie-kant vraagt zich af wat de meiden achter de deur wel niet zullen denken. Ze zijn vast hartstikke jaloers.

Mijn gedachten dwalen steeds af.

Net als de handen van Jake Matthews. Die glijden over mijn kleren en kruipen eronder. Ze zijn overal. Eentje schuift mijn truitje omhoog, samen trekken ze aan de lusjes van mijn coole spijkerbroek (nou ja, Tori's coole spijkerbroek), er zit er een aan mijn behabandje en een andere ligt op mijn linkerbovenbeen. Jake moet wel een stuk of acht handen hebben. Ik duw ze weg, maar ze komen steeds terug.

Na een paar minuten graaien zegt hij: '*Baby*, laat me alsjeblieft even voelen.' Met zachte, schorre stem. Zo'n stem waarvan ik smelt en waardoor ik bedenk dat ik hem misschien maar zijn gang moet laten gaan. Ik ben nog nooit 'baby' genoemd – althans, niet dat ik me kan herinneren. Waarschijnlijk WAS ik toen nog een baby. En het kan toch geen kwaad? Dit voelt best... goed. Eigenlijk wel lekker, geloof ik.

Maar Nerdy Kate schreeuwt in mijn hoofd: *Nee, nee, afblijven!* Ik zeg alleen maar: 'Nee.'

'Toe nou, baby,' smeekt de schorre mannenstem.

'Laten we het hierbij houden.' Ik duw zijn handen weg en zoen hem.

Dat gaat drie tellen goed, en dan komen die handen weer.

Ik schuif ze beleefd weg.

'Alsjeblieft, baby.'

'Nee.' Dat laatste klinkt gedempt, want zijn lippen zijn op mijn mond gedrukt.

De handen blijven graaien.

'Nee.'

Ze glijden en duwen.

'Nee!'

Gatver! Ik deins plotseling achteruit.

Het is helemaal niet fijn meer. Zoenen met Jake Matthews in een kast. De kast ruikt muf. De zoenen zijn koud.

Ik lach nerveus. 'Het is omdat ik thuis een vriend heb,' zeg ik. 'Ik bedoel, niet heel serieus of zo, en ik wil graag met je zoenen en alles, maar...'

Ik druk mijn mond weer op de zijne en stel mijn lichaam in op 'alleen zoenen', in de hoop dat dat geen probleem is.

Maar Jake Matthews doet het licht aan – en ik ben te nerveus om ervan onder de indruk te zijn dat ze hier licht in de kast hebben.

Even knipper ik met mijn ogen, en dan zie ik dat hij niet lacht. Die mooie ogen schieten vuur, vooral het blauwe. Zo vind ik ze toch niet zo geweldig.

'Dat had je me moeten vertellen,' zegt hij.

Ja, daag, wanneer dan? Toen hij over me heen gebogen over honkbal en voetbal bezig was? Toen wilde ik geen denkbeeldige vriend. Toen wilde ik Jake.

'Ik vind je gewoon heel erg leuk,' zeg ik. Het is mijn Katestem, zeurderig en kinderlijk.

'Iedereen vindt mij leuk,' zegt Jake zonder een spoortje ironie. 'Dump die Engelsman en ga voor mij. En laten we dan minstens tot het tweede honk gaan.' Hij begraaft zijn mond in mijn hals.

Luister, ik weet wat je denkt. Maar dit is Jake Matthews, de beste vangst van de hele school. En hij wil dat ik 'voor hem ga'.

Plus: wat doet hij daar in mijn nek? Wat zo lekker kietelt? Wauw.

Maar wacht eens even. Voor hem gaan? Tweede honk? Wat houdt dat precies in? Dat was mijn Nerdy Kate-stem die dat vroeg. Ja, ze is er nog.

Mijn Coole Katie-kant zegt hardop: 'Misschien dat we de volgende keer...'

De vlinders in mijn buik doen een rondedansje, en in mijn hoofd roept Nerdy Kate keihard: *Mooi niet, Kate-Katie! Er komt geen volgende keer!*

Katie's keuze

'Oké,' zegt Jake Matthews. 'Jij bent anders dan de rest, dat bevalt me wel.'

Hij slaat me keihard op mijn kont en legt zijn hand op de deurknop van de kast.

'Volgende keer,' zegt hij.

Mijn Coole Katie-kant giechelt.

Mijn Nerdy Kate-kant hapt verontwaardigd naar adem.

Ik voel me wazig. De kast draait.

Ik probeer mijn hoofd weer helder te krijgen door me te concentreren op een stijlvol gewatteerd mannenjasje dat in een hoek van de kast hangt, maar alles draait nog om me heen. Het gegons in mijn oren is nu oorverdovend.

Coole Katie is bijna misselijk van hartstocht en door de mannelijke pepermuntgeur van Jake Matthews.

Nerdy Kate wordt niet goed van de arrogante sigarettenlucht van Jake Matthews.

Mijn gedachten worden twee kanten op getrokken.
Ik sta in tweestrijd, ik word verscheurd.
Ik word twee verschillende mensen.
Letterlijk.
Twee.
Ik ben gespleten.
Hoe word ik ooit weer MEZELF?
Wie ben ik eigenlijk?

Ik zet mijn coole kant van me af, en hup, ze is verdwenen. Wie was dat mens eigenlijk, met haar gegiechel om die viespeuk?

Jake Matthews vindt mij helemaal niet leuk. Hij kent me niet eens. Ik had ieder willekeurig meisje kunnen zijn.

Wat kan mij het nou schelen wat de andere meiden denken? Het zijn geen echte vriendinnen van me.

Als Jake Matthews de kastdeur opent, geef ik hem een klap in zijn gezicht.

Ik zeg keihard: 'Jij moet eens leren... om respect te hebben voor vrouwen!' en ik storm Tori's souterrain in. Mijn hele lijf trilt, maar op een totaal andere manier dan toen ik de kast in ging.

Ik kan bijna niet geloven wat ik zojuist heb gedaan.

Ik ben echt Nerdy Kate.

Ik zet mijn nerdy kant van me af, en hup, ze is verdwenen. Hoe haalde dat rare mens het in haar hoofd om de perfecte vangst af te wijzen?

Jake Matthews vindt mij leuk. De rest doet er toch niet toe?

Al mijn nieuwe vriendinnen zijn hartstikke jaloers op me.

Ik loop achter Jake Matthews aan de kast uit. Ik pluk wat aan mijn kleren en heb eerst niet in de gaten dat iedereen me aanstaart, totdat een van de vrienden van Jake Matthews roept: 'Goed gedaan, Matthews!'

Ik ben het meisje met wie Jake Matthews het wil doen. Wat een mazzel! Ik ben Coole Katie!

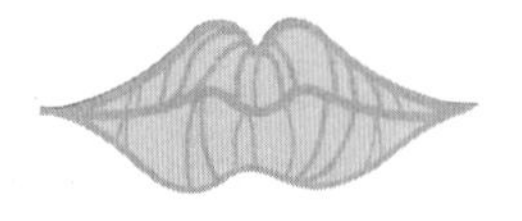

TWEEDE HONK

Nerdy Kate

Iedereen staart me aan. Heb ik dat echt gezegd, 'je moet respect hebben voor vrouwen'? HARDOP? En heb ik Jake Matthews echt GESLAGEN?

Nou ja, hij sloeg mij eerst. Op mijn kont. Dat HAAT ik. Waarom doen jongens dat toch? Het is zo'n bezitterig gebaar. Ze horen te weten hoe vreselijk dat is. Ze horen een klap terug te krijgen.

Het is stil in het souterrain, op wat talkshowachtig gejoel na. Jake Matthews glimlacht kalmpjes en zegt: 'Ach ja, er zit haar kennelijk iets dwars.'

Chelsea grijnst zelfvoldaan en ik heb zin om haar ook een mep te verkopen. Nu ik eenmaal begonnen ben, kan ik niet meer ophouden. Maar ik haal een paar keer diep adem.

'Zijn er problemen, Katie?' vraagt Chelsea met dat suikerzoete lachje van haar.

'Je vriend Jake Matthews is het probleem,' zeg ik. Mijn stem trilt. 'Ik vind dat hij moet vertrekken. Nu meteen.' Dit is misschien overdreven. Maar ik ben zo kwaad! En hoe langer ze me stom aanstaren, hoe woester ik word.

Er klinkt nog meer gejoel en een paar jongens zeggen iets over ijs dat nodig moet smelten. Jake Matthews haalt zijn schouders op, maar Bryce oppert dat de andere jongens daar misschien bij kunnen helpen, en een paar van hen geven elkaar lachend een high five.

Chelsea lacht niet meer. 'Katie, niet zo heetgebakerd,' zegt ze.

'Heet? Ze is juist een IJSKOUWE!' roept een jongen. Volgens mij is het de vriend van Chris. Ik heb nog nooit een woord met hem gewisseld.

'Ik heet Kate, niet Katie,' zeg ik tegen Chelsea. Ik kijk naar Jake. Hij staat bier te hijsen. 'Als hij niet vertrekt, ben IK hier weg!'

'Je gaat je gang maar,' zegt Chelsea.

Chris voegt eraan toe: 'Loser.'

'Ja, Katie, of Kate, hoe je ook mag heten,' zegt Kristy, 'dan kun je er ook meteen mee ophouden ons in alles na te doen en kun je misschien kleren aantrekken die je wél passen.'

Ik trek aan de kleren die ik aanheb, allemaal van Tori, en plotseling lijkt alles veel te krap. Ik voel me net een lelijke worst.

'Misschien kan ze dan weer die floddertroep uit de kringloopwinkel aantrekken die ze de eerste schooldag droeg,' zegt Ana.

'Ik zei toch dat ze niet cool was,' voegt Kristy eraan toe. Ze kijkt naar Tori, maar die staart naar de grond.

'Maar Ana, dat DRAGEN ze nu eenmaal in ENGELAND,' zegt Chris op een treiterig toontje. 'William-yumyum is vast dol op meisjes die erbij lopen als een *BUM*!'

'Let op je woorden, Chris,' zegt Chelsea. 'In Engeland betekent *bum* niet "zwerver" maar "kont". Je zegt dus dat ze eruitziet als een KONT.'

Nu lachen ze allemaal, behalve Tori misschien, maar dat kan ik niet zien omdat ze stilletjes naar haar voeten staart.

'Pas maar op dat ze William niet op ons af stuurt,' zegt

Kristy met een gemeen lachje. 'Als hij tenminste bestaat.' Ze neemt me van top tot teen op, uitdagend.

Ik ben te erg van streek om nog te kunnen nadenken. Ik staar alleen maar voor me uit.

'Ja, wat voor kleur ogen heeft William eigenlijk? Je hebt nu al drie verschillende kleuren genoemd. Hoeveel ogen heeft hij wel niet?' vraagt Kristy.

'Misschien komt hij van een andere planeet,' zegt Chris serieus.

'Ik trap er niet in,' gaat Kristy verder. 'Maar ja, welke megaloser VERZINT er nou een vriendje?'

Alle ogen zijn op mij gericht. Tori kijkt bezorgd. Jake zet nog steeds een onverschillig gezicht op, maar volgens mij zie ik ook bij hem een sprankje interesse. Ik wou dat ik kon verdwijnen.

Ik geloof dat ik inderdaad de kleur van Williams ogen een paar keer heb veranderd. Hoe kon ik nou weten dat Kristy zo goed naar me luisterde?

Tori zegt zachtjes: 'William bestaat wel echt, hè Katie? Hij wacht op je in Engeland, toch?'

Het heeft geen zin. 'Nee,' mompel ik.

Er wordt weer volop gelachen. Mensen die nooit hebben geweten dat ik beweerde een vriend te hebben die William heet, bemoeien zich er nu mee. Hebben ze niks beters te doen? Ik ben het zat om iedereen te vermaken met mijn vernedering.

'Het kan me niet schelen hoe jullie over me denken. Ik ga weg,' zeg ik, en ik loop naar de deur. Achter me zegt Kristy met een zogenaamd Brits accent, op overdreven jengeltoon: 'Ik ben heel bijzonder. Ik ben Kate! Ik ga op stap met onzichtbare jongens. O, Jake, DAAR mag je me niet zoenen, dat is niet NETJES.'

Het gelach wordt nu gebulder. De grond trilt ervan.

Ergens achterin klinkt een jongensstem: 'Hé, wacht!' Ik blijf niet staan om te kijken wie het is.

Dan hoor ik het nog een keer, harder nu, maar Chelsea zegt: 'Laat haar maar, Albie. Ze wil graag ALLEEN zijn!'

Ik doe de deur dicht zodat ik ze niet meer hoor lachen en ren weg. Mijn eigen voetstappen dreunen in mijn oren. Ik knipper de tranen weg. En ik dacht nog wel dat ik cool was. Ze mogen het houden, hun coolheid. Als het kon, ging ik morgen nog terug naar Sufgehucht. Ik zou zo weer Batgirl willen zijn. Hoe kan ik me ooit nog op school vertonen?

Coole Katie

Een souterrain vol mensen staart me aan. Ik strijk glimlachend mijn kleren glad.

Jake Matthews geeft zijn vrienden een high five en grijnst.

'Hoe ver ben je gegaan?' roept een jongensstem.

Ik zeg giechelend: 'Hou je mond!' tegen Jake Matthews, ook al heeft hij geen antwoord gegeven.

Het gesprek wordt hervat en de meiden drommen om me heen.

'Hoe was het?' vraagt Chris.

'Domme vraag, Chris – moet je haar gezicht zien,' zegt Ana.

'O, wat is Jake Matthews toch een lekker ding,' verzucht Kristy, en ze kijkt snel of haar vriendje Carl, die twee passen verderop staat, het niet heeft gehoord.

Het ziet ernaar uit dat ik niet veel hoef te zeggen. Pfff. Ik tover een lach tevoorschijn waarvan ik hoop dat hij Mona Lisa-achtig is. Ik ben een raadsel! Een raadsel dat zojuist heeft staan zoenen met de knapste jongen van de school en daar tamelijk van in de war is, maar dat voor geen goud wil laten merken.

'Hebben jullie nu verkering?' vraagt Chris.

'Neemt hij je mee naar het Winterbal?' vraagt Ana. 'O, vast wel. Wat trek je aan?'

'Dat is pas over twee maanden, Ana,' zegt Kristy minachtend. 'Zo lang houden ze het heus niet vol.'

'Je mag wel een jurk van me lenen, Katie,' zegt Tori.

Het valt me op dat Chelsea niets heeft gezegd. Sterker nog: ze kijkt me aan alsof ze me het liefst zou vertrappen met haar naaldhakken en me dan afschrapen aan het trottoir.

'Wie is de volgende?' vraagt ze. 'Er zijn wel lekkerdere jongens dan Jake Matthews, hoor.'

'O ja?' zegt Ana.

'Hé! Wie is er aan de beurt? Mag ik nou?' roept Bryce. 'Ach, Jonny-boy, jij hebt het harder nodig dan ik. Zoek er maar een uit.' Hij duwt een verlegen uitziende jongen onze kant op.

'Wil jij?' mompelt Jonny tegen Ana.

'Oké,' mompelt Ana terug.

Ze verdwijnen in de kast.

'Vertel op, Katie, hoe ver heb je hem laten gaan?' zegt Chris, en ons groepje vult het gat op dat Ana heeft achtergelaten, waarbij Chelsea min of meer buitengesloten wordt. Vanuit mijn ooghoeken zie ik haar kwaad kijken. Maar het kan me niet schelen. Ik sta lekker volop in de belangstelling, iedereen bewondert me. Ik heb het hier helemaal gemaakt, geloof ik. Wat een heerlijk gevoel.

Nerdy Kate

Het is niet ver lopen van Tori's huis naar het onze, maar onderweg maken de grote huizen met gazons en hekken al snel plaats voor een heel andere buurt, aan de overkant van Winter Street, waar de huizen dichter op elkaar staan. De meeste hier zijn driegezinswoningen zoals ons huis. Door mijn tranen heen zie ik steeds dingen die ik zo leuk vind aan het leven in Amerika. Alles is nieuw voor me, en toch komt het me vreemd bekend voor. Barretjes en buurtsupermarkten tussen de huizen. De vage geur van gefrituurde kip. De verkeersborden zijn anders, bijvoorbeeld die rare gele rechthoeken met rennende kinderen erop, en rood-witte met de tekst BIJ ROOD LICHT NIET AFSLAAN, terwijl je bij rood licht toch sowieso moet stoppen? De verkeerslichten hangen aan kabels midden op de weg, zoals ik al jaren op televisie heb kunnen zien voordat ik hier kwam.

Ik vind het allemaal prachtig, maar ik heb mijn avontuur wel gehad. Ik wil morgen weer de Sufschool binnenlopen, bij Hailey gaan zitten en het met haar hebben over wat we gisteravond op tv hebben gezien, omdat we allebei toch geen vriendje hebben. En ook al klagen we daar wel over, we hebben elkaar en daar zijn we tevreden mee. En ik hoef me daar geen zorgen te maken over de vraag wie mijn vriendinnen zijn. Niemand staart me aan als ik iets zeg. Het is mijn wereld en ik bepaal zelf wel of ik me schuil wil houden.

Ik hoor voetstappen ergens achter me, en zonder om te kijken begin ik te rennen. Ik heb me van tevoren totaal niet druk gemaakt over de vraag hoe ik thuis moest komen. Ik wist zeker dat er op het feest wel iemand zou zijn die me naar huis kon brengen. Hoe kon ik nou weten dat ze nooit meer met me zouden praten?

Ook al heb ik schoenen van Tori aan, ik slaag erin om behoorlijk hard te hollen, waarschijnlijk dankzij al die keren dat Hailey me overhaalde met haar te gaan trainen terwijl ik geen hardloopschoenen aanhad. Ik stop even om op adem te komen en kijk nerveus om. Stilte. Niets. Ik moet het me verbeeld hebben. Door al die stress begin ik een beetje door te draaien. Ik begin weer te lopen en sla geen acht op mijn bonzende, gebroken hart.

Ik ga tegen mijn moeder zeggen dat ik terug naar huis wil.

Ze is al die tijd heel begripvol geweest en heeft dikwijls genoeg gevraagd of ik het hier wel echt leuk vond, en me erop gewezen dat het misschien even zou duren voordat ik gewend was. Maar zelf heeft ze het goed naar haar zin. We hebben alles moeten huren of kopen toen we hier kwamen wonen, ver weg van 'het grijze, saaie Engeland' (ik denk dat ze bedoelt: 'ver weg van papa'). Toen deed ze alsof ze het allemaal maar lastig vond, maar volgens mij genoot ze ervan. Ze bleef maar doorratelen over onze 'nieuwe start' en had de grootste lol in de aanschaf van typisch Amerikaanse pannen, mini-oventjes en lepel-en-vorken-ineen, die ze hier gebruiken voor afhaaleten. Wij noemen ze 'vorkels'. Zelfs de keukenspullen zijn hier cool. Maar geen enkele coole vorkel kan me behoeden voor de gruwelen van The Mill morgen.

Als ik thuiskom, is mijn moeder nog op. Ze zit tv te kijken; we hebben kabelaansluiting genomen zodra we hier introkken. Iedereen bij mijn moeder op het werk zei dat ze kabel moest nemen, ook al had ze niet eens geld voor een bed. En ze hadden gelijk, want we hebben hier een zender die Lifetime heet, waar ze al onze lievelingsfilms uitzenden, verrukkelijk oneindig na elkaar. Maar nu kan zelfs de gedachte aan Lifetime me niet opbeuren.

Mijn moeder zit met haar voeten op de gehuurde salontafel en een grote bak popcorn-met-boter op schoot. Ze verslikt zich er bijna in als ze me ziet binnenkomen.

'Wat ben je vroeg!'

Ik knik zo'n beetje. Als ik nu iets zeg, ga ik huilen.

'Is er iets?'

Ik mompel 'nee', maar het mondt uit in een snik.

'O, Kate! Wat is er gebeurd?'

Ik prop sniffend een handvol van mijn moeders popcorn in mijn mond. Het ziet er zo verleidelijk uit, ik kan er niks aan doen.

Mijn moeder kijkt opgelucht. 'O, geen leuk feest?'

'Stel niet zoveel vragen! Laat me met rust!' Ik pluk aan mijn kleren. Tori's kleren.

Dan ren ik naar mijn kamer, schop Tori's schoenen uit en smijt haar kleren op de grond. Ik zal ze toch een keer terug moeten geven, als ik haar tenminste nog onder ogen durf te komen. Ze leek zo teleurgesteld door het hele Williamverhaal. Ik wil er niet eens over nadenken. Als ik mijn paarse fleecepyjama (typisch de oude Kate) heb aangetrokken, stort ik me op bed en laat de tranen komen.

'Kate!' roept mijn moeder na een paar minuten.

'Wat?' mompel ik in mijn enorme dekbed, dat nat is van de tranen.

'Kom kijken! Snel!'

Ik ruik de warme boter van de popcorn nog. Laat ik maar even gaan kijken wat er is. Ik schiet mijn bontpantoffels aan en schuifel snuffend naar de huiskamer.

Mijn moeder wijst naar de televisie. 'Je lievelingsreclame.'

Het is een spotje van een man met een zwaar Bostons accent, die over de auto's in zijn showroom vertelt en zegt dat we hem moeten GELOVEN als hij zegt: '*Kingly Cars are the best, they beat all the rest.*' Waarna hij begint te zingen en dansen met zijn honderddertig kilo zware lijf, en dan op de motorkap van een enorme bruine auto neerploft. Ik zweer je dat ik een deuk zie ontstaan op de plek waar hij landt. Normaal gesproken kom ik niet meer bij als ik het zie.

Vanavond kan er net een flauw lachje vanaf.

'O, Kate, kun je me niet vertellen wat er is gebeurd?' Mijn moeder houdt me de bak popcorn voor.

'Nee! Niks.' Ik ben gigantisch afgegaan, meer niet. Ik pak een handvol popcorn en ga languit naast haar zitten. 'Mam, ik wil naar huis. Voorgoed, bedoel ik.'

'Echt?' Ze staart naar de televisie. We kijken nog een paar typisch Amerikaanse reclamespotjes. 'Ik dacht dat je het hier leuk vond.' Ze gebaart om zich heen. 'We hebben nog wel zulke sierlijke stopcontacten.'

Dat is waar. We hebben die iele dingetjes samen uitgebreid bewonderd na de verhuizing.

'En insectenhorren voor het raam,' zeg ik zachtjes.

Mijn moeder knikt. 'En dat heerlijk irritante slot op de wc-deur,' voegt ze eraan toe. De deur van de wc gaat op raadselachtige wijze van het slot zodra je aan de binnenkant de klink omlaag duwt, zodat mijn moeder en ik hem steeds honderd keer opendoen om te kijken of hij wel op slot zit.

Ik weet dat ze gelijk heeft. Ik ben in Amerika! Zelfs de suffe dingen zijn hier interessant en nieuw. Alles is nog leuker dan ik me had voorgesteld. Ik heb mezelf alleen gigantisch belachelijk gemaakt voor de ogen van de coolste leerlingen van de hele school. Maar ik heb nog geen sneeuwstorm meegemaakt hier in New England. Of geprobeerd te schaatsen op de kunstijsbaan.

'Ik kan morgen niet naar school! Ik ben niet...' Ik kijk naar mijn Buffypantoffels. 'Ik ben niet cool.'

'O, op die manier.' Ze schudt de kom en houdt hem voor mijn neus. 'Cool, wat is cool? Ik durf te wedden dat mijn collega's geen van allen cool werden gevonden op school, maar het zijn ontzettend interessante mensen om mee te praten. Sommigen van hen hebben misschien zelfs Tim Berners-Lee persoonlijk ontmoet. Je weet wel, op MIT.'

Ik heb geen idee waar ze het over heeft, maar ik knik en graai weer in de popcorn. 'Als ik niet cool ben, moet ik dan maar net zo'n computernerd als jij worden?'

'Nee, er zijn ook andere nerds,' zegt mijn moeder lachend. 'Je kunt kiezen uit verschillende soorten.' Afwezig strijkt ze mijn haar glad. 'Trouwens, Kate, je hebt je vrienden in Engeland nog. Stuur Hailey meteen even een mailtje! Je hebt nog geen contact met haar gehad, toch? Soms valt het ook niet mee voor degene die achterblijft, hoor.'

'Dat weet ik, dat heb je al gezegd.' Maar ze heeft gelijk. Ik had het zo druk met de voorbereidingen voor het feest samen met Tori dat ik mijn echte vriendin verwaarloosd heb.

'Je zou haar kunnen uitnodigen. Misschien kan ze tegen de kerst met je vader meekomen. Dan slaapt ze bij jou op de kamer op de grond. En als je echt naar huis wilt, kun je eventueel met hem teruggaan. Daar zouden we het dan eerst over moeten hebben.' Ze trekt een grimas.

'Maar Kerstmis is nog mijlenver weg,' zeg ik kreunend. 'Hoe kom ik die tijd door?'

'Je vader en Kelly slapen natuurlijk in een hotel. Die wil ik hier echt niet in huis hebben. Ik wil haar hier niet hebben, om aan te wijzen waar nog stof ligt.'

Ik ben er altijd van onder de indruk dat mijn moeder zo nonchalant omgaat met het verdriet dat mijn vader haar heeft aangedaan. Hij is nu bijna drie jaar bij ons weg, maar ik kan nog steeds een gloeiend paniekgevoel in mijn buik krijgen als ik eraan denk.

Ik zet mijn beste overdreven Kellystemmetje op om dat gevoel weer kwijt te raken. 'O, een ramp! Ik zie een spikkeltje stof en dadelijk ademt mijn Laurennetje het in!'

'Kate!' zegt mijn moeder, zogenaamd geschokt. Dan voegt ze er, met haar pas verworven Amerikaanse accent, aan toe: 'Dit is een schoonmaak-*emergency*! Bel 1-800-CLEANER!'

Ook al moet ik lachen, ik blijf toch steeds aan school denken. Als ik niet op die Nerdy Kate-manier had gereageerd, was ik nu nog op het feest geweest, had ik nog vriendinnen gehad en had Kristy misschien niets over William gezegd. Sterker nog: dan zouden ze me nu waarschijnlijk feliciteren omdat ik met de knapste jongen van school heb gezoend. Ik heb mijn eigen ruiten ingegooid en nu word ik nooit cool.

Maar ik ben gewoon mezelf gebleven. Wat had ik dán moeten doen?

Mijn moeder stoot me aan. 'Kate, zit niet zo te piekeren. Je ziet niet eens waarnaar ik zit te kijken.'

Op tv staat een ordinair meisje met een geweer in haar handen. Haar onderlip trilt gigantisch. Ik herken de televisiefilm onmiddellijk. Ik heb hem duizenden keren gezien.

'O, mam! Natuurlijk! Het is de extra mooie versie!'

Mijn moeder knikt.

Deze remake is nooit zo bekend geweest, minder cool. Ik vind hem beter dan de originele film.

'Doe het niet voor hem!' roep ik naar de tv.

'Hij is het niet waard!' doet mijn moeder mee.

'Dat is geen enkele man!'

Ze moet lachen. 'Ach, Kate,' zegt ze. 'Over mannen gesproken, maar dan leuke mannen: ik moet je nog iets vragen. Heb je zin om vrijdag mee te gaan naar een internationaal feest van mijn werk? Dat wordt gehouden in een chic hotel.'

Mijn eerste gedachte is: een hotel? Hebben ze daar ook donuts? Maar dan rol ik met mijn ogen en laat mijn hoofd in mijn handen zakken. Ik bedoel, ik heb geen vrienden en ik overweeg om met mijn moeder op stap te gaan. Hoe diep kun je zinken?

Maar wat zei ze nou, iets over leuke mannen? Ik heb nooit gemerkt dat ze ook maar enige belangstelling voor mannen had.

'Oké, leuke jongens dan. Een van mijn collega's heeft een zoon die bij jou op school zit. Die zoon heeft kennelijk aan hem gevraagd of jij ook naar het bedrijfsfeest komt.' Mijn moeder stoot me aan. 'Ik snap dus niet waar je je zo druk om maakt.'

'Mam!' Ik rol met mijn ogen, maar nu ben ik toch wel heel nieuwsgierig. 'Hoe heet hij dan?' Ik snap zelf niet waarom ik het vraag. Mijn moeder is altijd hartstikke slecht geweest met namen.

'Frederick McNogwat. We noemen hem altijd Frap omdat hij op het werk van die Frappuccinogevallen drinkt.'

Ik kijk haar boos aan.

'O, de zoon, bedoel je? Dat weet ik niet meer. Frederick McNogwat junior?'

Ik zucht. 'Nog bepaalde kenmerken?'

'Daar heeft Frap niks van gezegd. Ze komen uit Manchester, als je daar wat aan hebt.'

Ik kan niemand bedenken op The Mill met een Manchesters accent, laat staan iemand die mij zou hebben opgemerkt.

Maar ja, ik ben op school ook niet erg gemakkelijk te benaderen geweest. Ik werd al die tijd omringd door hét groepje, omhuld door een dikke laag populariteit. Nou, daar ben ik veel mee opgeschoten.

Misschien is die McAardig wel precies de vriend die ik nu goed kan gebruiken.

'Goed mam, ik ga mee. Het kan toch niet erger worden dan het al is, dus wil ik best met jou gezien worden in het openbaar.'

Mijn moeder trekt een gezicht en doet alsof ze popcorn naar me toe gooit, tot ik de hele bak van haar schoot pak.

Dan leun ik achterover en roep tegen de tv: 'Niet doen! Niet zoenen! Hij laat je vallen als een baksteen!'

'Typisch iets voor een MAN!' roept mijn moeder.

Ik begin hard te lachen, om de angst te verdrijven voor de komende tijd in dit land, tot Kerstmis, terwijl ik vanaf morgen op school geen sociaal leven meer heb.

De rest van de avond informeren alle meisjes naar Jake Matthews. Ik voel me sprankelend en populair.

Als iedereen zo langzamerhand vertrekt, pakt Jake Matthews mijn arm beet en zegt: 'Katie was het toch?'

'Ja, eh... Jake Matth... Jake,' zeg ik. Het is een gek gevoel om hem niet voluit 'Jake Matthews' te noemen – niemand gebruikt alleen zijn voornaam. Ik vraag me af of zelfs zijn ouders dat doen, en ik hoor zijn moeder al roepen: 'Jake Matthews, eten!'

Mijn arm gloeit op de plek waar Jake Matthews – sorry: Jake – me vasthoudt. Ik geloof dat ik smelt van pure hartstocht. Of misschien is het pijn, want hij knijpt nogal hard. Een van de twee. Ik giechel naar hem.

'Goed, vrijdagavond. Jij en ik.'

Het is geen vraag, maar ik piep 'Oké' terwijl Jake nonchalant wegslentert met zijn gespierde vrienden.

'Zal ik je thuis afzetten?' vraagt Kristy. Ongelooflijk dat ze autorijdt! We zijn pas zestien. Ik knik en loop achter Chris en Ana aan naar Kristy's auto. Bijna stap ik in aan de bestuurderskant, maar lachend besef ik dat het stuur hier links zit. Als ik aan de goede kant zit, moet ik onder een veiligheidsgordel door kruipen die al vastzit en ik raak erin verstrikt, dus begin ik nog harder te lachen. Kristy staart me aan. Chris en Ana kruipen fluisterend achterin.

'Heb je met Jake afgesproken?' vraagt Kristy bij het wegrijden.

'Ja.' Ik probeer nonchalant te doen, maar dat houd ik niet lang vol. 'Volgens mij heeft hij me mee uit gevraagd!'

'Hmm,' zegt Kristy. 'Eh, waar woon je eigenlijk?'

Ik voel me een beetje opgelaten omdat ze mijn huis nu te zien krijgen – het staat tenslotte niet in de wijk vol zwembaden en tuinmannen waar zij wonen. Maar aan de andere kant vind ik het wel leuk om het adres te noemen. Het klinkt zo heerlijk Amerikaans.

'Op de hoek van Main en Lexington,' zeg ik.

Algauw zie ik de twee straatnaambordjes, op z'n Amerikaans gekruist. Daar krijg ik elke keer weer een kick van. Maar Kristy zegt alleen maar: 'Hier? Ach, wat... schattig.'

Ik weet nog niet hoe het hier met sarcasme zit. Ik krijg de indruk dat Amerikanen totaal niet sarcastisch zijn. Als ze bijvoorbeeld zeggen: 'Nog een fijne dag verder,' lijken ze dat oprecht te menen.

Dus mompel ik: 'Dank je, Kristy', en stap uit.

Ze zegt: 'Graag gedaan.'

Chris zegt: 'Dat verklaart een hoop', en begint te lachen, maar ik weet zeker dat dat niet over mij gaat. Ze heeft de hele weg hierheen met Ana zitten praten.

Het is stil in huis. Mijn moeder slaapt zeker al. Er ligt een briefje voor me: 'Hoop dat je een leuke avond hebt gehad. Ik wel! Goeie film op Lifetime. Dat was ik nog vergeten: vrijdag feest van het bedrijf. Zin om mee te gaan?' Ze heeft er een 'ja'- en een 'nee'-vakje bij getekend om aan te kruisen. Mijn moeder heeft het hier naar haar zin, dat merk ik duidelijk. Ze heeft zich helemaal op onze 'nieuwe start' gestort. Ik ben de afgelopen week veel bij Tori geweest en heb mijn moeder weinig gezien, maar iedere keer als ik thuiskom, heeft ze weer iets nieuws en typisch Amerikaans gekocht voor de keuken, en als ze het over ons leven hier heeft, schitteren haar ogen helemaal. Ze wil vast heel graag dat ik vrijdag met haar meega.

Ik aarzel, maar ik heb natuurlijk vrijdag met Jake Matthews afgesproken. En ik mag nu 'Jake' zeggen!

Ik pak een pen en kruis 'nee' aan. Ik kan niet 's avonds met mijn moeder op stap gaan – dat is typisch iets voor de oude Kate. Trouwens, ik ga mijn date met Jake heus niet afzeggen!

Als ik het briefje voor mijn moeder wegleg, zie ik dat de laptop die we uit Engeland hebben meegebracht aanstaat. Ze heeft hem open laten staan op onze webmailpagina. Ze wil natuurlijk dat ik Hailey mail. Laatst vroeg ze ook al: 'Heb je Hailey nu gebeld? Voor degene die achterblijft, is het altijd moeilijker, hoor.' Toen stond ik op het punt om naar Tori te gaan, dus mompelde ik iets over de telefoonrekening en ging ervandoor, maar ze riep me na: 'Mail haar dan! Leg haar uit hoe je gratis kunt bellen met Voice over IP!'

Zelfs als mijn moeder me bemoedert gaat het nog over dat soort nerd-dingen.

Ik weet dat ze Hailey leuk vindt, maar het clubje van Chelsea zou ze vast niks vinden. Mijn moeder heeft kort haar en draagt gemakkelijke, hippie-achtige kleren, degelijke schoenen en geen make-up. De ouders van Chelsea zijn natuurlijk hartstikke knap en chic. Mijn moeder geeft niks om dat soort dingen. Ze is de volwassen versie van Nerdy Kate.

Ik ga zitten en log in op mijn mailbox. Er zijn vijf nieuwe berichten van Hailey, vol roddels over mensen die een heel leven van me verwijderd lijken. Ene Jonathan van de hardloopclub zou haar wel eens mee uit kunnen vragen. Ik dacht dat ik het erg zou vinden als ze een vriendje kreeg terwijl ik niet in de buurt was om hem te keuren, maar nu heb ik Jake en ik vind dat zij ook iemand verdient.

Wat zou Hailey vinden van het groepje van Chelsea? Ik denk dat ze me zou verwijten dat ik verander in een Poppetje. Ik weet niet hoe ik haar zou moeten uitleggen dat mijn vriendinnen hier heel anders zijn. Die hebben meer power in één gemanicuurde pink dan de meest gespierde redder-in-nood van de Poppetjes in Sufgehucht. Ik lever niets van mezelf in om bij het clubje van Chelsea te horen – ik voeg juist iets toe. Dat is voor mij vanavond wel bewezen.

Ik schrijf Hailey dat het goed met me gaat, maar ik geef geen bijzonderheden. En ik nodig haar uit om met Kerstmis te komen; misschien kan ze zelfs met mijn vader meereizen. December is nog heel ver weg – tegen die tijd kan ik mijn coole vriendinnen wel verklaren.

Ik ga naar mijn kamer en trek mijn kleren en schoenen uit. Nou ja, Tori's kleren en schoenen. Ze is een geweldige vriendin. Net Hailey, maar dan cooler.

Ik ga op mijn gehuurde bed liggen en sla het grote dekbed open. Trek het om me heen en laat de avond in gedachten nog een keer aan me voorbijtrekken. Jake heeft MIJ uitgekozen. En ik denk dat Chelsea zo raar tegen me deed omdat ze jaloers was. Wat een kick, Chelsea jaloers op mij! Zolang Jake Matthews geïnteresseerd in me is, zit ik gebeiteld bij het clubje van Chelsea. En dat wil ik heel graag. Ik zou nooit terug willen, niet nu ik weet hoe het voelt om in het middelpunt van de belangstelling te staan: het meisje dat iedereen zou willen zijn.

Ik moet nog eens aan Tori vragen wat dat tweede honk precies inhoudt. Vrijdag moet ik er klaar voor zijn.

Zodra ik maandag op school aankom, heb ik op de gang een korte aanvaring met de Lelijke Stiefzusters, en het gaat precies zoals ik al vreesde. Ik hoor Kristy tegen Chris sissen: 'O, wat is het hier ineens KOUD', en Chris zegt lachend 'Brrr' en slaat zogenaamd huiverend haar armen om zich heen.

'Sst, Chris, dadelijk wordt haar ingebeelde vriend boos,' zegt Kristy lachend.

Ik doe alsof ik het niet hoor en loop met hangende schouders de hoek om. Hoe kom ik deze dag door? En vooral de lunchpauze? Dan, pal voor mijn neus, zie ik de ideale ontsnappingsmogelijkheid. Een inschrijfformulier voor een lunchcursus. Die heet 'Persoonlijke Relaties' en wordt iedere maandag en donderdag gegeven, het hele semester lang. Wat ik op de andere drie dagen tussen de middag moet doen, verzin ik later nog wel.

Het eerste wat ik zie als ik het lokaal binnenkom, is een of andere gespreksleidster met een wilde bos rood haar. Ze moet wel gespreksleidster zijn, want zodra ik binnenkom, lacht ze ernstig en oprecht naar me en zegt: 'Hallo, ik ben Karen! Welkom in ons maffe groepje. Eet gerust je lunchpakket hier op, als je dat hebt, en je mag nog even chillen met de rest voordat we beginnen.'

Ons maffe groepje? Chillen? Help! Het lijkt wel een sekte.

Er zijn een paar anderen. Ik bekijk ze niet zo heel goed, maar ze komen nogal chagrijnig en ongeïnteresseerd over. Niemand eet. De stoelen staan in een kring. Ik voel alle ogen op me gericht als ik onderuitgezakt op de dichtstbijzijnde vrije stoel ga zitten.

De jongen links van me vraagt: 'Waarvoor heb jij straf, *dude*? Ook gepakt met dope?'

Hè? Dope? Straf? Daarover stond niets op het inschrijfformulier.

Ik schud van nee en haal mijn schouders op. Ik kan hier wel onopvallend in de groep opgaan, denk ik, zolang ik mijn mond maar houd en niet de Britse nieuweling ga uithangen.

Als ik naar rechts kijk, zie ik een van Rachels vrienden naast me zitten, de jongen met het warrige haar en de aanstekelijke lach. Hij zit heel geconcentreerd de veters van zijn hoge leren schoenen te strikken.

Ik kijk om me heen of ik zijn vriendinnen zie, en inderdaad: Kendis en Rachel zijn er ook. Ik vraag me af waarvoor zij straf hebben, als dat tenminste het geval is. Misschien wilden ze ook alleen maar de kantine ontvluchten, net als ik. Toch betwijfel ik of Rachel zich ook maar iets van welke belediging dan ook zou aantrekken. Haar zwarte haar hangt voor haar gezicht en alles aan haar straalt uit: Hoepel op. Ik hoop niet dat ze me ziet en me weer 'Limey' gaat noemen.

Maffe Karen kijkt op haar horloge. Het lijkt alsof ze aftelt.

'Hallo, ik ben Karen!' zegt maffe Karen dan eindelijk. Volgens mij heeft ze zichzelf zojuist het startsein gegeven. 'Zoals de meesten van jullie wel weten. Maar het is fijn om hier een nieuw gezicht te zien.' Ze kijkt naar mij, net als alle anderen. Ik krimp ineen op mijn stoel.

'Laten we ons even voorstellen. Je zegt je naam en dan iets over jezelf. Eén ding is genoeg. Eens kijken hoeveel we kunnen onthouden. Het is een leuke manier om kennis te maken. Ik begin. Ik heet Karen en ik heb rood haar. Oké? Lenny.'

'Eh,' mompelt een jongen met lang, vet haar. Hij aarzelt, maar heeft dit duidelijk al eerder gedaan, want hij zegt monotoon: 'Zij heet Karen en ze heeft rood haar. Ik heet Lenny en ik heb bruine ogen.'

De jongen naast Lenny, het wazige drugstype dat mij daarstraks heeft aangesproken, komt weer een paar tellen tot leven. 'Zij heet Karen en ze heeft rood haar. Hij heet Lenny en hij heeft bruine ogen. Ik heet Daniël en ik heb donker haar.'

Dit kan niet waar zijn! O jee, mijn beurt!

'Karen, rood haar,' zeg ik. Iedereen recht zijn rug en staart me aan. Ja, mensen, ik heb een raar accent. En een beetje een hooghartige toon, omdat ik zelf niet kan geloven dat ik hier verzeild ben geraakt. 'Lenny, bruine ogen. Daniël, donker haar.' En dan, geen flauw idee waarom, behalve dat ik bang ben dat de haar- en oogkleuren dadelijk op zullen raken, zeg ik: 'Ik heet Kate en ik heb een grote neus.'

Er klinkt zacht gelach, dat wegsterft als de jongen met het warrige haar aan de beurt is. Hij heeft ook een accent;

misschien is hij Brits, maar hij klinkt ook Amerikaans. Ik span me zo in om het thuis te brengen, dat ik bijna zou vergeten wat hij nu moet gaan zeggen. Tot hij het zegt. Hard. 'En zij heet Kate en ze heeft een GROTE NEUS!'

Iedereen lacht.

Karen kijkt afkeurend. 'David, Kate heeft ervoor gekozen ons ergens deelgenoot van te maken en dat moeten we respecteren. We vragen haar straks wel of ze wat meer kwijt wil over haar uiterlijk.'

Neeeeeee! Dat ga je me straks NIET vragen! En ook niet een andere keer! Of ik wat kwijt wil over mijn uiterlijk? Waarom vraagt ze Lenny niet of hij wat kwijt wil over zijn bruine ogen?

'Tussen twee haakjes, Kate,' zegt Karen vriendelijk, 'je hebt geen grote neus, hoor.' Ze houdt met een welgemeende glimlach mijn blik vast.

Goh, dank je wel. Denk ik. Maar mijn neus is wel degelijk tamelijk groot. Ik zit er alleen niet mee. Zat.

Karen zegt: 'David, jij bent.'

Davids ogen schitteren. 'Zij heet Kate en ze heeft een grote neus,' herhaalt hij met zichtbaar plezier. 'Kate, grote neus. Kate met de grote neus. En ik heet David en ik heb grijsgroene ogen.' Hij lacht brutaal naar me. Ik probeer me nog kleiner te maken op mijn stoel. Maar niet zo klein dat ik zijn grijsgroene ogen niet zie schitteren. 'En een neus en oren van normaal formaat. Maar ik heb wel een grote...'

'Zo is het genoeg, David,' zegt Karen. Ze kijkt niet blij.

'Ik wilde "teen" zeggen.'

'Kendis, jouw beurt.'

Kendis glimlacht naar David en zegt dan trots tegen de groep: 'Bla, bla, bla, Kate heeft een grote neus, bla, bla, bla en ik heb afrohaar.' Dan is iemand anders aan de beurt, en die zegt dat Kate een grote neus heeft en hijzelf bruine ogen. Bruine ogen hebben we al gehad, maar Karen zegt er niets van. Lekker origineel. Had ik mijn neusomvang maar voor me gehouden en ook bruin haar genoemd. Ik had zelfs 'krullen' kunnen zeggen. Dat was misschien beter geweest dan iedereen te horen herhalen dat ik een grote neus heb. Kleiner kan ik me niet maken op mijn stoel.

Rachel is als laatste aan de beurt, en ze vergeet een paar omschrijvingen. Maar mijn grote neus heeft ze wel onthouden. Ze schokt een beetje heen en weer als ze het zegt, alsof ze een giechelbui moet onderdrukken. Daardoor ziet ze er meteen minder eng en gemeen uit.

Ik weet me de rest van het uur op de achtergrond te houden. Alles draait om Lenny en een of ander oninteressant probleem van hem: hij heeft geen respect voor de leraren en maffe Karen denkt dat het komt doordat zijn vader hem een keer kwaad heeft gemaakt. Als de lunchpauze bijna om is, zegt maffe Karen: 'Kate, de volgende keer bespreken we het beeld dat jij van je uiterlijk hebt. Sorry dat we daar vandaag niet aan toegekomen zijn. Mensen, bedankt voor jullie verhalen, en denk erom dat je je moet uiten, krop je gevoelens niet op. Tot donderdag.'

Als ik het lokaal uit loop, vraag ik me af hoe ik onder de bijeenkomst van donderdag uit kan komen. Zelfs de kille behandeling van Kristy is beter dan dit.

'Hé, Limey, wacht even,' zegt Rachel. Samen met haar vrienden komt ze om me heen staan. 'Kendis heb je al ontmoet, toch?'

'Hallo,' zegt Kendis.

'En dit is David.'

David lacht weer naar me met die twinkelogen.

'Hij is natuurlijk ook een Limey. Hij wilde je telkens spreken, maar je had het te druk met SUPERpopulair zijn.'

'Hoi, Kate,' zeg David met zijn grappige accent. 'Mijn

vader is een collega van je moeder. Heeft ze dat niet verteld? Frederick McCourt.'

Aha! 'Frap, de Frappuccinokoning?'

'Hè?'

'Laat maar. Ja, ze heeft er wel wat over gezegd.' Dus David heeft het met zijn vader over mij gehad? Interessant.

Hij ziet er niet slecht uit. Helemaal niet. Vooral als hij lacht. En ik vind het leuk dat zijn haar zo slordig voor zijn ogen valt.

'Saai gezwets. Kom op, ik wil actie,' zegt Rachel.

'Rachel, wat kun jij toch bot zijn,' zegt David. 'Wat Rachel eigenlijk bedoelt, Kate, is of je zin hebt om met ons naar het volgende lokaal te lopen.'

'Niet waar,' zegt Rachel. 'Ik bedoelde: loop je met ons mee, Grote Neus?'

Ik sjok achter hen aan de gang door en zie hoe ze elkaar telkens lachend aanstoten.

Maandag op school sta ik voor het eerste lesuur bij mijn kluisje met Tori te kletsen als ik Jake afwezig zijn kluisje zie dichttrappen. Hij heeft die slungelige en toch zelfverzekerde, sportieve uitstraling van iemand die al zijn bewegingen zo volledig beheerst dat het geen zin heeft om zich in te spannen. Zoals hij dat kastje dichtschopt: gericht en effectief. Wat maakt het uit dat ik niet in hoger sferen raakte van zijn zoenen? Als ik naar die waanzinnige, verschillend gekleurde ogen kijk – die op MIJ gericht zijn – krijg ik knikkende knieën. Ik pak Tori's arm beet en leun tegen mijn kluisje. Jake komt naar ons toe gelopen.

Nu gaat het gebeuren. Dadelijk weet ik of datgene wat er in de kast is gebeurd, en daarna, allemaal een droom was. Ik krijg bijna geen lucht.

'Hoi,' zegt hij. Hij leunt met uitgestrekte armen tegen

mijn kluisje, links en rechts van me. Ik ben omlijst door zijn sterke armen, onderworpen aan zijn gespierde lijf.

Het was dus geen droom. Maar misschien droom ik nu.

'Even over vrijdag,' zegt hij.

'Het is goed,' piep ik.

Ik weet niet precies wat ik daarmee bedoel. Ik denk dat ik bedoel: 'Het is al goed, zeg het maar af.' Of misschien bedoel ik: 'Wat je ook wilt doen vrijdag, ik vind het goed.' Ik geloof dat ik nu overal 'goed' op zou zeggen.

Ik begin te giechelen.

'Mooi zo, want ik heb kaartjes voor de wedstrijd op Harvard. Het is een bekerwedstrijd. Wordt vast spannend.'

Hij buigt zich dichter naar me toe.

Ik houd mijn adem in.

'Hou je van hockey?'

Ik knik, want ik kan geen woord uitbrengen. Ik heb geen idee waar hij het over heeft. Wat is een bekerwedstrijd? En gaan we naar hockey? In Sufgehucht spelen alleen de meisjes op de chique privéschool hockey, en ik heb gehoord dat het erom gaat wie het hardst tegen de enkels van haar tegenstandsters kan meppen.

Dan besef ik dat ik in Boston ben, en natuurlijk heeft hij het niet over schoolmeisjes in sportrokjes. Hij bedoelt ijshockey.

Cool, ik ben dol op schaatsen. Of eigenlijk op het concept schaatsen, en naar schaatsers kijken. Het was nooit in me opgekomen dat ik nog eens naar een hal vol schaatsende mannen zou gaan kijken, live. Het klinkt geweldig.

Hoewel, als ik met Jake ga, kan ik natuurlijk alleen maar aan hem denken, aan hem en zijn heerlijke, sportieve uitstraling.

'Ik haal je om acht uur op. Op de hoek van Main en Lexington, toch?'

Ik knik nog een keer. Ik heb hem mijn adres helemaal niet gegeven. Dat moet hij aan Kristy gevraagd hebben. O, WAUW!

'Oké, tot vrijdag.' Hij komt nog dichterbij en heel even denk ik dat hij me gaat zoenen. Als ik mijn adem nog langer inhoud, val ik flauw. Maar Chelsea redt me door vanuit de verte te roepen: 'Jake! Bryce zoekt je.'

'Kom eraan,' roept hij, en tegen mij zegt hij zachtjes: 'Later.'

Tori heeft een brede 'Zie je nou wel?'-glimlach op haar gezicht.

Een hele tijd zeggen we geen van beiden iets, en dan vraagt Tori: 'Kom je woensdag na school bij me langs? Dan kies ik kleren voor je uit.'

Ik knik dankbaar.

Een ijshockeydate klinkt ideaal. Hij kan moeilijk verwachten het tweede honk te bereiken terwijl we naar een wedstrijd zitten te kijken, of wel soms?

Zat ik maar niet in de honours-klas. Ik kan tijdens de les met geen van die nerds praten. Zat ik maar bij Tori, dan konden we het de hele dag over Jake Matthews hebben.

Kendis en Rachel blijken tijdens bijna alle vakken bij me in de klas te zitten. Net als David, die ik met de seconde knapper ga vinden, al weet ik dat goed te verbergen. Althans, dat hoop ik.

Als de les voorbij is, haast ik me telkens naar Kendis, Rachel en David toe om met hen naar het volgende lokaal te lopen, maar woensdag kom ik tot de ontdekking dat ze toch wel op me wachten, alsof ze er automatisch van uitgaan dat ik nu met hen optrek. Ze maken constant vage grapjes die ik niet begrijp, maar door in hun buurt te blijven kan ik in ieder geval de pesterijen van het populaire clubje ontlopen. En verder weet niemand op school zelfs maar van mijn bestaan.

Tenminste, dat denk ik, tot donderdagochtend voor het eerste lesuur.

Ik ben op de meisjestoiletten, in een wc-hokje. Normaal gesproken was ik al weg geweest, maar mijn oog valt op een schitterende karikatuur van een van de vrienden van Jake Matthews, die op de muur is getekend. Het is Bryce, met snorharen en een soort muizenoortjes. Eronder staat: 'Blijf uit de buurt van deze rat', met nog wat opmerkingen eronder gekrabbeld. Boven dat alles hangt een bordje met de tekst: DEZE MUREN ZIJN BEHANDELD MET ANTIGRAFFITI-VERF. RESPECTEER DE SCHOOL. RESPECTEER JEZELF. DE SCHOOLLEIDING. Ik glimlach. De tekenaar van de Bryce-rat heeft kennelijk lak aan respect voor de school.

Dan hoor ik stemmen voor de deur van het wc-hokje. Ik verstar. Ze hebben het over mij.

'Heb je het al gehoord van die nieuwe? Ze heeft zich opgedrongen aan Jake Matthews, ook al is waar zij vandaan komt zoenen foute boel.'

'Echt waar? Foute boel? Waar komt ze dan vandaan?'

'Europa of Oceanië of zoiets. Een of ander MAF land. Maar goed, ineens kwamen haar normen en waarden dus weer bovendrijven en ze flipte helemaal. Ze heeft Jake Matthews een mep gegeven.'

'Wat een kouwe kikker.'

'Ja, hè? En toen zei ze dat haar vriend hem in elkaar zou slaan. Alleen bleek later... Nu komt het mooiste.' De stem klinkt een beetje gedempt. Ik stel me voor dat de spreekster haar hand voor haar mond houdt. 'Dat vriendje van haar heeft ze verzonnen.' Ik hoor gegiechel en een zangerig 'loser'.

Ik probeer iets cools en scherps te verzinnen om te zeggen terwijl ik het wc-hokje uit storm, maar ik kan niks bedenken.

'Dus Chelsea zegt: "Ga alsjeblieft weg, idioot", en dat rare kind zegt: "Nee, HIJ moet weg." Maar hij ging natuurlijk niet. Hij bleef daar en begon met Chelsea te vrijen.'

'Dat wist ik al! Ik heb Jake Matthews en Chelsea zien zoenen in de hal. Jake is zo'n lekker ding. Chelsea heeft groot gelijk dat ze Bryce voor hem heeft gedumpt. Heb je die rattentekening van Bryce gezien? Wat een etter.'

Ik moet te lang nadenken over een reactie en de stemmen ebben weg, de deur door en de gang op.

Daarna hoor ik de hele dag opmerkingen met 'koud', 'kil' of 'koel' erin. Niet alleen van Chelsea en haar clubje, maar ook van mensen met wie ik nooit een woord heb gewisseld. Zelfs types die in de verste verte niet cool zijn. 'Kijk, het ijskonijn.' 'Wie heeft die koeltas hier neergezet?' 'Brrr.' Ha, ha, wat grappig. Maar niet heus. Ik reageer er niet op.

Gelukkig kan ik me in de lunchpauze schuilhouden bij Persoonlijke Relaties en de vrieskistgrappen verruilen voor een lokaal vol mensen die vinden dat ik een grote neus heb en een gespreksleidster die met me wil praten over mijn problemen met mijn lichaam. Maar misschien voelt maffe Karen wel dat ik daar geen zin in heb, want het gaat de hele pauze over de concurrentiestrijd op school en over meisjes die elkaar proberen te overtroeven, al is het maar om te kijken wie zichzelf het hardst van allemaal kan afkraken.

Het had interessant kunnen zijn, maar David vangt een paar keer mijn blik als Karen niet kijkt en trekt dan gekke bekken naar me. Ik moet mijn gelach vermommen als een hoestbui. Rachel zit de hele tijd in een schrift te tekenen. Alleen Kendis lijkt aandachtig te luisteren. Ze zit rechtop en kijkt geïnteresseerd en vastberaden.

Als we het lokaal uit komen, hoor ik iemand vragen: 'Wie heeft de airco hoger gezet?' Het is Chelsea, die me strak aankijkt, met kille blauwe ogen en een scheef, kalm lachje. Kristy staat met eenzelfde gezichtsuitdrukking naast haar. O nee, niet weer, en niet waar David bij is!

Daarbij vind ik het onvoorstelbaar dat ik NOG STEEDS geen scherpe reactie heb bedacht. Die cursus Persoonlijke Relaties schiet niet op, ik kan beter Gevatte Opmerkingen Voor Gevorderden gaan volgen.

Achter Chelsea staat Jake Matthews – haar nieuwe vriend, breng ik mezelf in herinnering. Ook Kristy's vriendje, Carl Earlwood, staat achter haar. Jake en Carl zijn net twee opgepompte bodyguards. Ze staan daar met een stomme grijns op hun gezicht, alsof ze denken: ha, dat wordt een meidengevecht, of zoiets kinderachtigs. Om precies te zijn staart Jake naar mijn borsten, voor zover ik die heb, ook al staat zijn perfect geproportioneerde vriendin erbij. Ik zou hem nóg een klap willen verkopen, maar sinds het feest heb ik de moed verloren. Ik ben doodop van alle pesterijen. Met gloeiende wangen laat ik mijn hoofd hangen. Gelukkig is David doorgelopen met Kendis. Zo te zien heeft hij niets meegekregen van Chelsea's vlijmscherpe humor. Maar Rachel wel. Ze blijft staan en zegt keihard: 'O, Chelsea, wat ben je toch een lekker ding, wanneer spreken we weer eens af?'

Carl fluit langgerekt.

'Rot op, enge lesbo,' zegt Chelsea. 'Ik moet er niet aan dénken.'

Rachel maakt overdreven kusgeluidjes.

'Rachel, je bent een HEKS,' sist Kristy.

'Dat klopt, en ik heb een voodoopoppetje van jou, Kristy,' zegt Rachel. Ze doet alsof ze spelden in een poppetje steekt, met felle gebaren.

'Oei oei, nu word ik bang, zeg. Stelletje mafkezen.' Kristy werpt ons een dodelijke blik toe en loopt weg. Carl snelt achter haar aan.

Chelsea ziet er nu niet meer zo beheerst uit, maar ze kijkt Rachel nog wel een keer vernietigend aan voordat ze om de nek van Jake Matthews gaat hangen. Ze fluistert iets in zijn oor.

'Cookie, maak je niet zo druk,' zegt hij. Hij lacht naar me. Dan haakt hij zijn arm in de hare en ze lopen samen weg.

Hoe durft hij naar me te lachen? Ik haat hem.

'Dank je wel, Rachel,' mompel ik.

Rachel kijkt me niet aan. Haar normaal gesproken bleke huid is nu bijna blauwgrijs.

David en Kendis staan om de hoek op ons te wachten.

'Ik moest even iemand een Cookie van eigen deeg geven,' briest Rachel. 'Voor Kate, niet voor Kendis. Ze houden kennelijk van afwisseling.'

Kendis slaat haar ogen ten hemel. 'Ik ben er nu wel zo'n beetje klaar mee.'

David houdt zijn armen strak langs zijn lichaam, met gebalde vuisten.

Kendis zegt met een zucht: 'We moesten er maar eens over ophouden.'

'Zonder die jongens zou Chelsea nergens zijn,' zegt Rachel. 'Ik heb de pest aan jongens.'

David kucht overdreven.

'Nee, echt. Ze denken allemaal met hun lul.'

David zegt schouderophalend: 'Dat zou best eens kunnen kloppen, ja.'

Ik probeer geruststellend naar hem te lachen – ik weet zeker dat hij zo niet is – maar hij ziet me niet eens.

Dan zegt Rachel: 'Ik weet het wel zeker.'

'Hou toch op, Rachel,' zegt Kendis. 'Sommige jongens zijn oké, dat weet je best.'

David glimlacht naar Kendis. 'Zie je nu wel, Rachel? Kendis vindt me leuk.'

'Nee, jou niet.' Ze geeft een tikje op zijn arm. 'Jij bent ook wel oké, maar je weet best wat ik bedoel.'

Rachel kijkt kwaad naar Kendis. 'Ik weet wat je bedoelt, ja. Je bedoelt dat de grote basketbalkoning je eindelijk mee uit heeft gevraagd.'

Kendis lacht schaapachtig. 'Misschien wel, ja.'

'Je gaat het toch niet doen, hè?'

'Jawel, Rachel, misschien ga ik wel met hem uit. Trey is heel anders dan Bryce. Bovendien ben ik geen slachtoffer. Je hebt gehoord wat Karen zei.'

'Ik heb mijn best gedaan om niet naar haar te luisteren. En ik had helemaal geen last hoeven hebben van dat betweterige geleuter van Karen als we geen straf hadden gekregen dankzij die eikel van een Bryce!' Rachel vormt aanhalingstekens in de lucht. 'Ga je het hem nu ook nog "vergeven"?'

'Het is geen straf, de cursus is bedoeld om ons te helpen.' Kendis kijkt Rachel strak aan. 'En ik heb niet gezegd dat ik het hem vergeef.'

'Dat is lekker, Kendis. Jij gaat er dadelijk vandoor met Trey en dan leven jullie nog lang en gelukkig. Alsof hij niet gewoon de zoveelste eikel is.'

'Rachel, alsjeblieft...'

Rachel steekt een hand op naar Kendis. Dan zegt ze tegen mij: 'Kom op, ik snak naar een *Stone*. Nu meteen. Kendis helpt me niet, dus mag jij voortaan de wacht houden.'

O, nee. Waar snakt ze naar? Een Stone? Het heeft natuurlijk iets met drugs te maken. Dat zat er dik in, ze praat bij Persoonlijke Relaties ook wel eens met dopehoofd Daniël. En Rachel verwacht van mij dat ik op de uitkijk ga staan? Pff, hoe vaak kan een mens zich in korte tijd onder druk laten zetten door leeftijdgenoten? In Engeland kregen Hailey en ik nooit met dit soort situaties te maken. Het was alsof er een briefje op ons voorhoofd was geplakt met de tekst: 'Wij zijn braaf, dat is algemeen bekend.'

'Rachel, ik vind dat je met dat Stonegedoe moet stoppen,' zegt Kendis.

Ik verzamel moed. 'Eh...' zeg ik. 'Ik geloof niet dat ik iets te maken wil hebben met... drugs.'

Er valt een stilte.

Fijn. Nu ben ik waarschijnlijk de enige vrienden kwijt die ik nog heb. Alweer.

'Sorry,' zeg ik. Het klinkt behoorlijk sneu.

Iedereen kijkt me aan. David lacht, maar hij lacht me niet uit. Het verrukkelijke kuiltje in zijn wang leidt me even af van mijn schaamte.

Kendis zegt: 'Ooo-ké. Je hebt dus geen idee waar we het over hebben.'

Ik schud behoedzaam mijn hoofd. Misschien wil ik het wel niet weten.

Rachel kijkt Kendis aan. 'Kate, ik leg het je nog wel uit.'

'Nee,' zegt Kendis, 'ik wil er best over praten. Het gaat over... Er loopt hier een zekere Bryce rond en vorig semester... kon hij zijn handen niet thuishouden op het schoolfeest. Je weet wel. Ik bedoel, hij heeft me niet... maar wel bijna.'

'Die lul is gewoon een vuile aanrander,' zegt Rachel stellig.

'Kendis, vind je het echt niet erg?' vraagt David.

Kendis schudt van nee. 'Ik heb al gezegd dat ik eroverheen ben. Je zou eens naar Karen moeten luisteren.'

Rachel zegt: 'Pff!'

'Het is mijn schuld dat Rachel en David die cursus moeten volgen,' zegt Kendis zachtjes tegen mij. 'Die avond heeft David gevochten met Bryce...'

'En ik zou nog gewonnen hebben ook, als coach Harrison zich er niet mee had bemoeid. Hij koos partij voor die sukkel.' David balt zijn vuisten weer.

'En Rachel is betrapt toen ze een tekening van Bryce maakte op de muur van de wc, als waarschuwing,' voegt Kendis eraan toe. 'Ze noemt die tekeningen "Stones", naar de schrijfster Tanya Lee Stone, die een boek heeft geschreven waarin meisjes elkaar waarschuwingen doorgeven via een boek – waarschuwingen over jongens zoals Bryce.'

'Ik schrijf de mijne op de muur,' zegt Rachel trots. 'Chelsea kijkt natuurlijk never nooit een boek in. Trouwens, "Stone" verwijst niet alleen naar de schrijfster, maar ook naar Stonewall. Je weet wel, gelijke behandeling voor lesbiennes, homo's en biseksuelen over de hele wereld. Opkomen voor de rechten van de onderdrukten. Wij vrouwen worden onderdrukt.' Ze kijkt David aan. 'Dat begrijp jij toch niet.'

'Dan niet.' David haalt zijn schouders op. 'Dit is gewoon een fase waar Rachel nu in zit, net als met die hekserij en...'

'Hou je kop, David. Ik help mensen! Jij bent echt erg – typisch een MAN! Niet normaal.'

'Jongens, jongens. Hou op, alsjeblieft.' Kendis zet haar handen in haar zij. 'Rachel, lieverd, ik heb het je al eerder gezegd: ik vind het echt lief van je,' – ze zwijgt even en kijkt naar David – 'maar de school is er niet de geschikte plek voor. Het is het niet waard om steeds straf voor te krijgen. Chelsea veegt je tekeningen trouwens toch iedere keer weer van de muur – of liever gezegd, dat laat ze een van haar trouwe schaapjes doen. Bovendien: denk je niet dat je Chelsea hier meer mee hebt dan degenen die het ware probleem vormen? Zoals... Bryce?' Kendis' mond verstrakt als ze zijn naam uitspreekt.

'Ik pak Bryce er wel degelijk mee,' zegt Rachel. 'Chelsea heeft hem gedumpt. Ik durf te wedden dat dat niet alleen is omdat ze heeft staan vrijen met Jake Matthews. Mijn waarschuwingen hebben geholpen. Trouwens, zij is ook een deel van het probleem. Die jongens en zij, die hebben elkaar nodig, ze teren op elkaar.'

'Rachel, lieverd, ik vind het echt lief dat je het voor me doet.'

'En de schoolleiding trekt zich er niks van aan.'

'Maar hou er alsjeblieft mee op. Doe het dan voor mij.' Kendis kijkt naar David, maar die haalt alleen nog een keer zijn schouders op.

Rachel kijkt kwaad. 'Nee, Kendis. Ga gerust met dat schatje van een Trey uit als je dat wilt. Vergeet gerust wat er is gebeurd, precies zoals coach Harrison en de hele school van je verlangen...'

'Er is niks gebeurd, Rachel. Niet echt.'

'Dan niet, Kendis. Misschien moet ik blij voor je zijn. Maar ik hoef je voorbeeld niet te volgen.' Rachel wendt zich tot mij en zegt: 'Limey, zoals ik al zei: jij staat nu op de uitkijk.'

'Rachel, laat haar hierbuiten. Het is niet haar probleem,' zegt Kendis.

'Kom op, Limey.'

'Ik weet niet of ik dit wel...' Bijna had ik 'goedkeur' gezegd. Maar eerlijk gezegd vond ik de tekening die ik op de toiletten heb gezien heel leuk. En misschien heeft Rachel gelijk en vindt Chelsea het wel degelijk erg. Ik denk terug aan de dag dat ik bij het populaire groepje liep te jammeren over William. Toen was er ook een Stone op de muur getekend, en daar was Chelsea duidelijk niet blij mee. Wordt het niet eens tijd dat de zogenaamd niet-coole meiden wat meer macht krijgen over types zoals zij?

En bovendien, 'ik keur dit niet goed'? Waar SLAAT dat op? Ik lijkt wel een schooljuf. Wat ben ik blij dat ik het niet hardop heb gezegd.

En gelukkig heeft het allemaal niets met drugs te maken.

Rachel beent weg en trekt me mee, bij Kendis en David vandaan.

Ik ga voor de deur van de toiletten staan en hoor in de verte het piepen van Rachels viltstift.

'Hé, Kate,' roept Rachel. 'Zal ik die lul van een Jake Matthews voor je tekenen?'

Ik geef geen antwoord. Ik wil eigenlijk 'nee' zeggen, maar ik snap zelf niet waarom. Ik weet niet precies wat er nu eigenlijk is gebeurd tussen Jake Matthews en mij. Ik weet alleen dat ik sindsdien mezelf niet meer ben. Alles is veranderd. Maar voor hem kennelijk niet.

Ik verplaats mijn gewicht naar mijn andere voet en staar de gang in, blij dat nog niemand heeft geprobeerd me te passeren.

Dan komt Tori's broer Albie mijn kant op gelopen. Ik heb hem sinds de avond van het feest niet meer gezien. Ik laat mijn hoofd hangen in de hoop dat hij me dan niet zal zien. Ik zou het verschrikkelijk vinden als hij ook van die 'koud'-grappen ging maken.

Hij houdt stil. 'Katie?'

'Kate,' zeg ik. Ik kijk hem niet aan.

'Kate, is er iets?'

'Nee, hoor.' Ik kijk naar de andere kant van de gang.

'Echt niet?'

Jawel.

Ik heb zin om hem alles te vertellen.

In plaats daarvan schud ik nee naar de muur.

'Oké. Gelukkig maar... toch?'

Ik bestudeer aandachtig de lege gang.

'Nou, dan eh...'

De deur achter me zwaait open. 'Kom mee, Limey,' zegt Rachel. 'We zijn al laat.' Ze haakt haar arm in de mijne, doet alsof ze Albie niet ziet en loopt met me mee naar het leslokaal.

De volgende keer dat ik op de toiletten kom, zijn alle muren blanco. Chelsea moet Rachels nieuwste Stone al hebben weggeveegd.

Ik MOET Tori spreken over het tweede honk. Ik tel de dagen en uren af tot mijn metamorfosemiddag bij haar thuis, voor mijn date met Jake Matthews.

Dan is het eindelijk woensdag, en ik ben op Tori's slaapkamer en pas haar kleren. Een bloot topje, dat waarschijnlijk meer heeft gekost dan mijn hele garderobe bij elkaar. Normaal gesproken draag ik niet zulke laag uitgesneden truitjes, want ik heb geen borsten. Maar in dit topje zit een soort ingebouwde beha, en jawel hoor: ik heb een decolleté.

Dat heb ik nog nooit gehad. Ik tuit mijn lippen voor de spiegel en duw mijn borsten naar voren.

Ik duw mijn borsten naar voren! Ik! Wie had dat ooit gedacht? Ik ben een heel nieuwe Katie.

Ik betrap me erop dat ik me afvraag of Tori Albie er nog bij zal halen om me vanuit mannelijk oogpunt te bekijken, net als die keer voor de avond van de grote zoenpartij met Jake Matthews.

Maar dat is een rare gedachte. Hoe kom ik daar nou bij? Albie is leuk, maar gewoon als grote broer van een vriendin. Ben ik nu door die middelmatige zoen van Jake veranderd in een jongensgek die iedere man als potentieel vriendje ziet?

Ik moet me op Jake concentreren. Wie zou er nou iemand anders willen?

Achter me smakt Tori met haar lippen omdat ze een nieuwe kleur lippenstift heeft uitgeprobeerd. Ze ziet er niet uit als een doorsnee cool meisje – niet zo volmaakt als

Chelsea, of zo gewoon en onopvallend als de anderen. Eigenlijk is het alsof Tori bij het uitdelen van de gelaatstrekken overal een extra grote portie van heeft gekregen. Grote ogen, grote neus, grote mond en een groot gezicht.

Maar het is wel in proportie, en ik denk dat dat haar juist zo bijzonder maakt. Vooral die grote ogen, die ze alleen benadrukt met heel lichte, amper zichtbare make-up en extra lange wimpers waarvan ik vermoed dat ze nep zijn, maar misschien ook niet.

En dan haar neus. Ik heb het altijd irritant gevonden dat meisjes in stripverhalen bijna geen neus hebben. Waarom zou een meisje geen neus mogen hebben? Ik heb er ook een en daar ben ik trots op. Neuzen aller landen, verenigt u! Weest groot en trots!

Gatver, ik heb nog steeds van die Nerdy Kate-gedachten! Ik moet me concentreren. Er zijn belangrijkere dingen te bespreken met Tori.

'Tori, mag ik je iets persoonlijks vragen?' begin ik.

'Tuurlijk, Katie. Zeg het maar.'

'Nou, eh...'

'Ja?'

'Eh... wat betekent "tweede honk"?'

'Oei, Katie. Misschien kun je dat beter vragen aan iemand als Kristy of Ana. Zij kunnen die dingen beter uitleggen.'

'Nee, ik wil het jou vragen. Met jou kan ik praten.'

'Wat ben je toch lekker Brits,' zegt Tori. 'Poeh, eens kijken. Het is meer dan zoenen. Dat je hem aan je borsten laat zitten, of zoiets, of misschien onder je kleren. Snap je?'

Aan mijn borsten zitten? Help! Tot een paar minuten geleden had ik niet eens borsten. En ONDER MIJN KLEREN?!

'Heb jij... eh, ben jij wel eens tot het tweede honk gegaan, Tori?' Ik durf haar niet aan te kijken.

'Ja, hoor,' antwoordt ze nonchalant.

Als ze er zo makkelijk over praat, kan ik nog wel wat meer vragen. 'En wat is dan het derde honk?' Ik kijk haar zijdelings aan. Ze ziet er helemaal niet opgelaten uit.

'Meer dan het tweede, maar nog niet helemaal... je weet wel. Seks.'

Ik word een beetje rood als ze dat laatste woord gebruikt. Tori vindt me vast een klein kind. Ik bedoel, ieder meisje van zestien weet die dingen, ook al heeft ze het zelf nog niet gedaan.

Wat zeg ik? Ieder meisje van zestien heeft het waarschijnlijk allang gedaan. Niemand is haar leven lang zo'n nerd die de jongens van haar lijf houdt.

Ik moet meer feiten hebben. Er valt een hoop in te halen.

'En wanneer hoor je... die dingen te doen? Binnen hoeveel tijd? Snap je wat ik bedoel?'

Tori gaat op het bed zitten en klopt op het plekje naast haar. 'Kom even zitten, Katie.'

Ik ga zitten.

'Laat je niet door Jake onder druk zetten. Want als je er nog niet aan toe bent, moet hij dat respecteren.'

'Dat weet ik.' Dat weet ik ook echt wel. 'Maar dan heeft hij... gauw genoeg iemand anders, toch?'

'Waarom zou hij iemand anders willen als hij jou heeft? Maak je nou maar geen zorgen. Ik meen het, Katie. Je moet alleen doen waar je aan toe bent. Het is wel de bedoeling dat je het LEUK vindt, hoor.'

'Dat weet ik.' Ik trek het truitje uit en doe snel mijn eigen wijde bloesje weer aan. 'Tori? Is het dat ook? Leuk, bedoel ik?'

'Ja.' Ze glimlacht.

'Heb jij al, eh... het derde honk bereikt met Greg?'

'Eh, ja.'

'Hebben jullie het al GEDAAN?'

Ik kan bijna niet geloven dat ik haar dat zomaar vraag. Ja, Hailey en ik praatten altijd over dat soort dingen, maar ik ben zo'n beetje met haar opgegroeid, dus dat is anders. Bovendien hadden we geen van beiden een vriendje, dus wisten we totaal niet waar we het over hadden.

Tori hoort bij de coole meiden – volgens mij scoort ze niet hoog binnen dat groepje, maar ze is nog altijd een stuk cooler dan Hailey en ik. En ik ken haar amper. Ik weet zeker dat ik haar dit soort dingen niet hoor te vragen.

'Je hoeft geen antwoord te geven, hoor,' zeg ik snel.

Maar Tori lijkt er totaal geen moeite mee te hebben. 'Geeft niet. Ja, Greg en ik hebben het gedaan. Stelt niks voor.'

'Wanneer hebben jullie voor het eerst... je weet wel? Na hoeveel afspraakjes, of...?'

'Katie, voel je vooral niet opgejaagd als ik je vertel dat we nog niet zo lang iets met elkaar hadden. Ik was er klaar voor, snap je? Maar iedereen is anders.' Ze wacht even en zegt dan: 'Het was niet mijn eerste keer.'

'Met Greg?'

'Nee. Een paar jaar geleden...' – ze aarzelt en bijt op haar lip – 'heb ik iets gehad met Carl Earlwood.'

Ik doe mijn best om niet geschokt te reageren. 'Carl van KRISTY?'

'Ja, die Carl. Dat was voordat hij Kristy had, al heeft Kristy altijd wel een oogje op hem gehad. Maar niemand wist van Carl en mij, het was iets tussen ons. Carl zou het nooit aan Kristy kunnen vertellen – hij weet zeker dat ze hem dan dumpt.'

'O?' Ik heb medelijden met Carl. Ik zou Kristy niet graag tegen me in het harnas jagen.

Tori kijkt peinzend. 'Wil je het niet aan de anderen vertellen? Jou vertrouw ik, Katie, maar je weet hoe ze kunnen zijn. Ze verdraaien dingen. Soms vraag ik me af of ze wel echt mijn vriendinnen zijn.'

'Natuurlijk wel,' verzeker ik haar. Ik snap niet waar ze zich druk om maakt. Echt gemeen zijn ze alleen tegen mensen buiten hun kringetje. Dat is een van de redenen waarom ik zo blij ben dat ik erbij hoor. Tori en ik zitten goed.

'Ach ja, misschien ook wel.' Ze stoot me aan. 'Hé, hoe zit het met jou en William? Jullie zijn toch al, wat is het... een jaar samen? Ben je al die tijd niet tot het tweede honk gekomen?'

Als ik zwijg, voegt Tori eraan toe: 'Ook al weet ik dat je hem eigenlijk bedriegt als je met Jake uitgaat, maar dat zal wel goed zitten als William er geen moeite mee heeft. Weet William van Jake?'

'Ik zal jou ook een geheimpje vertellen.'

'Wat dan? Is het uit tussen William en jou?' Er trekt een schaduw van medeleven over haar gezicht.

'Nee.'

Ik haal diep adem. Misschien kan ik dit beter niet zeggen, maar ze is zo eerlijk tegen me geweest. Ik wil het haar vertellen.

'William bestaat niet. Ik heb hem verzonnen.'

Tori kijkt me niet-begrijpend aan, alsof ze niet weet of ik haar voor de gek houd. Dan begint ze te lachen. 'O, Katie, jij bent me er een! En ik had nog wel met hem te doen. Ik overwoog zelfs om hem te bellen en hem over Jake te vertellen.'

'Nee, toch?'

'Nee, natuurlijk niet. Ik zou de meidenregels nooit overtreden.' Ze slaat met haar knokkels tegen de mijne. 'Maar ik vond het niet goed dat je hem bedroog. Ik vond dat jullie maar een vreemde relatie hadden.'

'We hebben inderdaad een vreemde relatie. Hij is onzichtbaar!'

'O, zie je het al voor je?' Tori tuit haar lippen en houdt ze op naar een onzichtbare jongen ergens in de lucht.

'Hé! Blijf van mijn William af!'

Tori moet zo hard lachen dat ze van het bed rolt en ze roept: 'William, waar BEN je?'

Als Albie roept: 'Ik kan mijn muziek zo niet horen!' moeten we nog harder lachen.

Ik zou echt willen dat Hailey erbij was, hier op het feest van mijn moeders kantoor. Ik probeer alles goed in me op te nemen zodat ik het haar later kan vertellen.

Mijn moeder heeft niet overdreven toen ze zei dat het een luxe hotel was. We zijn in het zakencentrum van Boston, en het hotel is zo groot en chic dat er een winkelcentrum aan vastzit, en er zijn roltrappen, met een soort jungle aan planten en een waterval. Ik sta nu in de balzaal, waar drie kroonluchters aan het plafond hangen en overal overdadige versiering te zien is. Vreemde versiering. Ik heb bijvoorbeeld geen flauw idee waarom er een ijssculptuur in de vorm van een paard op de hapjestafel midden in de ruimte staat. Dit is een bijeenkomst voor het internationale personeel van Alleen Maar Bollebozen bv. Misschien is het paard het internationale symbool van de vriendschap? Of van werk? Of van vriendschap op het werk? Niemand besteedt er veel aandacht aan, behalve ik. Ik sta er al een half uur naar te staren en vraag me af hoe ze die kleine details hebben uitgehakt. Oké, ik geef het toe, ik verveel me. Bovendien ben ik nerveus en probeer ik over te komen alsof ik hier thuishoor.

Ik heb een kuitlange, donkergroene baljurk aan die ik vorig weekend in de tweedehandswinkel heb gekocht. Het kostte weinig tijd om hem in te nemen en nu zit hij me als gegoten, en mijn moeder heeft er een antieke broche op genaaid. Mijn haar lijkt weer op een vogelnestje zonder Tori en haar steiltang, maar vanavond valt het in niet al te woeste krullen op mijn schouders. Naar Chelsea's maatstaven zie ik er misschien niet uit, maar mijn moeder vond het prachtig en ik voel me tenminste mezelf.

Ik loop bij de ijssculptuur vandaan en ga mijn moeder zoeken. Ze staat bij een erg uiteenlopend gezelschap. De accenten van de gasten vertegenwoordigen zo'n beetje alle landen van de wereld, lijkt het wel. Maar ze hebben één ding gemeen: zo te horen zijn ze allemaal dol op hun werk. En dol op over hun werk praten.

Ik blijf een tijdje bij mijn moeder staan – het lijkt wel een eeuw – waarbij ik zo nu en dan een woordje opvang: *firewall, burning, going gold*. Of zoiets. Ik glimlach breed als ik aan iemand word voorgesteld, maar kleine geeuwaanvalletjes proberen steeds langs mijn mondhoeken naar buiten te kruipen. Ik weet niks zinnigs te zeggen, maar toch heb ik het gevoel dat ik niet kan blijven zwijgen. Ik begin over het paard van ijs. En dan kan ik niet meer stoppen. Ze denken nu vast dat ik geen van mijn moeders bollebooseigenschappen heb geërfd.

De superslimme collega's van mijn moeder gaan er een voor een vandoor, en dan loopt zelfs mijn moeder weg (de verraadster!) en blijf ik achter met één man. Hij is lang en heeft een snor. Met een beleefd opgetrokken wenkbrauw luistert hij naar mijn geratel. 'Ik vraag me af of een paard moeilijker uit ijs te hakken is dan een ander dier, bijvoorbeeld een hond.'

'Paard of hond,' zegt Snorremans, alleen zegt hij niet hond maar 'ond. 'Waarom verg'lijk jij de paard met de 'ond?'

Ik probeer hem uit te leggen dat een paard een stuk moeilijker te beeldhouwen is dan een hond, voor zover ik daarover kan oordelen, maar ik zeg zelf ook bijna 'ond en houd snel mijn mond, uit angst dat hij zal denken dat ik hem nadoe. Daar kan ik niks aan doen, ik neem het accent van anderen altijd binnen een paar tellen over. Hailey zou vast zeggen dat ik nu al een Amerikaans accent heb, ook al hoort hier niemand dat en vinden ze nog steeds dat ik raar Brits praat.

Ik haal diep adem en probeer mijn verhaal af te maken. 'Nou, eh... een 'ond, eh... HHHHond...' zeg ik heel hard, en op dat moment duikt David naast me op.

Hij is naar dit chique bal gekomen in een leren jack en laarzen. En niet zomaar laarzen: op de zijkant staan zilverwitte tekeningen van hemzelf als stripfiguur. Zo te zien is dat Rachels werk, want ze lijken op haar Stones.

Hij draagt er een chic overhemd en een zwarte nette broek bij, wat een vreemd effect geeft. Eigenlijk past het wel bij mijn tweedehands baljurk, vind ik.

'Hé, Kate met de grote neus!' Dan ziet hij Snorremans staan. 'Eh, hallo, ik ben David McCourt, de zoon van Frederick.'

Snorremans noemt een Frans klinkende naam die ik niet versta en geeft David plechtig een hand. Dan excuseert hij zich en loopt weg. Hij is natuurlijk blij dat hij eindelijk van dat gestoorde 'ond-kind af is.

David kijkt me aan met zijn twinkelogen. Hij ziet er ongelooflijk goed uit, op zijn eigen ongekamde, ongewone manier. Iemand om je problemen mee op de hals te halen, maar wel leuke problemen.

'Waar is de drank? Doe mij maar een biertje.'

'Ja, mooi niet,' zeg ik kreunend. Ik vind het nog steeds onvoorstelbaar dat ik hier geen alcohol mag drinken. Ook al zie ik er jonger uit dan zestien, ik weet zeker dat ik in Engeland wel een drankje zou krijgen op een feest als dit, vooral als ik werd omringd door stokoude vader- en moederfiguren. Ik heb op die stomme bruiloft van mijn vader ook alcohol gedronken, en dat is al drie jaar geleden.

'Erg, hè? Ze zijn zo irritant streng met leeftijdscontrole hier. Maar de hoofdgasten hebben toch automatisch toegang tot de drank, of niet?' Twinkel, twinkel, gaan zijn ogen. 'Ha, eindelijk kan ik je dit vragen zonder dat Rachel me aanvalt. Hoe was het om op school bij de "hoofdgasten" te horen? Geweldig zeker? Moet ik ook eens proberen tot het populaire clubje door te dringen en Chelsea Cook mee uit te vragen? Ik weet zeker dat ik het zou winnen van Jake Matthews.'

Ik moet ook lachen, en even mis ik het om bij dat clubje te horen. Of eigenlijk mis ik Tori. Maar dan herinner ik me dat zij en haar vriendinnen mij als een blok ijs beschouwen. Een ijssculptuur van een mens. Het internationale symbool van de loser.

David zegt: 'Ik heb horen fluisteren dat jij verkering hebt met een onzichtbare sneeuwman.'

'Wat?' Nee, hè?! Hoe gaat zo'n verhaal de hele school rond? Ik probeer snel iets te bedenken. 'Daar is niks van waar. Geen vlokje. Eh... heb je dat paard van ijs al gezien?'

'Cool.' David loopt naar de sculptuur toe en ik loop mee. Het geeft ons reden om even te zwijgen zonder dat het ongemakkelijk wordt. Althans, ik hoop maar dat het niet ongemakkelijk wordt, want de stilte duurt behoorlijk lang. En op het podium begint een band oude nummers uit de jaren tachtig te spelen en een heleboel van mijn moeders vrienden doen klunzig hun middelbare danspasjes.

David staart naar de ijssculptuur. 'Die zie je bij ons in Engeland niet veel, hè?' zegt hij na een hele tijd. Ik kan maar niet aan zijn rare accent wennen. Hij klinkt heel Amerikaans, met een vreemde Britse ondertoon.

'Kom jij nou echt uit Engeland? Of heb je Britse ouders?' vraag ik. Ook al heb ik de hele week met David opgetrokken, dat soort dingen weet ik niet van hem.

'Nee, mijn pa komt uit Manchester, maar mijn moeder uit Boston,' zegt hij. 'Ik ben half Amerikaan, half Manchesternaar. We zijn vaak verhuisd; dan woonden we weer hier, dan weer daar.'

'Een twee-oudergezin?' vraag ik. Afwezig frunnik ik aan de voet van de ijssculptuur, waardoor er deukjes in de vorm van mijn vingerafdrukken in smelten.

'Hm-hm,' zegt hij.

'Mijn vriendin in Engeland heeft ook twee ouders die nog bij elkaar wonen. Hailey heet ze. Ik ga altijd met haar hardlopen.' O nee, mijn mond is weer op hol geslagen. Waarom zou David geïnteresseerd zijn in Hailey? 'De ouders van Tori zijn ook nog samen.' Waarom kan ik niet stoppen met praten? 'De mijne niet.'

'Nou, ik zou er niet mee zitten als ik jou was,' zegt David. 'Het valt vies tegen. Ik ben niet al te, eh... "aangepast", om Karens woord te gebruiken. Je weet bijvoorbeeld dat ik keihard kan zijn tegen idioten die erom vragen.' Zijn gezicht staat nu verbeten. 'Helaas kiest de hele Mill partij voor het populaire groepje. Zelfs het schoolhoofd. Dat gedoe met Kendis vorig semester...'

Ik weet even niet wat ik moet zeggen. Ik zet een maffe-Karenstem op. 'Het is anders heel BELANGRIJK om je GEVOELENS te UITEN.' Dan voeg ik er met mijn normale stem aan toe: 'Hoe heb ik ooit vrijwillig aan die cursus Persoonlijke Relaties kunnen beginnen? Je zult me wel voor gek verklaren.'

'Ja.' Davids gezicht ontspant zich weer. 'Inderdaad.'

Ik trek aan de hals van mijn groene jurk. Het fluweel is ontzettend warm op mijn huid.

'Mooie jurk,' zegt David.

'Dank je, jij ziet er ook goed uit. Ik bedoel, eh... je laarzen vind ik heel cool. Heeft Rachel die tekeningen gemaakt?' Ik wijs naar de plaatjes op zijn laarzen en hoop maar dat hij me niet ziet blozen. Zei ik nou echt dat hij er goed uitziet?

'*Aw shucks!*' zegt David. 'Ja, Rachel tekent niet alleen op muren.'

'Zeggen ze dat echt hier in Amerika, *aw shucks*?'

'Nee, ik heb het nog nooit iemand horen zeggen.'

Ik begin te lachen. 'Vinden ze jouw accent nog steeds cool of ben je inmiddels te Amerikaans?'

'Te Amerikaans? Welnee, ze vinden me hier hartstikke Brits. Ik kan alles maken, tot moord aan toe. Nou ja, dat nog net niet. Maar in Engeland maken ze grappen over luidruchtige Amerikaanse toeristen tegen me.' Hij gebaart om zich heen naar de internationale werknemers van Alleen Maar Bollebozen bv. Alsof zij ooit zoiets zouden zeggen. Ze zouden eerder grappen maken over de val van Silicon Valley. Of over de 'ond van de buren.

'De mensen willen dat je anders bent, maar wel op de juiste manier anders,' zeg ik.

'Dat klopt precies.' David lacht. 'Zo ben ik zelf ook. Ik hou van de juiste soort anders.'

Ik moet ook lachen, al weet ik niet precies waarom. 'Maar op school lijkt het wel of niemand me verstaat.' Zeg ik dan. 'De leraren laten me alles twee keer zeggen.'

'Pardon?'

'Ik zei dat de leraren... O! Ha, ha!'

Niet te geloven dat ik daarin getrapt ben! Ik praat er snel overheen. 'En Rachel noemt me nog steeds Limey. Ze deed behoorlijk bot tegen me op mijn eerste schooldag.'

'Je moet je om Rachel niet druk maken, dat weet je nu toch wel? Volgens mij heb ik haar dat woord geleerd. Ze beschouwt "Limey" vast als een compliment. Rachel is een weirdo, maar wel tof. Een toffe weirdo.'

Bijna zeg ik tegen hem dat ik soms bang voor haar ben, maar ik houd me in. Daar ken ik hen geen van beiden goed genoeg voor. 'Wat vind je van mijn vaderland, Kate?' vraagt David met een zwaar overdreven Amerikaans accent, waardoor het klinkt alsof hij George Bush nadoet.

'Het is beter dan in Engels-land blijven.' Mijn spraakgebrek wordt erger. 'Ik bedoel Engeland.'

'Mis je je vriendinnen niet? En je vriend? Los van die onzichtbare waar iedereen het over heeft.'

Niet weer! Maar wacht eens, vraagt hij nou of ik een vriend heb? Staat hij soms met me te... flirten? Snel, Kate, DENK NA! 'Nee, ik mis hem niet. Hij is hier.' Ik sla mijn arm om het luchtledige naast me. 'William, dit is David.'

David haakt er meteen op in. 'Aangenaam,' zegt hij tegen de lucht rechts van me.

Ik kijk hem aan. Dat was geen flirten, hij wil gewoon aardig doen.

'Wat ben je stil,' zegt hij.

Ik weet niet of hij William of mij bedoelt. Ik laat mijn arm zakken. 'Hij is naar de bar.'

'Dan wens ik hem veel succes. Hopelijk heeft hij een vervalst paspoort bij zich.'

'Hij is meerderjarig.'

'O, dus je valt op oudere mannen?'

'Niet echt.'

Weer een lange stilte. De muziek verandert van ritme.

'Bowie,' zegt David. Ik kijk naar het podium. Aaargh, is dat mijn moeder? Ja, ze is het! Ze danst met Snorremans, die trouwe 'ond, en ze zingen geluidloos de tekst naar elkaar en schudden veel met hun hoofd. O, wat ga ik haar hier straks mee pesten.

'Let's dance,' zegt David.

'Ja, van Bowie. Mijn moeder is gek op oude Bowie-nummers.'

'Nee, ik bedoel: laten we gaan DANSEN!' Hij lacht weer naar me met die heerlijke twinkeling in zijn ogen, pakt dan mijn hand en sleurt me mee naar de dansvloer.

O, op die manier.

David danst! Een jongen danst met me!

Oké. Nu ben ik verliefd.

Het is veel te snel vrijdagavond. Ook al heb ik er de hele week naar uitgekeken en heeft Tori me bij iedere gelegenheid advies gegeven, ik ben er niet klaar voor.

Ik heb weer kleren van Tori aan: een peperdure spijkerbroek en het borstentopje. Ik zit bij mijn moeder op de kamer en kijk toe hoe ze zich klaarmaakt voor het feest van haar werk. Ze doft zich behoorlijk op, voor haar doen. Ik heb haar net zelfs naar de lippenstift zien grijpen, ook al heeft ze die volgens mij alweer van haar lippen af gegeten. Ik heb mijn oude make-upgewoonten dus van haar geërfd.

Ze trekt voor de derde keer iets anders aan, deze keer een jurk die ik nog nooit heb gezien. Het is helemaal haar stijl – een batikgeval in alle kleuren van de regenboog, in lange, hippie-achtige lagen.

Tori zou het niks vinden.

'De tweedehandswinkel in Walnut Street,' zegt ze als ze me ernaar ziet staren.

Daar zou ik nooit meer iets kopen. Hoewel ik er laatst nog een handtas heb gezien die wel erg veel op die van Chelsea leek. Er zat een Louis Vuittonlabel in en ik had hem wel willen hebben, maar waarschijnlijk was het nep en dan zouden ze me uitlachen op school.

'Mam, weet je zeker dat je je uiterlijk niet een beetje wilt veranderen?' vraag ik. 'Tori zegt...'

Mijn moeder trekt een gezicht. 'Vind je? Ik voel me lekker zo.' Ze doet een kleurige kralenketting om. 'Hoe vind je deze? Hij is nieuw.'

Nerdy Kate zou hem prachtig gevonden hebben.

Ik hoef niet te proberen zoiets te dragen als Chelsea en haar vriendinnen in de buurt zijn. Ik haal mijn schouders op.

'Nou, ik vind hem mooi,' zegt mijn moeder. 'Moet jij je niet omkleden? Ik dacht dat je uitging. Trek even iets aan over dat hemdje. Zo loop je er een beetje... bloot bij.'

Ik trek de twee helften van Tori's topje bij mijn hals dichter naar elkaar toe. Mijn moeder heeft mijn decolleté natuurlijk ook nog nooit gezien.

Ik neem niet de moeite om haar uit te leggen dat dit geen 'hemdje' is, of dat ik hierin vanavond uitga.

Maar ik lieg ook niet. 'Het is van Tori,' zeg ik.

Mijn moeder is alweer met haar eigen uiterlijk bezig. 'Ik ben blij dat je hier een vriendin hebt gevonden, Kate. Ze klinkt leuk. Gul. Lief dat je zelfs haar ondergoed mag lenen.' Ze kijkt in de spiegel en frunnikt aan haar kralenketting. 'Zei je nou dat je vanavond naar Victoria toe ging?'

'Iedereen noemt haar Tori.' Weer niet gelogen.

Buiten brult arrogant een motor en er klinkt getoeter.

Jake!

Ik ren naar de deur.

'Doei, mam, veel plezier!' roep ik, en vlak voordat ik de deur achter me dichttrek, voel ik me opeens heel gemeen omdat ik niet meega naar het feest van mijn moeders werk, en omdat ik min-of-meer-bijna tegen haar heb gelogen. En omdat ik uitga in een onderhemdje met push-upeffect.

Ik doe de deur weer open en roep: 'De schoolbus is er!'

Ik hoop dat ze erom moet glimlachen.

Jake staat tegen zijn auto geleund op me te wachten. En hij is niet alleen. Er zitten al mensen in de auto: jongens, achterin. Ik herken Bryce, en volgens mij is die andere de vriend van Chris. Ik weet niet meer hoe hij heet.

'De schoolbus?' Jake fronst zijn wenkbrauwen. 'Wij zijn het maar, hoor.'

O nee, hij heeft het gehoord!

O nee, die jongens! Ik dacht dat dit een officieel afspraakje was. Wat doen zij hier dan? Of is dat juist gunstig? Voor mij, bedoel ik. Als zij erbij zijn, zal er van dat tweede honk niet veel terechtkomen, of wel?

En toch wil ik ook weer niet dat Jake me behandelt als zomaar een van zijn vrienden. Of wel? Nee, niet als ik wil dat alle meisjes op school jaloers op me zijn. Wat doen die jongens hier? Moet ik er iets van zeggen?

'De schoolbus. Ja, dat is, eh... Britse humor,' zeg ik zacht.

'Aha,' zegt hij, alsof hij al zo'n vermoeden had. 'Monty Python. Kom, we gaan.'

Jake stapt in en wacht op me. Gelukkig stap ik niet aan de verkeerde kant in, zoals laatst bij Kristy. Want als ik dat had gedaan, had ik nu bij hem op schoot gezeten.

Ik huiver bij de gedachte. Het zal de uitwerking wel zijn die Jake op me heeft. Maar mijn huivering houdt maar niet op. Dan pas begrijp ik dat ik me vergist heb: dit is geen hartstochtelijke huivering, ik heb het koud. En we gaan naar een ijsbaan. Ik neem aan dat de verwarming daar niet al te hoog zal staan.

'Hoi, Br-Br-Bryce. Hoi, eh...' zeg ik met een knikje naar de jongens achterin.

'Anthony.' De jongen die Bryce niet is, kijkt me vuil aan. Nou, sorry dat je naam niet in mijn geheugen gegrift stond, hoor. Zullen we dan even een quizje doen? Hoe heet ík eigenlijk, meneer Anthony Beledigd?

'Alles goed, Katie?' vraagt Anthony.

'Hmm,' mompel ik. Ja ja, toevallig goed geraden. Ik draai me weer om en vraag me af waarom ik met drie jongens op stap ga in plaats van met één. En waarom ik geen jas heb meegenomen.

'Ik vind het helemaal waanzinnig dat ik kaartjes heb voor de wedstrijd,' zegt Jake. 'Jullie niet, jongens?'

'Ja, man. Vet dat je ons meeneemt!' zegt Bryce cynisch en overdreven hard.

Moet ik ook iets zeggen? Val ik ook onder 'jongens'? Ja, MAN, bedankt dat je hen ongevraagd meeneemt op onze date.

'*Yeah*,' zeg ik, maar het komt eruit als 'Ye-ee-eah' omdat ik zit te bibberen.

Er valt een lange stilte. Waarschijnlijk vraagt Jake zich nu af of mijn rare gedrag ook onder de Britse humor valt.

Ik trek mijn borstentruitje recht. Nu ik het zo koud heb, ben ik me extra bewust van mijn borsten. Als we bij een stoplicht staan, laat Jake zijn blik even van de weg naar mijn decolleté gaan. Dan gaat hij op zoek naar een pakje sigaretten op het dashboard voor me.

'Jij ook een?' vraagt hij aan mijn borstentruitje.

'Nee, dank je, ik roo... heb nu niet zo'n zin in een sigaret,' zeg ik. Goeie redding; truttig gedrag past niet bij het effect van het truitje. 'Jij?' Ik houd het pakje voor hem omhoog en doe mijn best om niet in paniek te raken. Als hij maar niet van me verwacht dat ik de sigaret voor hem opsteek, of iets anders coole-meidenachtigs. Ik zou niet weten hoe dat moest.

'Matthews, de trainer zegt dat je moet kappen met die kankerstokjes!' roept Bryce achter me. 'Er moet GESPORT worden, man!' Zijn lach schuurt langs mijn oren.

'De trainer is er nou niet bij, hè?' gromt Anthony.

Jake staart naar de sigaret in mijn hand en richt zijn blik

dan snel weer op mijn borsten, en weer op mijn hand. De score hand-borsten is nu 2-1.

'Ik moest stoppen van onze trainer,' zegt hij tegen mijn hand. 'Maar dat geeft niet, roken is voor losers.'

Aha. Waarom wint mijn decolleté het dan niet van de sigaretten? Dit was toch de avond van het tweede honk? Ik wiebel wat heen en weer om het truitje beter zijn werk te laten doen, maar Jake's ogen volgen het pakje sigaretten dat ik terugleg.

Het duurt wel een uur voordat we een parkeerplaats gevonden hebben, want telkens als ik een vrije plek aanwijs, legt een van de jongens me met keiharde stem uit waarom dat een beroerde keuze is. Op een bepaald moment weet ik zeker dat ze elkaar aanstoten, alsof ze willen zeggen: wie is die loser die zelfs in een woestijn nog geen fatsoenlijke parkeerplek zou kunnen vinden?

'Daar is er een vrij, Jake,' probeer ik nog een keer.

'Wie heeft HAAR meegenomen?' roept Bryce. Ik geloof niet dat hij op normale geluidssterkte kan praten. Wie heeft JOU meegenomen? zou ik willen vragen. Dit is MIJN date. Maar ik slaag erin om mijn mond te houden, op een gepast Katiegiecheltje na.

'Brandkraan,' zegt Anthony. 'Duh.'

Zelfs het hoongelach van Bryce is luid. Dit wordt een lange avond.

Het ziet er allemaal wat beter uit als we eenmaal in de zaal zijn, of hal, of hoe noem je de ruimte van zo'n ijshockeybaan? Ik voel de opwinding om me heen gonzen. Onze zitplaatsen zijn helemaal vooraan, achter een laag plastic wandje vol krassen, en ik ben blij dat ik tijdens mijn allereerste ijshockeywedstrijd zulk goed zicht zal hebben op de gespierde schaatsers.

In een hoek speelt een orkest, een echt live fanfareorkest

met een hoop spelers van onze leeftijd. Ze dragen felblauwe uniformen en kijken heel ernstig als ze zich op hun instrument concentreren. Ze spelen 'God Bless America'. Dat weet ik omdat er een paar mensen meezingen, met een hand tegen hun hart gedrukt.

Jee, niet te geloven dat ik hier echt ben, in Amerika, bij een ijshockeywedstrijd met een superlekkere jongen. Wat een heerlijk leven heb ik toch.

De wedstrijd begint en het is één grote wervelwind van opspattend ijs en meppende sticks. Niks strakke mannen kijken, ik kan niet langer dan één tel achter elkaar volgen wat er gebeurt. Maar de jongens vinden het prachtig. Jake roept de hele tijd dingen als: 'Naar voren! Terug!' en Bryce schreeuwt 'Waardeloos!' en nog veel bottere opmerkingen, terwijl Anthony zomaar een beetje in het wilde weg zit te juichen.

Ik raak in een soort trance als ik het allemaal over me heen laat komen, en ik zou zelfs zeggen dat ik het leuk vind, tot er op het ijs een schermutseling ontstaat en er plotseling een speler over het tussenwandje springt en bij mij op schoot belandt. Hij kreunt naar me en hopt weer het ijs op. Niemand zegt er wat van. Nu zit ik pas echt te trillen. Van de schrik, denk ik, maar hij heeft ook een gênante natte plek op Tori's designerspijkerbroek achtergelaten, waardoor ik het nog kouder krijg.

Jake houdt even op met aanwijzingen roepen; ik hoop maar dat de spelers het zonder hem redden. Hij herinnert zich ineens dat ik bij hem ben. Of liever gezegd: dat mijn borstentruitje bij hem is.

'Heb je het koud?' vraagt hij aan mijn decolleté.

IJskoud! 'Een beetje,' zeg ik.

'Wil je mijn jasje?'

GRAAG! 'Als je het niet erg vindt.'

Jake trekt zijn sportieve-jongensjasje uit en legt het om

mijn schouders. En hij laat zijn arm daar liggen – en zijn blik blijft op mijn borsten gericht.

Dat is beter. Ik leun een beetje tegen hem aan.

Ik krijg een warm gevoel, een gevoel dat ik volgens mij laatst in de kast niet heb gehad.

Dan fluistert hij in mijn oor: 'Sorry van die twee.'

Ik fluister terug: 'Geeft niet.' Wauw. Ik zou hem nu alles vergeven.

Hij fluistert: 'Mooi truitje.' En dan zoent hij me.

Hoera voor het borstentruitje. Het heeft eindelijk zijn werk gedaan!

We zoenen een paar minuten zonder ons iets aan te trekken van de kinderachtige slurpgeluiden die Bryce en Anthony maken. Alsof zij niet hetzelfde doen met hun vriendin zodra ze de kans krijgen. En het is lekker. Veel lekkerder dan op het feest van Tori.

Opeens barst er een enorm gejoel, gejuich en gejouw los en begint de fanfare te spelen. Wacht even, dat kan toch niet zijn omdat ik eindelijk van Jake's zoenen geniet...

Jake maakt zich van me los.

Bryce geeft hem een mep op zijn rug en zegt: 'Je hebt het hélemaal gemist.'

Jake juicht alsof hij niks heeft gemist.

De rest van de wedstrijd kust hij me niet meer – ik denk omdat hij bang is om nog meer actie te missen – maar hij houdt wel zijn arm om me heen geslagen.

En als hij me na afloop naar huis brengt, loopt hij mee naar de deur en zoent me dan weer, inniger. Net als ik helemaal opga in zijn pepermuntsmaak, draait Bryce het raampje open en roept: 'Tjeezus, Matthews, ik bevries, man!'

Jake fluistert in mijn oor: 'De volgende keer, baby.' Mijn knieën knikken door het kietelen van zijn ademhaling. O ja, dit begint erop te lijken.

Dan geeft hij een klap op mijn kont, net als die avond dat we hebben gezoend in de kast, en ik laat mijn bekende Katiegiecheltje horen.

Als hij terugloopt naar de auto, roept hij: 'Tot kijk!'

Ik kijk Jake na. Trek zijn jasje steviger om me heen. Ik voel me lekker warm worden. Jake heeft me gekust en ik heb niet één keer aan Sopzoen Steven hoeven denken. Hij heeft zijn jasje voor me achtergelaten. Hij had het over een volgende keer. Nu zullen alle coole meiden zeker jaloers op me zijn. Ook al heeft hij niet geprobeerd het tweede honk te bereiken.

'Eindelijk,' zegt mijn moeder als ze de deur heeft opengemaakt en over de houten vloer onze rommelige huiskamer in loopt. 'Nu we met ons accent hebben opgeschept tegen de taxichauffeur, wil ik de roddels horen. Was dat de jongen die naar je had gevraagd? De zoon van Frap?'

Ik knik en probeer er neutraal bij te kijken. 'David.'

'Hmm, hij leek me leuk. Wel brutaal van je, om pal voor je moeders neus zo gewaagd te dansen. Het leek *Dirty Dancing* wel.'

'Mam! Dat was écht geen "dirty dancing"! David is gewoon een vriend van me.' Ik verdwijn even in een droomwereld als ik aan David denk. We hebben de hele avond gedanst. Het kon hem niet schelen wie er keek, en hij weet wat lol maken is.

'Kate! Contact! Kate, ben je daar? Nee, de verbinding is verbroken. Maar we hebben thee nodig. Er moeten belangrijke beslissingen genomen worden. Wordt het de poepchique earl grey die ik vorige week van mijn werk heb geleend of gewoon die rare Lipton, zo'n beetje het enige merk dat ze hier schijnbaar verkopen? O, ik zou een moord doen voor een ouderwets kopje Engelse thee. Je vader brengt straks natuurlijk precies de verkeerde mee. Maar met dit soort beslissingen voor de boeg zal Kate eerst moeten landen vanaf planeet Jongeman, alleen is ze onbereikbaar, ze zweeft in de ruimte...'

'Mam! Doe maar earl grey.'

'Houston! We hebben contact!'

'Mam! Maak nou maar gewoon een kop thee voor me. Alsjeblieft!' zeg ik hoofdschuddend. Geen wonder dat ik geen kans maakte bij het populaire groepje. Nerdgedrag zit in mijn genen.

Maar wat geeft het? Als dat gedoe met Jake niet was gebeurd, zou ik David nooit hebben leren kennen. Ik ben blij dat ik toch Nerdy Kate ben gebleven. Zogenaamde losers hebben het veel leuker – zei mijn moeder dat laatst ook niet?

'Hallo? Hallo? De verbinding is weer weggevallen. Houston! Hoort u mij? Belangrijke kwesties te bespreken. In welke beker wil Kate de genoemde earl grey? Over en sluiten.'

Toch zou je mij niet horen klagen als mijn moeder net een tikkeltje normaler deed.

'De blauwe Buffybeker,' antwoord ik.

Ze pakt onze ouderwetse fluitketel en begint aan haar gebruikelijke gemopper terwijl ze hem vult met water en op het fornuis zet. 'Je zou toch denken dat dit een ontwikkeld land is, maar hebben ze ook elektrische waterkokers? Nee, mooi niet, verdorie...'

Ik stop met luisteren na: '... technologische vooruitgang? Ze mogen hun minioventjes houden. Wat moet je met die dingen? Niets is zo onmisbaar als een fatsoenlijke waterkoker...' en pak de draad van mijn Daviddagdroom weer op.

Na een tijdje staat mijn moeder voor zich uit te neuriën, met een gekke grijns op haar gezicht. Ze ziet er zelf uit alsof ze ergens in de ruimte zweeft.

O, dat is waar ook! Ik moet haar nog plagen met Snorremans.

'Mam?'

'*Baby! Sweet baby!*' zingt ze terwijl ze een beker oppakt en hem afdroogt. 'Ja, Kate?'

'Jullie leken zelf wel een stel uit *Dirty Dancing*.'

Ze gooit de theedoek naar me toe. Hij landt op mijn hoofd en ik veeg hem weg. Gelukkig was ze niet zo van de wereld dat ze de beker naar mijn hoofd slingerde. 'Zoiets zeg je niet tegen je moeder!'

'Maar het is toch zo? Wie is die man met die snor? Die man met wie je de hele avond hebt gedanst? Ik had eerder op de avond met hem staan praten over paarden en 'onden.' Ze snapt niet wat ik met 'onden bedoel. Ach, dat zou ook geen 'ond snappen.

'Ja, hij is Fransman. Dat is gewoon een collega van me, Kate.'

'Hmm.' Ik ben niet overtuigd. Ze lacht meer dan ik haar in tijden heb zien lachen. Dan ploft ze naast me op de bank en trekt de theedoek over haar gezicht.

Ik weet precies hoe ik haar kan testen. 'Mam?'

'Hm-hm?'

'Hoe heet hij? Die "gewoon-een-collega" van je?'

Ze geeft meteen antwoord. 'Rashid,' klinkt het gedempt van onder de theedoek. 'Rashid Lacroix.' Ze slaagt erin om met de theedoek op haar gezicht de afstandsbediening te pakken en Lifetime op te zetten. Er is een film bezig over de relatie tussen een man en een vrouw met verschillende huidskleuren. Ik heb hem al gezien. Dramatisch en ontroerend. Mensen die niet naar dit soort films kijken, weten niet wat ze missen.

Mijn moeder mist ook iets, want ze haalt de theedoek niet weg. Na een tijdje beweegt hij ritmisch op en neer en hoor ik zacht gesnurk. Ze is in slaap gevallen.

Rashid La-wat? Mijn moeder onthoudt nooit namen. Echt helemaal nooit.

O, god. Ik geloof dat mijn moeder verliefd is op Snorremans.

Ik haal een deken om over haar heen te leggen, zet het geluid van de langgerekte zuchten en onderdrukte snikken op televisie zachter en dan ga ik naar bed om over David te dromen.

Zaterdag vraagt Tori of Albie haar naar het winkelcentrum wil brengen, en onderweg halen ze mij op. Ik wacht voor het raam tot ik Albie's auto zie verschijnen. Ik heb liever niet dat Tori mijn moeder ziet, als het niet per se hoeft. Mijn moeder doet nogal vreemd vanochtend. Ze schreeuwt tijdens het schoonmaken keihard jarentachtigliedjes in haar plumeau. Het lied dat ze het vaakst loopt te blèren klinkt Frans – iets raars over Joe en een taxi.

Ik besef dat ik haar sinds het vertrek van mijn vader niet meer heb horen zingen.

Haar stem klinkt zwoel en hoog, en op dat moment rijdt de auto van Albie voor.

'Doei, mam!' roep ik als ik de deur opendoe.

'Au revoir, ma chère Kate! Le taxi is er!' roept ze terug.

Ik weet niet wat voor vreemde ziekte ze gisteren op het feest heeft opgelopen – het feest dat ik heb gemist door mijn date met Jake Matthews – maar ik wil er liever niet te lang aan blootgesteld worden.

Ik loop naar de auto en trek het portier open.

'Mooi jasje.' Tori lacht veelbetekenend.

Ik stop mijn handen in de zakken van Jake's jasje en haal met een breed gebaar mijn schouders op. 'Dank je.' Ik plof neer op de achterbank.

Tori draait haar hoofd om met me te praten. 'Heb je gisteravond mijn berichtje niet gekregen? Ik heb tot na twaalven gewacht. Was je toen nog niet thuis?' Ze kijkt me met vragend opgetrokken wenkbrauwen aan.

Ik kreun. Helemaal vergeten dat ik haar nog zou msn'en over mijn avond met Jake. Door zijn laatste zoen was ik alles om me heen vergeten.

'O, sorry, ik heb mijn computer niet meer aangezet vannacht,' zeg ik, en met een blik op Albie voeg ik er geluidloos aan toe: 'Ik vertel het je nog wel.'

Tori kijkt me aan alsof ze wil zeggen: Hè? Hoezo?

Ik weet niet precies waarom, maar ik praat liever niet over Jake waar Albie bij is. Ik kijk nog een keer naar hem. Hij vangt mijn blik in de achteruitkijkspiegel.

'Hoi, Katie,' zegt hij.

Ik wend mijn ogen af. 'Hoi.'

Hij roffelt met zijn vingers op het stuur. 'Ik wil wedden dat Katie het met me eens is, Tor. Katie, ik zeg net tegen Tori dat ik de fijnste broer van de hele wereld ben, maar dat wil ze niet toegeven. Ik had nu bijvoorbeeld moeten repeteren in plaats van jullie naar het winkelcentrum te brengen. Maar ik offer mijn toekomst op voor het privéleven van mijn zusje. Dat is toch prachtig?'

'Prachtig. Dank je wel, Albie.'

Tori zegt kreunend: 'Ja, hoor.'

'Madison Rat heeft binnenkort een belangrijk optreden en dan moet ik goed voorbe... O, dit moet je even horen.'

Hij zet de muziek harder en de auto vult zich met een beukende, schelle beat. Ik herken vaag Albie's band van het feest bij Tori thuis. Deze keer ben ik minder afgeleid en ik concentreer me op de vette gitaarklanken. Albie heeft een prachtige stem en ik vind de tekst geweldig. *'I'll be Xander to your Anya, I'll be Spike to you my Dru...'*

'Het heet "Fire and Ice",' zegt Albie, en zijn stem op de cd is daar bijna een echo van: *'Fire like me and ice like you...'*

Ik betrap mezelf erop dat ik een beetje mee zit te neuriën.

'De grootste hits van Madison Rat,' zegt Albie. 'Nou, er zijn genoeg mensen die het mooi vinden. Ik heb de teksten geschreven.'

Wauw.

'We spelen voornamelijk covers, van Snow Patrol en...'

'O, die vind ik goed.' Dat is echt waar. Hailey heeft de hele cd op haar iPod en die leende ik heel vaak.

'Maar we breken nu op eigen kracht door en we proberen steeds een andere sound uit.'

'Super.' Ik wil niet overdreven enthousiast doen, maar ik vind het echt heel goed.

Albie valt stil. Ik hoop maar dat ik niks verkeerds heb gezegd. De muziek vult de auto weer. Ik voel het tot in mijn vingertoppen.

Er schiet een gedachte door mijn hoofd en ik zeg: 'Wacht eens, Madison Rat... die naam komt me zo bekend voor.'

Tori draait zich om en kijkt me vernietigend aan, met haar mond open bij de eerste lettergreep van 'O nee, hè?'

Albie lacht. 'Je kent ons vast niet. We houden wel van Britse en alternatieve muziek, maar we hebben nooit in Engeland getourd. Nog niet.'

'Alsof dat ooit gebeurt.' Tori slaat haar ogen ten hemel.

De mooie stem zingt: *'I'll be Tara to your Willow...'*

O! Ik weet het. Denk ik.

'Wacht,' zeg ik. 'Is de naam Madison Rat afgeleid van Amy Madison, de heks in *Buffy* die zichzelf in een rat veranderde?'

'Ja!' Albie grijnst. 'Niet te geloven. Wauw! Dat moet ik de jongens vertellen. Jij bent de allereerste die het doorheeft.'

'Goh, wat cool,' zeg ik zuchtend.

'Katie, even SERIEUS.' Tori rolt weer met haar ogen. 'Mijn broer en zijn vrienden zijn NIET cool. En dat bedoel ik natuurlijk niet lullig. Ik vind ze hartstikke leuk, hoor, maar... kom op. Ze zijn me net iets te retro.'

'Je hebt niet al te veel smaak, zusje, maar toch hou ik van je,' zegt Albie, en hij mindert vaart voor een stoplicht.

Tori reageert er niet op en kijkt uit het raampje. 'Moet je dat huis zien!'

Ik volg haar blik. Er staat een rij huizen, allemaal groot en zo te zien heel duur. Koloniale stijl, zoals ik me nog herinner van wat de makelaar ons verteld heeft toen mijn moeder en ik op huizenjacht waren.

'Welk huis?'

'Katie!' Ze kijkt me geërgerd aan. 'Dat daar!'

Ik weet het nog steeds niet. 'Dat lichtgele?'

'Natuurlijk! Zou je daar niet dolgraag willen wonen?'

'Eh... ja?' zeg ik. Even verderop zie ik precies zo'n zelfde huis, maar dan lichtblauw. 'Dat is ook mooi, hè?' probeer ik.

'Hmm, nee,' zegt Tori traag. Ik heb het duidelijk helemaal mis. Ik snap het gewoon niet.

Zodra Tori Albie heeft weggewuifd in het winkelcentrum begint ze me uit te horen over gisteravond.

'Dus Bryce en Anthony zijn meegegaan op jullie date? Vreemd.'

Ik voel dat mijn gezicht betrekt. 'Dat vond ik ook al.'

'En heeft hij niet geprobeerd om eh... af te maken waaraan hij bij ons in de kast begonnen was?'

'Niet echt. Hij heeft me wel gezoend. En hij sloeg me op mijn kont.'

'Gatver.'

'Het zoenen was wel fijn.' Deze keer wel. Sterker nog: ik zou best nog een keer willen.

Tori kijkt peinzend.

'Is dat een slecht teken, Tori? Het is een slecht teken, hè? Zeg op.' Ik kijk haar hoopvol aan en trek Jake's jasje stevig om me heen.

'Dat hoeft niet,' zegt ze langzaam. 'Misschien krabbelt hij terug vanwege... je weet wel.'

'Nee. Wat?'

'William. Het kan zijn dat hij zich wil houden aan de regel dat je als man van de vriendin van een ander af moet blijven.'

'O,' zeg ik. O, nee. Dat zou het einde betekenen van zoenen met Jake en van het respect dat Chelsea's groepje voor me heeft. Dat moet ik niet hebben.

'Maar dat is juist goed. Hou William nog een tijdje aan. Gezonde concurrentie – laat Jake maar raden hoe het zit. Bovendien moet hij je wel heel leuk vinden als hij je zijn jasje heeft gegeven.'

'Hm-hm.' Ik voel me al een tikkeltje beter.

'Maar je moet hem wel laten ophouden met dat kontmeppen.'

'Ik vind het niet erg.'

'Echt niet?'

'Nee, het past wel bij hem. Het maakt me niet uit.'

'Hmm, oké.' Ze neemt me met gefronste wenkbrauwen van top tot teen op en plukt een stukje chocolade van de mouw van Jake's jasje. 'Maar toch: jakkes. Je kunt dat ding niet langer in het openbaar dragen. Het is tijd voor nieuwe kleren!'

Tori sleurt me mee naar een van die felverlichte winkels waar ik vroeger nooit naar binnen durfde, en voordat ik het weet sta ik een hele stapel kleren te passen die Tori voor me heeft uitgezocht. Mijn moeder heeft me eindelijk geld gegeven – genoeg voor één ding in deze glanzende zaak of twintig in de tweedehandswinkel.

'Katie, die broek is PERFECT.'

Hij is zwart, en in mijn ogen precies hetzelfde als de tien andere die Tori heeft gekozen.

'Gatver, die niet!' Ze keurt de tweelingbroer van de broek die ik nu aanheb resoluut af.

'Hoezo niet?'

'O, Katie,' zegt Tori hoofdschuddend. 'Neem dat nou maar van me aan. Wacht, die is nog beter.' Ze pakt een andere broek. Aha, het was een drieling!

Als ik dit zelf niet leer, zal Tori me de rest van mijn leven moeten aankleden. En ook een huis voor me moeten kiezen.

Vele raadselachtige minuten later staan we in de rij om de broek af te rekenen. Ik krijg de smaak van het Amerikaans praten al helemaal te pakken.

Op het televisiescherm boven de toonbank wordt een van mijn lievelingsfilms vertoond. Er is net een close-up van een meisjesgezicht, met twee dikke tranen die een spoor nalaten op haar linkerwang. Ik ben altijd onder de indruk van het huilen in deze film. Dat zeg ik tegen Tori.

'Ze heeft aan haar moeder opgebiecht dat ze niet het meisje is dat haar moeder dacht dat ze... Wat nou?'

'Kijk jij dat soort films? En onthoud je ze ook nog?' vraagt ze met grote ogen van afschuw. 'Ze zijn goedkoop en ordinair!'

'Maar deze gaat over vertrouwen en teleurstelling en... Zo'n film hóórt een beetje goedkoop en ordinair te zijn,' zeg ik. 'Lifetime is het beste kanaal van de hele wereld. Ik vind die films mooi.'

Tori schudt verwoed haar hoofd. 'Geloof me nou maar, Katie, dat vind je NIET. Je moet echt een betere smaak ontwikkelen. Zet die rommel uit je hoofd' – ze gebaart afkeurend naar de televisie – 'en vertel me eens welke ECHTE films je goed vindt.'

Ik denk na. 'Zo'n beetje alles waar Joss Whedon in meespeelt. Hoewel *Buffy the Movie* eigenlijk wel zijn dieptepunt...'

'Stop! Stop! Tjeezus, je bent nog erger dan mijn broer. Katie, wat ben ik blij dat je mij hebt. Ik moet jou nog een HELEBOEL leren.'

Mijn moeder is zich aan het omkleden voor haar date met Rashid, de Franse Snorremans van het feest van haar werk. Ze trekt veel met hem op sinds die vrijdagavond. Niet te geloven dat mijn MOEDER een beter sociaal leven heeft dan ik.

Op school is het nu zo erg dat ik niet eens naar David kan kijken zonder te blozen. Ik weet niet of Rachel het heeft gemerkt. Kendis in ieder geval niet. Die gaat helemaal op in Trey en we zien haar nog maar zelden.

De bofkont. Kon ik maar helemaal opgaan in David. Hij doet aardig tegen me sinds het feest, maar meer ook niet. Ik vind hem maar moeilijk te peilen.

Mijn moeder probeert verschillende setjes en draait in het rond, met een stralend gezicht, hopend op goedkeuring. Het doet me denken aan de keer dat ik zelf zo stond voor Albie, die keer bij Tori thuis toen ik nog dacht dat ik cool kon zijn. Als ik er nu aan terugdenk, krimp ik in elkaar. Mooi niet dus.

Gelukkig is het coole clubje wel gestopt met pesten. Jake glimlacht nog steeds naar me, en dat vind ik raar. Het lijkt wel of Rachel het nooit ziet. Maar als Chelsea of Kristy zelfs maar even naar me kijkt als zij erbij is, maakt ze van die voodooprikbewegingen met haar handen. Of andere, schunnigere gebaren. Ze kan hen niet uitstaan.

Mijn moeder kiest voor een jurk die ik nog nooit heb gezien. Hij is zwart en nauwsluitend. Hij staat haar goed, maar ik vind het niks voor haar. Om te beginnen omdat hij niet honderd verschillende kleuren heeft.

'Ben je in de *mall* geweest?' Ik kan mijn enorme verbazing niet verbergen.

Ze gaat in de verdediging. 'Die is vlak bij mijn werk. Een collega van me, Mindy of Mandy of zoiets, heeft me een keer meegenomen in de lunchpauze. Deze jurk was in de uitverkoop. Margy vond hem... welk woord gebruikte ze ook alweer? Sexy.'

Ik kijk naar mijn moeder. 'Mam, wat is er toch met je aan de hand?'

'Hij staat me goed, hè?' Ze kijkt me aan alsof ze wil zeggen: waag het eens om me tegen te spreken.

'Ja, mam, je ziet er goed uit.' Je bent alleen jezelf niet.

'Dank je, Kate.' Ze neuriet een of ander jaren-tachtignummer en ik laat haar alleen.

Ik zet de laptop aan met de bedoeling even met Hailey te chatten en dan de rest van de avond aan mijn huiswerk te besteden. Ook al heb ik de studiepunten niet nodig, ik wil graag goed overkomen in de les. Ik weet zeker dat David niks moet hebben van giechelende meisjes die slechte punten halen om indruk te maken op de jongens, zoals de Poppetjes bij ons in Engeland. Het probleem is alleen dat ik me in de les onmogelijk kan concentreren met David erbij.

Hailey reageert niet op mijn bericht. Ze kan nog niet in bed liggen, want het is pas... O, twee uur 's nachts in Engeland.

Oeps.

Ik pak mijn schoolboeken, maar ik ga toch steeds zitten computeren. Ik google dingen als *Dirty Dancing* en David Bowie en denk aan het dansen met David. Zou hij me leuk vinden? Ik bedoel, op die manier? We hebben het bij Persoonlijke Relaties nog niet over zijn problemen gehad. Ik kan bijna niet wachten. Ik wil alles over hem weten. Ik weet dat hij de cursus volgt vanwege die ruzie met Bryce, toen hij voor Kendis is opgekomen. Was hij soms verliefd op Kendis?

Ik vraag me af hoe ik daarachter kan komen. Misschien moet ik het aan Rachel vragen. Een angstaanjagend idee. Bij Rachel weet je nooit hoe ze het zal opvatten.

Ik surf naar het filmoverzicht van Lifetime en daarna naar een paar van mijn vaste *Buffy*-forums. Op een ervan is een complete oorlog aan de gang: een verhitte discussie over de vraag of Spike wel of niet kan zingen. *Het probleem met communicatie via internet*, zo luidt een reactie, *is dat je geen gezichtsuitdrukkingen kunt zien. De mensen denken dat ze zomaar dingen kunnen schrijven die ze nooit in iemands gezicht zouden zeggen.*

Ik blader door mijn boeken. Daar is het, het vel papier met contactadressen van Persoonlijke Relaties. Maffe Karen vindt dat we ook buiten de bijeenkomsten 'onze emoties moeten uiten', dus heeft iedereen zijn telefoonnummer moeten opgeven. Ik heb het mijne ook gegeven, maar het zou me gigantisch verbazen als ik opeens werd gebeld door dopehoofd Daniël. En ik zou al net zo verbaasd zijn om thuis iets te horen van David, Rachel of Kendis. Op school trek ik wel iedere dag met ze op, maar ze zeggen nooit iets over afspreken na schooltijd.

Misschien moet ik daar zelf eens over beginnen.

Ik zou David kunnen vragen of hij met me uit wil. Na het hele Jakeverhaal heb ik het ook overleefd op school, dus nu kan ik alles aan.

Maar het zou beter zijn om eerst wat informatie in te winnen. Je weet wel, een beetje uitzoeken of David me niet vierkant zou uitlachen als ik hem vroeg. Ik ben niet achterlijk.

Ik bekijk de e-mailadressen en msn-gegevens. Ik voeg

hun namen toe. David en Rachel blijken allebei online te zijn – wauw. David onder de naam VetHeftig, waar ik om moet grinniken. Rachel is RachGrrrl. Zal ik haar een berichtje sturen? Ach, waarom niet. Ze is toch mijn vriendin? Ik zat thuis altijd uren te msn'en met Hailey, voordat ik naar een andere tijdzone verhuisde en zij voortaan irritant vroeg naar bed ging. Althans, volgens mijn klok.

Trouwens, Rachel kan mijn gezicht toch niet zien. Ik kan dus dingen opschrijven die ik nooit in haar gezicht zou zeggen.

Ik typ alleen 'Hoi' in voor RachGrrrl.

Een eeuwigheid hoor ik niks, en net als ik de computer wil uitzetten, krijg ik een berichtje van haar.

RachGrrrl: Limey, ben jij dat???

>

KateRosenberg: Ja! Sorry, ik ben het: Kate van school. Dat had ik erbij moeten zeggen.

>

RachGrrrl: Ik dacht dat je achternaam Reilly was.

>

KateRosenberg: Klopt. Rosenberg komt uit Buffy. Laat maar. Weet jij wat het huiswerk voor wiskunde is?

>

RachGrrrl: Heb je hulp nodig bij de sommen van Weerwolf Wilson?

>

KateRosenberg: Nee, niet echt. ;)

>

RachGrrrl: OK.

>

KateRosenberg: OK :)

>

RachGrrrl: OK.

>

KateRosenberg: OK :) :)

Ik wacht. Tuur met half dichtgeknepen ogen naar het scherm. Er staat niet dat RachGrrrl zit te typen. Ik kan beter nog een berichtje sturen.

KateRosenberg: Ben jij al klaar met Wilsons huiswerk?

>

RachGrrrl: Ik dacht dat je geen hulp nodig had?

>

KateRosenberg: Wat ben je aan het doen?

>

RachGrrrl: Huiswerk voor Weerwolf Wilson. Jij?

>

KateRosenberg: Niks. Beetje internetten.

Weer een pauze. Dit loopt niet lekker. Hoe kom ik nou op meidengesprekken over David, en hoe kan ik vragen of hij wel eens een vriendin heeft en of er een kansje is dat hij me leuk vindt? Dit wordt niks. Ik wil het al opgeven en 'later' of zoiets intypen, maar dan komt er weer een bericht binnen.

RachGrrrl: Zat net met David te msn'en. Je krijgt de groeten.

Dat lijkt er meer op.

KateRosenberg: Is hij echt VetHeftig?

>

RachGrrrl?: Wat denk je?
>
KateRosenberg: Ha ha.

Ik doe het gewoon. Ik ga iets zeggen. Hoe moeilijk kan dat nou helemaal zijn?

KateRosenberg: Dus het is alleen maar een act van hem om meisjes te scoren?
>
RachGrrrl: Hij gaat z'n gang maar.
>
KateRosenberg: Hè?
>
RachGrrrl: Wat denk je nou zelf?

Grr, wat is ze irritant. Ik snap niet wat ze bedoelt. Ik had ook eigenlijk kunnen weten dat je met Rachel geen echte meidenchat moet verwachten. Ze is totaal niet 'meisjesachtig'. Het is een grrrl.

KateRosenberg: Ha ha.
>
RachGrrrl: Val je op David? Zal ik iets tegen hem zeggen?

Nee! Ja, ja. Nee! Hoezo, wat heeft hij dan over mij gezegd? Wat weet je precies? Nee. Neeee! Dat schrijf ik haar dus allemaal niet, ik ben niet gek. Rachel is zelf gek: wie gaat er nou tegen David zeggen dat ik hem leuk vind?!

KateRosenberg: Are you mad?!!! ;)

Weer een pauze. Als ze maar niet weer met David zit te msn'en. Of tegen hem iets over mij zegt. Is Rachel echt zo anders dat ze de regels van meiden-onder-elkaar niet kent? Al kwam Haileys lievelingsfilmster bij mij op de thee, dan nog zou ik niet tegen hem zeggen dat ze verliefd op hem is, tenzij Hailey me daar toestemming voor had gegeven.

RachGrrrl: Je valt op David! Ik wist het wel! Waarom zou ik daar kwaad om zijn?

>

KateRosenberg: Kwaad?

>

RachGrrrl: ?? Je vroeg net of ik kwaad was! Omdat je op David valt? Bedoel je dat?

>

KateRosenberg: Nee!!! In Engeland betekent 'mad' niet kwaad maar gek. Ik bedoelde: ben je gek? Snap je? Je moet niet vergeten dat ik een Limey ben.

>

RachGrrrl: Dus je vindt mij gek???

>

KateRosenberg: Nee!! Heb je vraag 3 al af?

>

RachGrrrl: Ben ik mee bezig. Sorry, ik moet stoppen. Zie je op The Mill.

>

KateRosenberg: Ja, OK, doei. Het was leuk om even te chatten.

>

RachGrrrl: Ja, vond ik ook. Zie je op msn, OK?

Nou baal ik pas echt. Had ik het maar niet gedaan. Als Rachel maar niet echt denkt dat ik op David val. Het is wel zo, maar ik wil niet dat zij het weet. Zo'n soort vriendin is ze volgens mij niet.

Ik lees oude mailtjes van Hailey, vol nieuws over de hardloopgroep en over Jonathan, die haar nog niet heeft gezoend. Ik schrijf haar een lang bericht, voornamelijk over David, en zet er ook bij dat ik erg uitkijk naar de tijd dat ze komt logeren.

Ik schakel de computer uit en zet Lifetime op. Algauw zit ik midden in een film over de hopeloze liefde van een tienermeisje, gebaseerd op een waargebeurd verhaal.

'Katie! Hier!' roept Chelsea, alsof ik niet precies weet waar ze zit. Aan de coole tafel.

Ik sta vooraan in de rij met een dienblad vol vage smurrie. Het eten op school is hier ongeveer hetzelfde als in Engeland, al zit er nog meer friet bij. (Ik heb alleen nog steeds moeite met het verschil tussen *chips* en *fries*. Het blijft lastig, dat Amerikaans.)

'Mooie broek, Katie,' zegt Kristy als ik ga zitten.

Ik weet nog steeds niet precies of ze nou aardig tegen me doet of juist gemeen. Dat weet ik bij haar nooit. Ik trek even aan de zwarte stof. 'Dank je, het is een nieuwe. Vijftig dollar.'

'O-kéééé.'

Dat toontje is me wél duidelijk. Dat betekent: Too Much Information. Thuis gebruiken Hailey en ik TMI vooral voor lichamelijke dingen.' Bijvoorbeeld als ik naar de wc moet en ik zeg: 'Ik moet ontzettend plassen.' Dan zegt Hailey: 'Kate! TMI! Ga nou maar gewoon.' De Poppetjes in Sufgehucht gingen nog een stapje verder dan wij, die praatten alleen maar over hun lange haar en in push-ups gestoken borsten – ze hadden nooit kramp en hun tampons waren nooit op, of anders werd daar in ieder geval nooit wat over gezegd. Dus ik ben een ander niveau van TMI gewend. In het groepje van Chelsea geldt het voor een heleboel volkomen onschuldige dingen, dingen die ik er gewoon uitflap.

Ik voeg in gedachten het noemen van de prijs van je kleding toe aan de TMI-lijst van het populaire groepje. Als die nog langer wordt, kan ik straks beter helemáál mijn mond houden.

'Hé, moet je Brittany Clarke zien. Wie denkt ze wel dat ze is?' Chris richt de aandacht van de groep op iemand anders. Niet expres, maar ik ben haar toch dankbaar. 'Wie draagt er nou nog die roklengte? Wat moet dat voorstellen?'

'Ze denkt zeker dat ze cool is,' zegt Ana.

'Ze zal dat ding wel tweedehands gekocht hebben of zo. Gatver!'

Tori schuift ongemakkelijk heen en weer op haar stoel. 'Chris...'

'Wat is er? O ja.' Chris kijkt naar mij en fluistert dan iets tegen Kristy.

Ik zou willen zeggen dat ik niet meer bij de tweedehandswinkel koop, maar ik wil nu niet de aandacht op mezelf vestigen.

'Katie komt uit Engeland, ze heeft gewoon een andere kledingstijl,' zegt Tori. Wat is ze toch aardig voor me. Maar hoe komt het dat ik er nog steeds anders uitzie dan de rest? Alles wat ik aanheb is door Tori goedgekeurd, of IS van Tori.

'Nou, zij daar is ook anders. Héél anders,' zegt Kristy.

'Zeg dat wel. Dat háár van Nicole! Volgens mij komt ze net uit bed.'

'Ja, samen met de conciërge, heb ik gehoord.'

Iedereen lacht.

'O kijk, Kristy, daar heb je sletterige Kendis en die mafkees met tekeningetjes op zijn laarzen.' Chris wijst naar het stijlvolle lange meisje en de onverzorgde jongen die bevriend zijn met Rachel, de arrogante meid die ik mijn eerste schooldag heb aangesproken. Even zou ik willen dat ik bij hen was in plaats van hier te zitten. De jongen loopt te praten en te lachen met Kendis, en ik durf te wedden dat ze niet lachen om het haar of de kleding van anderen.

'Katie, dat is David McCourt. Je zult hem wel kennen, het is ook een of andere Brit. WAT een loser. En hij vindt zichzelf reuzestoer,' zegt Kristy.

'Ja, vorig semester probeerde hij met Bryce te vechten,' zegt Ana.

'Ha, ha, één blik van Bryce en die idioot kromp al in elkaar,' voegt Chris eraan toe.

'Ik heb gehoord dat hij moest huilen,' zegt Tori zacht.

'Ik heb gehoord dat hij begon te smeken. "O, Bryce, alsjeblieft. Ik zal doen wat je wilt, Bryce. Ik zit nu toch al op mijn knieën..."' Kristy begint te lachen.

'Dat is nog geen excuus voor dat gestoorde kapsel van hem. Of die laarzen. Ik bedoel, wie dráágt zoiets nou?' Chris snuift.

David draagt afgetrapte hoge veterlaarzen waarvan de veters half loshangen. Op een ervan is een gezicht getekend in stripfiguurstijl, zo te zien met zilveren nagellak. David staat nogal ver weg, maar voor zover ik het kan zien is het een portret van hemzelf.

Wat cool om een karikatuur van je eigen gezicht op je laars te hebben.

Shit, ik mag niet vergeten dat hij helemaal NIET COOL is. Ik ben hier degene die cool is, met mijn keurige, in de mall gekochte en van Tori geleende kleren, die precies bij de kleding van alle meisjes om me heen passen.

Hun gelach is nu gericht op de volgende die langsloopt, een dikkig meisje 'met make-up van vorig seizoen die haar onderkinnen benadrukt'.

Chelsea doet niet mee. Ze kijkt steeds naar de deur.

Jake Matthews en zijn vrienden verschijnen in de verte, lachend en duwend als echte macho's. Het gaat goed tussen Jake en mij. We zoenen veel – bijna iedere keer dat ik hem zie op school.

Ik zwaai naar hem, maar hij ziet me niet. Opgelaten laat ik mijn hand zakken, met een steelse blik op de meiden. Ze hebben het niet gezien – te druk met het belachelijk maken van foute-make-up-met-onderkinnen.

Chelsea staat op, strijkt zwierig haar haar naar achteren en zegt: 'Tot straks,' voordat ze in de richting van de jongens verdwijnt.

Wat is er toch met haar? Ze is al een paar dagen heel stil en niet half zo gemeen of bazig als anders.

'Lesbo-loser in aantocht!' roept Kristy om ons weer bij de les te krijgen.

Rachel kijkt zoekend om zich heen en gaat dan bij Kendis en David zitten. Ze haalt een flesje uit haar tas en schudt ermee. Daarna gaat ze voorovergebogen op haar stoel op haar zwarte hoge veterschoen zitten tekenen. Het resultaat lijkt op de striptekening van David en doet me ook denken aan de gemene graffiti die Chelsea telkens door Chris van de muur laat vegen als we tussen de lessen door op het toilet onze make-up gaan bijwerken.

'Vroeger was Kendis wel oké,' zegt Ana als we allemaal naar Rachels tafel zitten te kijken. 'Ik snap niet waarom ze met die freaks omgaat. O, wacht. Jawel, ik snap het wel.'

Iedereen begint te lachen.

'Ja, PRECIES. Moet je haar zien. Ze is ZELF een freak,' zegt Chris.

Hmm, waarom is Kendis een freak? Ik snap niks van dat hele modepolitiegedoe op The Mill. Ik probeer eraan mee te doen en kijk eens kritisch naar Kendis. Ze ziet er niet alternatief uit, zoals Rachel. Geen afgetrapt leer, zoals David. Haar kleren komen duur en klassiek over en lijken veel op wat wij zelf dragen, op de jas van nepbont na.

'Waarom is Kendis een freak?' vraag ik, en ik heb er al spijt van zodra de woorden mijn mond verlaten. Iedereen staart me aan alsof ik zojuist ben geland vanaf Venus. Die blik zie ik al zolang ik in Amerika ben; ik zou er bijna aan gewend raken. Nu snap ik waarom ze hier bij de douane alle niet-Amerikanen 'aliens' noemen.

Kristy fluistert iets tegen Chris en ze beginnen allebei te lachen.

Ik kan mezelf niet langer voor de gek houden. Het gaat over mij, zeker weten.

Maar ik hoor bij hen! Ik draag dezelfde kleding en ik heb Jake Matthews, is dat niet genoeg?

'Kristy, Katie weet het niet van Kendis,' zegt Tori, en ze bijt op haar lip.

'Komt het door haar jas? Hoe KOMT ze aan dat ding?' probeer ik, en ik laat het zo verontwaardigd mogelijk klinken. Nerdy Kate zou de zwart-met-gebroken-witte jas van Kendis prachtig gevonden hebben. Hij staat heel cool bij haar rok. Ik voeg eraan toe: 'Zou het soms de BEDOELING zijn dat ze eruitziet als een hond?'

'Dat bedoel ik,' zegt Ana giechelend.

Gelukt! Ik heb een goede opmerking gemaakt!

De spanning neemt af.

Tori kijkt geschrokken. 'We moeten niet vergeten dat Katie niet weet wat er vorig semester allemaal is gebeurd.'

'O, nee.' Kristy haalt diep adem en buigt zich naar me toe. Haar ogen lichten op als ze begint te roddelen. 'Op het schoolfeest heeft Bryce met Kendis staan vrijen. Ze zal hem er wel voor betaald hebben of zo, anders had ze hem natuurlijk nooit kunnen krijgen.'

Nu voel ik me echt een alien. Hoezo had ze hem nooit kunnen krijgen? Kendis is supermooi en stijlvol, en Bryce is te vergelijken met Jake Matthews: knap en sportief, maar eigenlijk een beetje nietszeggend.

O, wacht, Jake is mijn vriend. De meest gewilde jongen van de hele school, weet je nog? Telkens wanneer ik hem zie, vinden onze lippen elkaar. Heerlijk. En nu noem ik hem zomaar 'nietszeggend'. Oeps.

'Maar goed,' gaat Kristy verder, 'Kendis drong zich als een ontzettende slet aan hem op, en hij is nu eenmaal een jongen, dus hij moest er wel aan toegeven. Na afloop liep ze jankend naar haar moeder en jammerde: "O, mammie, hij wilde AAN ME ZITTEN."'

'Dat mocht ze willen!' zegt Ana.

'Ja, en toen liep het pas echt uit de hand en haar moeder had bijna de vader van Bryce voor de rechter gesleept, dus dat was vette stress voor Bryce.'

'Ja, hij was bijna zijn plek in het team kwijtgeraakt, want de trainer vond dat hij het goede voorbeeld moest geven en dat soort gezeur,' zegt Chris.

'Arme Bryce,' verzucht Ana.

'Ja, en arme Chelsea. Alsof Bryce zelfs maar naar een ander zou KIJKEN als hij met Chelsea is. En Kendis heeft hem de hele tijd lopen stalken, alsof het haar niks kon schelen,' voegt Chris eraan toe.

'Respectloos,' zegt Ana.

'Maar inmiddels is ze uit de kast gekomen, hoor,' gaat Chris verder. 'Moet je haar zien met die heks. Oooo, kusjekusje, wat een mooie zilveren nagellak. Rachel, mag ik ook een beetje?'

'Smeer hem DAAR maar op.' Kristy tuit haar lippen en begint hard te lachen.

'Dus Rachel is lesbisch?' vraag ik.

Kristy bauwt me na. '"Dus Rachel is lesbisch?" Wat klinkt dat toch lekker onschuldig. Ja, het is een pot. Kijk maar uit als ze in je buurt komt.' Ze zet grote ogen op.

'Ze lijkt me wel interessant.' O jee, daar ga ik weer. Waarom ZEG ik dat nou? Het ging net zo goed. Daar heb je die blikken weer.

'Katie, wat is er toch met je?' vraagt Ana.

'Ja, moeten we Jake soms waarschuwen dat zijn vriendinnetje een pot is? Is die mysterieuze vriend van je in Engeland soms een VRIENDIN?' vraagt Kristy.

'Moet ik ergens anders gaan zitten?' vraagt Chris, en ze schuift theatraal bij me vandaan.

'Tori, je zei toch dat Katie veel bij je thuis is geweest? Dat ze je kleren heeft gepast?' Kristy fluistert iets tegen Chris en ze beginnen weer te lachen.

Ik weet niet meer wat ik moet doen. 'Heksen kunnen best interessant zijn, al zijn het dan losers. En die jongen die erbij is, wat een LOSER. Allemaal freaks, het hele stelletje. Freaks!'

Ze kijken me niet langer aan alsof ik een alien ben en er wordt hier en daar gelachen.

'Zeg dat wel,' zegt Ana.

'Is dat de ergste losers-tafel hier op school of kan het nog erger?' vraag ik.

'O, het kan nog erger,' zegt Chris. 'Moet je hem daar zien.'

'Wat een freak,' reageer ik meteen, zonder te kijken.

In de weken die volgen kan ik me weer een beetje ontspannen op school, ook al lukt het me nog steeds niet om fatsoenlijk twee woorden achter elkaar uit te spreken zodra David in de buurt is. Maar het is toch beter als ik niet te veel zeg wanneer Rachel erbij is, want ze kan om de kleinste dingen kwaad weglopen.

Ik hoop maar dat ik wel mag lachen om Rachels idee om zich met Halloween te verkleden als Chelsea. Ze is laaiend enthousiast als ik in mijn favoriete tweedehandswinkel een duur uitziende handtas voor haar vind die precies op die van Chelsea lijkt. Op de dag zelf ziet Rachel er heel onhandig en misplaatst uit in haar pastelrokje en truitje, maar wel ontzettend grappig. Haar haar lijkt zwarter dan ooit. Ze houdt het maar tien minuten vol – lang genoeg om opgemerkt te worden door Chelsea, die er 'TOTAAL niet mee zit, LOSERS' – en trekt dan weer haar zwarte Rachelkleding aan. Maar ik krijg de handtas terug en mag hem houden, omdat ze hem bij me vindt passen. Ik vraag maar niet wat ze daarmee bedoelt.

Ik had als pluizig konijntje willen gaan, à la Anya uit *Buffy*, maar ik denk niet dat David en Rachel dat zouden snappen, dus verkleed ik me maar helemaal niet.

Daarna komt de aanloop naar Thanksgiving. David klaagt dat het een kalkoenenmoorddag is in plaats van een feestdag. Ik vertel hem maar niet dat ik het juist superleuk vind om die dag pseudo-Amerikaan te zijn.

Ik haal mijn moeder over om Rashid (van de 'ond) uit te nodigen voor Thanksgiving, en op de grote dag dwing ik hem en mijn moeder om op te sommen waarvoor ze dankbaar zijn, zoals ik dat ken uit mijn lievelingsfilms. Als ik aan de beurt ben, zeg ik sentimentele dingen over familie. Ik vertel maar niet de hele waarheid. Ik zeg er bijvoorbeeld niet bij dat ik dankbaar ben dat David vorige week zesentwintig keer naar me heeft geglimlacht, of dat ik blij ben dat ik na Kerstmis naar huis mag. Ik geloof dat mijn moeder dat laatste wel min of meer had verwacht te horen, maar ik weet niet of ik het nog wel wil. Ik kan nu het kuiltje in Davids wang niet zomaar achterlaten.

Ik trek elke dag heel veel met David op, vooral bij wiskunde, omdat ik heel veel verschillende wiskundevarianten heb gekozen omdat ik het Amerikaanse 'math' zo leuk vond klinken. Ze hebben hier nog meer soorten wiskunde dan ijs! Ik moet de gekste dingen leren, zoals het cartesisch assenstelsel bij *geometry*, wat gewoon meetkunde blijkt te zijn. Tijdens de lessen denk ik bij alles wat we leren aan David. Ik ben de samengestelde persoon 'Kate' die bestaat uit 'Kate = Rachels vriendin + een vriendin (of misschien ooit DE vriendin) van David.

Vrijdag voor de middagpauze heb ik algebra van meneer Wilson. Wilson is oké, maar hij is de meest behaarde persoon die ik ooit heb gezien. Hij heeft niet alleen een snor, zoals Snorremans de Fransman, maar ook een baard, en haren in zijn neus, op zijn handen en waarschijnlijk ook op zijn rug. David en Rachel noemen hem Weerwolf, en David probeert tijdens de algebrales het woord 'haar' in iedere zin te verwerken. Weerwolf Wilson lijkt dat niet te merken, waarschijnlijk omdat David zo'n vreemd accent heeft.

Algebra is nu een van mijn lievelingsvakken, want Weerwolf Wilson staat erop dat we in de klas op alfabetische volgorde zitten. Ik zit dan pal achter David, terwijl Rachel Glassman mijlenver van ons vandaan moet zitten, helemaal vooraan. Ik kan de hele les naar Davids achterhoofd staren en ervan dromen mijn handen door zijn haar te laten gaan. Maar vandaag heb ik daar moeite mee. Rachel draait zich namelijk vaak om en ik zie haar telkens naar me kijken, alsof ze me erop wil betrappen dat ik naar David gluur. Had ik haar dat msn-berichtje over hem maar nooit gestuurd. Sindsdien kijkt ze steeds heel wantrouwend naar me, en dat wordt met de week erger.

Als ik me concentreer op mijn algebraboek in plaats van op de lokken die over de kraag van Davids zwartleren jack kriebelen, is de les niet half zo fijn als anders.

Meneer Wilson stelt David een vraag, waarop hij met een stalen gezicht antwoordt: 'Even denken, HAAR. Ik heb het HAARfijn uitgerekend. HAAR ik twijfel nog of ik het goed heb.'

Waarop Wilson zegt: 'Vast wel. Zeg het maar.'

Rachel zit intussen weggedoken achter haar eigen haar en moet zo hard lachen dat ze haar hoofd op haar tafeltje legt.

Dan krijg ik de beurt. Omdat ik deze keer eens niet naar Davids kraag heb zitten staren, kan ik meneer Wilson voor de verandering het juiste antwoord geven.

'O, moet je HAAR horen. Wat goed van HAAR,' mompelt David, en als hij zich naar me omdraait, vang ik een glimp op van dat prachtige kuiltje in zijn wang.

Dat is voor mij het hoogtepunt van de les.

Na afloop, als we het lokaal uit lopen, zegt Wilson: 'Kate Reilly, kun je even hier blijven?'

Rachel geeft me een duwtje en zegt: 'Oei oei, Limey zit in de nesten!'

Daar hoeft ze heus niet zo tevreden bij te kijken.

David zegt: 'Tot straks. Veel plezier, HAAR.' Hij lacht weer zo prachtig naar me.

'Wachten jullie even op mij?' vraag ik zo luchtig mogelijk. Ik vind het verschrikkelijk om alleen naar de kantine te moeten lopen. Het is een kwelling om langs de tafel van Chelsea te moeten, ook al negeert het groepje me nu min of meer. Maar soms kijkt Jake Matthews me nog zo indringend aan. Dat alles kan ik beter verdragen met David en Rachel als mijn bodyguards.

Wilson spreekt me even toe. Hij zegt dat ik een veelbelovende leerling ben, alleen nogal snel afgeleid. Even denk ik dat hij me gaat vragen voor een of ander wiskundegroepje voor nerds, zoals ik in veel films heb gezien. Dat zou ik niet erg vinden. Het is de hemel op aarde voor wiskundefanaten. Maar nee, hij zegt: 'Je haalt niet alles eruit wat erin zit, Katherine. Je krijgt nog één kans voordat ik je een onvoldoende geef.' Dan leutert hij nog wat door over extra huiswerk en geeft me een lijst.

Ik mompel iets over 'moeilijke tijden' en beloof beter mijn best te doen. Als Rachel me er vanaf nu van weerhoudt om naar David te zitten staren, net als vandaag, dan kan ik mijn belofte misschien nog nakomen ook.

Als ik het lokaal uit slof, bedenk ik dat ik op z'n minst tegen Weerwolf Wilson had moeten zeggen dat ik 'heel HAAR mijn best ging doen'. Dat zou David leuk gevonden hebben. Wat kan mij het schelen als ik een onvoldoende krijg voor algebra? Mijn cijfers van dit jaar tellen toch niet mee. Waarom voel ik me dan zo beroerd, een beetje alsof ik mezelf niet meer ben? Op de Sufschool heb ik NOOIT problemen gehad.

David en Rachel staan niet op me te wachten. Misschien hebben ze niet gehoord dat ik dat vroeg.

Tijdens de lange weg naar de kantine bereid ik me er mentaal op voor om alleen naar binnen te gaan. Ik kan dit best. Maar ik doe het liever niet.

Bij de sportzaal hoor ik flarden muziek. Luide gitaar en een stevige beat – klanken die hier op school helemaal niet passen, maar toch komen ze me bekend voor. Ik zie een poster hangen voor het schoolfeest, met de aankondiging van een optreden van Madison Rat, de schoolband van The Mill. Op de deur hangt nog een bordje: REPETITIE VOOR SCHOOLFEEST.

Ik blijf aarzelend staan.

Een zachte stem zingt de openingszin van een oud nummer van Snow Patrol. Ik herken het meteen: 'Set the Fire to the Third Bar'. Een van Haileys lievelingsnummers. Ik mis haar iPod.

Ik zet de deur op een kier. Er is maar één zanger. Ik tuur naar het podium.

Het is Albie, de broer van Tori. Ik duw de deur een stukje verder open en de muziek overspoelt me. Prachtig. Dus Madison Rat is de band van Albie? De naam komt me heel bekend voor.

Ik ben er tamelijk zeker van dat ze zo in de repetitie opgaan dat ze me niet zullen zien, dus ik sluip naar binnen en druk me plat tegen de klimwand om niet op te vallen. Ik ga helemaal op in de muziek.

Na een treurige *klennnggg* op de bekkens valt er een stilte. Dan knikken de jongens naar elkaar en beginnen de gitaren.

Albie zingt: *'I'll be Xander to your Anya, I'll be Spike to you my Dru, I'll be Tara to your Willow...'*

Dit staat beslist niet op Haileys iPod, maar het is zeker zo goed als die nummers. Het klinkt als iets wat geïnspireerd is door *Buffy*. Super.

Maar na een paar minuten beginnen de gitaren te krijsen en vallen de bandleden kwaad tegen elkaar uit.

O jee, als ze maar niet mijn kant op kijken.

Ik glip snel de zaal uit en hoop maar dat het geschreeuw het dichtvallen van de zware deur overstemt. Ik blijf nog even luisteren, maar ze beginnen niet meer te spelen. De lunchpauze is toch bijna voorbij. Die is omgevlogen dankzij de geweldige muziek.

Ik hoor David al voordat ik hem zie. 'Rachel, je weet best dat ik het zo niet bedoelde...'

'David, waarom moet je toch altijd zo'n EIKEL zijn?'

Rachel zwijgt als ze me ziet.

David lacht naar me. 'Kate, daar ben je. We misten je al

bij de lunch. Wat wilde Weerwolf van je? Heeft hij je gebeten? Dat scheelde maar een HAAR, zeker?'

Hij heeft me gemist. David heeft me gemist!

Lachend loop ik met David en Rachel mee.

Ze vragen niet waarom ik niet naar de kantine ben gekomen en ik vraag niet waarom ze niet op me hebben gewacht.

Bij ons volgende afspraakje gaan de vrienden van Jake niet mee, en de keer daarna ook niet, maar toch gaan er nog vele weken van uitgaan en zoenen-op-school voorbij voordat we het tweede honk bereiken. Als Jake het al vervelend vindt dat het zo lang duurt, dan laat hij dat niet merken. Hij zegt sowieso weinig. We praten eigenlijk amper met elkaar. We zoenen wel veel.

Ik ben een expert geworden in 'gezoend worden door Jake Matthews'. En verder ben ik tamelijk goed in mijn tactieken om het tweede honk te mijden. Hopelijk komen die vaardigheden me later in mijn leven nog van pas.

Zo duwt Jake me een keer of vijf per dag tegen de muur bij de kluisjes om te zoenen. Makkie! Ik geef hem een lange kus, duik weg en zeg: 'Oei, ik kom te laat in de les! Doei, Jake.' En weg ben ik, terwijl hij me verlangend nastaart. Meestal geeft hij nog een klap op mijn kont als ik wegloop, en dan giechel ik heupwiegend. Ik kom inderdaad vaak te laat in de les, want om bij het populaire clubje te horen moet je nu eenmaal regelmatig je make-up bijwerken. Het is dus niet gelogen.

Hoewel... ik neem aan dat Jake toch niet van plan is om bij de kluisjes tot het tweede honk te gaan. Althans, ik hoop van niet.

Het tweede honk vermijden is lastiger als ik met hem uitga, maar ook dan heb ik mijn methoden. Ik doe net of mijn moeder afschuwelijk streng is. 'Ik moet nu echt naar binnen,' zeg ik dan, als Jake en ik bij mij voor de deur in de auto zitten. 'Anders mag ik de rest van het jaar het huis niet meer uit na schooltijd.'

Nou is er natuurlijk niet veel 'rest van het jaar' meer over, want het is al bijna december. Ik heb alle Amerikaanse dingen waarop ik me verheugde al gehad, zoals met Halloween verkleed als sexy konijntje naar een feest gaan en met Thanksgiving overal de geur van gebraden kalkoen opsnuiven op weg naar Tori's huis (ik heb mijn moeder maar alleen gelaten met haar Fransman).

Maar eigenlijk ben ik bijna nooit met Jake alleen, behalve in zijn auto. Het is niet zo moeilijk om ervoor te zorgen dat we nooit alleen zijn, want hij is de populairste jongen van school. Overal waar we komen wordt hij aangesproken over honkbal of football, en de meisjes giechelen als hij bij hen in de buurt komt en zitten veel aan hun haar.

Het is heus niet zo dat ik niet op hem val. Echt IEDEREEN vindt hem superknap en hij zoent nog steeds best lekker. Maar tijdens het zoenen denk ik vaak alleen maar aan Chelsea, dan vraag ik me af of ze ons wel ziet. Ik wil dat ze weet hoe cool ik ben en dat ik de jongen heb gestrikt die zij leuk vindt, want dat weet ik wel zeker. Volgens mij zou Chelsea geknipt zijn voor Jake en ik zie haar niet lang meer bij Bryce blijven, want het ligt er wel heel dik bovenop dat hij de hele dag loopt te pronken bij allerlei groepjes jongere aanbidsters.

Maar wat haal ik me nou in mijn hoofd? Ik moet bij Jake blijven en Chelsea bij Bryce. Hoeveel metamorfoses Tori me ook geeft, ik denk niet dat ik het ooit van Chelsea zou kunnen winnen. En Chelsea zou allang tot het tweede honk zijn gegaan, dat weet ik zeker. Misschien nog wel verder. Het wordt nu echt tijd.

Als ik eindelijk heb besloten het dan maar gewoon te doen, blijkt het niet veel voor te stellen. Ik ben niet langer dat meisje dat Jake's handen wilde wegduwen in de kast op het feest bij Tori, allang niet meer.

We zitten in de bioscoop en er draait een film die Jake heeft uitgekozen. Het is een wat oudere film, iets met een overval die op een grappige manier in de soep loopt. Ik weet het niet precies, want ik zie alleen maar stukjes van twintig seconden als we even op adem komen. De rest van de tijd zitten we te zoenen. De bioscoop is vrijwel leeg, op een oud echtpaar vooraan na, en wij zitten helemaal achterin. Knus in het donker. Ideaal om te vrijen.

Ik hoef zijn natte mond maar te proeven of de met pepermunt omhulde sigarettenlucht in zijn hals te ruiken of mijn polsslag versnelt, in afwachting van zijn hete en toch koele zoenen. Hoe langer hij wacht met de dans van zijn octopushanden, hoe meer ik ernaar verlang ze zelf aan het werk te zetten. Misschien maakt hij me expres gek, als wraak omdat ik hem zo lang heb laten wachten.

Eindelijk beginnen zijn handen aan mijn T-shirt te plukken. Ik zeg 'uhmm' omdat mijn mond bezig is. En dat is niet echt 'nee'. Ik voel zijn handen – alle acht – aarzelend links en rechts in mijn zij.

Ik heb het besluit nu genomen, dus zeg ik 'doe maar', maar ik zeg het heel zacht om het oude echtpaar niet te storen. En ook omdat ik het misschien wel niet meen.

Jake hoort het blijkbaar niet, want hij fluistert: 'Toe nou, Katie', en zijn handen gaan heel langzaam naar mijn beha. Dus dan zeg ik 'hmm', wat ergens tussen 'ja' en 'nee' in uit mijn mond komt, en een tel later is het te laat, want hij heeft mijn beha losgemaakt (hoe krijgt hij DAT zo snel voor elkaar?) en dan liggen zijn handen op mijn borsten. Het voelt raar maar eigenlijk wel fijn en lekker warm. Alleen zijn mijn borsten heel klein en wat vindt hij ervan en wil hij me nog wel nu hij weet dat ik bijna niks heb? Al moet hij dat wel geweten hebben voordat hij eraan voelde, want ik heb mijn borstentruitje vanavond niet aan. Zou het hem opgevallen zijn dat ik soms wel borsten heb en soms niet?

Nou, volgens mij zit hij er niet zo mee, want het gaat zo nog een minuut of vijf door, met een korte onderbreking wanneer op het filmdoek iemand per ongeluk een politieagent neerschiet, wat op de een of andere manier grappig is en het oude echtpaar moet lachen. Dan lacht Jake ook, terwijl hij niet eens kan zien wat er nou zo leuk is. Maar dan gaan zijn handen naar de voorkant van mijn spijkerbroek en ik slaak een kreetje. Ja, ik slaak een kreetje. Dat is het probleem als je Coole Katie bent. Ik weet zeker dat Nerdy Kate nooit een kreetje zou slaken, die zou zich veel waardiger gedragen. Trouwens, ze zou zich ook niet laten betasten door een jongen die ze amper kent.

'Jake!' piep ik.

Hij trekt speels aan mijn broeksband, maar dan laat hij los. 'De volgende keer,' fluistert hij in mijn oor.

'Uhmmm,' antwoord ik, wat eigenlijk betekent: rustig aan, het heeft al een eeuwigheid geduurd voordat ik HIER aan toe was, maar het gefluister in mijn oor voelt wel lekker. Laten we dát doen.

Dan gaat hij maar weer naar mijn borsten, of wat daarvoor door moet gaan. En zo gaat het de rest van de film, op die ene keer na dat hij mijn hand heel hoog op zijn bovenbeen legt en ik weer een kreetje slaak en mijn hand terugtrek. Verder is het best leuk. Behalve wanneer het tijd wordt om te gaan, want dan friemel ik een hele tijd onder mijn T-shirt en uiteindelijk geef ik het op en sta op met mijn beha nog los. Het is een raar, wiebelig gevoel. Hopelijk ziet niemand het. Ik had het borstentruitje vanavond aan moeten trekken, dan zou ik dat behagedoe niet hebben gehad. Dat moet ik onthouden voor de volgende keer.

O ja, 'de volgende keer'. Jake's nieuwe doel is nu dus het derde honk. Wat was dat ook alweer volgens Tori? Meer dan borsten, maar minder dan 'het doen'. Maar wát dan precies?

Maffe Karen deelt vellen papier uit. Er staan getekende poppetjes op met blanco gezichten en lege tekstballonnetjes bij hun mond. We zitten allemaal half te slapen, behalve dopehoofd Daniël, die een vliegtuigje van zijn papier vouwt. Maar iedereen schrikt op als maffe Karen ineens zegt: 'SEKSUELE RELATIES, daar gaan we het vandaag over hebben.'

'Krijgen we een demonstratie?' vraagt David poeslief. Ik lach met de anderen mee, maar mijn wangen gloeien als ik denk aan David die denkt aan... dat soort dingen. Het doet me pijn om met hem op te trekken. Soms weet ik zeker dat hij met me flirt en dan slaat mijn hart op hol, maar daarna zie ik hem met andere meisjes flirten en dan zakt de moed me in de schoenen. Eigenlijk flirt hij zo'n beetje met iedereen. Zo is hij gewoon, denk ik. Een geboren flirter. Of misschien is het pure vriendelijkheid en verbeeld ik me dat flirten maar.

'Geen demonstratie, wel een discussie,' zegt maffe Karen, en ze wijst naar David. 'En vergeet niet dat alles wat je hier zegt vertrouwelijk is. Je mag je gevoelens verkennen zo openhartig als je maar wilt.'

Openhartig? Mooi niet, niet in deze groep. Ik hoop niet dat ze iedereen langsgaat, zoals die eerste keer. Als ze dat wel doet, hoe moet ik dan voorkomen dat ik er uitflap: 'Ik ben Kate en ik zou het liefst David de kleren van het lijf rukken'? En dat dan iedereen het moet herhalen...

Het zou wel interessant zijn om te horen wat de anderen te zeggen hebben. David bijvoorbeeld. Om maar iemand te noemen.

'Ik wil dat jullie nu deze tekeningen afmaken,' zegt maffe Karen. 'De figuurtjes kunnen man of vrouw zijn, dat mag je zelf weten. Ze hebben het over seks, of ze maken een seksafspraak.'

Een seksafspraak maken? Van welke planeet komt maffe Karen eigenlijk? 'Hallo, ik bel om een seksafspraak te maken.' 'Natuurlijk, mevrouw, eens kijken wat er nog vrij is. Schikt het donderdag om elf uur?' 'Om elf uur moet ik naar de tandarts. Kan het ook om half een?'

Maffe Karen zegt: 'Schrijf op wat de figuurtjes volgens jou tegen elkaar zeggen.'

Ehhh...

Ik wou dat ik ergens anders was.

Ik geef het eerste poppetje een neus en piekhaar. Niet dat ik het zelf ben, maar we hebben wel hetzelfde haar en dezelfde neus. Stripfiguurtjes horen een neus te hebben. Ik schrijf in het spraakballonnetje: 'Wat houdt het tweede honk precies in?'

Dan ga ik naar het volgende poppetje. Ik laat zijn haar in een lok voor zijn ene oog vallen. En ik teken een stip op een van de wangen, als een kuiltje. Niet dat het David is, hij heeft alleen hetzelfde haar en net zo'n kuiltje.

Ik schrijf in zijn tekstballonnetje: 'Ik zal het je laten zien.'

Dan kijk ik om me heen of ik kan zien wat de anderen opschrijven.

Dopehoofd Daniël heeft inmiddels een ingewikkeld vliegtuig gevouwen. Hij richt ermee op de deur zonder het los te laten. Rachel heeft een heleboel opgeschreven, en een van haar poppetjes lijkt verdacht veel op maffe Karen. Echt heel veel; Rachel kan ontzettend goed tekenen. Ik wed dat ze haar karikaturen zou kunnen verkopen als ze ze niet op wc-muren tekende. Ik vind het prachtig hoe ze de laarzen van David heeft beschilderd. Misschien moet ik eens in de tweedehandswinkel op zoek gaan naar laarzen en dan vragen of ze daar ook iets op wil tekenen. Maar dat durf ik niet.

Het andere poppetje op haar papier heeft steil zwart haar en is een overdreven versie van Rachel zelf. Wat is ze van plan? Tekent ze nou zichzelf met maffe Karen?

Davids vel kan ik vanaf hier niet zien, maar ik probeer het wel. Hij kijkt net op. Als ik zijn blik vang, lacht hij naar me. Ik voel een steek door me heen gaan en krijg hartkloppingen. Ik glimlach snel en wend mijn blik af.

Ik kras alles door wat ik heb opgeschreven. Het blijft leesbaar, dus teken ik hokjes om de woorden heen en kras er net zo lang in tot de poppetjes alleen nog blokken blauwe inkt in hun tekstballonnetjes hebben. Ha, net goed, stomme poppetjes! Probeer maar eens een seksafspraak te maken als er alleen blokken blauwe inkt uit je mond komen! Dan verander ik het haar en de gezichten, zodat ze niet meer op David en mij lijken. Daarna weet ik niet meer wat ik moet doen, dus ga ik een beetje op mijn pen zitten kauwen.

Na een hele tijd verzamelt maffe Karen de papieren en husselt ze door elkaar.

'Eens kijken...' zegt ze, en ze kiest er een uit. Voor zover ik het kan zien, is het dat van Rachel.'

Maffe Karen ziet er ineens heel opgelaten uit. Ze krijgt een rode vlek in haar hals, die boven haar hippietruitje uit komt en steeds groter wordt terwijl ik ernaar kijk. Ze haalt diep adem.

'Het is heel goed dat deze persoon voor deze gevoelens uitkomt.' Ze kijkt ernstig naar Rachel, waardoor haar verhaal over 'vertrouwelijk behandelen' meteen zinloos wordt. Ik ben blij dat ik mijn teksten heb doorgekrast.

Maffe Karen draait een lok van haar rode haar strak om een vinger. Dan krijgt ze haar vinger er niet meer uit en ze trekt een pijnlijk gezicht. 'Het is op jullie leeftijd heel gewoon dat je, eh... gevoelens koestert voor leraren en gezagsdragers.'

Rachel zit met haar handen voor haar gezicht geslagen zachtjes heen en weer te schokken. Haar ogen zie ik nooit, maar nu kan ik zelfs haar mond niet zien, dus ik weet niet of ze lacht of huilt. Ik denk dat ze lacht, Rachel kennende. Ik heb met maffe Karen te doen, want volgens mij houdt Rachel haar voor de gek en ik weet niet of ze dat wel verdient. Ze is irritant, maar eigenlijk mag ik haar wel.

'Misschien wil je iets over je gevoelens zeggen. Hoe lang vraag je je bijvoorbeeld al af of je misschien, eh... lesbisch bent?'

Wat? Is Rachel lesbisch? Echt?

O, dat moet een grap zijn. Ik probeer me voor te stellen wat het Rachelpoppetje en het maffe-Karenpoppetje tegen elkaar zeggen op Rachels tekening. Ze blijft zwijgend zitten schokken. Ik weet nu zeker dat ze lacht.

En ik heb nu echt medelijden met maffe Karen.

'Je hoeft er pas over te praten als je eraan toe bent,' zegt ze. 'Maar vergeet niet dat we hier als vrienden onder elkaar zijn. Misschien hebben sommigen van ons zelfs al meegemaakt wat jij nu doormaakt. Bijvoorbeeld...' Maffe Karen zwijgt.

De spanning wordt te groot.

Maffe Karen trekt haar oprechte, ernstige gezicht en houdt haar hoofd schuin. 'Bijvoorbeeld: toen ik zo oud was als jullie nu zijn, besefte ik dat ik, eh... lesbisch ben. Dat was heel moeilijk voor me.' Haar stem wordt zachter. 'Daar zouden we het over kunnen hebben.'

Er valt een stilte. Niemand weet wat hij moet zeggen, en of er wel wat gezegd moet worden. Maffe Karen heeft nu alle aandacht. Zelfs dopehoofd Daniël legt zijn papieren vliegtuigje weg.

'Rachel? Als jij bereid bent te praten, zijn wij bereid te luisteren.'

Rachel haalt haar handen voor haar gezicht vandaan. Ze grijnst brutaal.

Dan strijkt ze haar haar uit haar gezicht en kijkt zogenaamd ernstig. Dat gezicht trekt ze altijd als ze maffe Karen nadoet. 'Ik ben bereid om te praten, Karen,' zegt ze. Ze laat haar blik het lokaal rondgaan en kijkt ons allemaal om beurten theatraal aan.

Maffe Karen reageert niet-begrijpend.

'De waarheid is dat ik dat over iemand in dit lokaal heb geschreven,' zegt Rachel, 'maar niet over jou.'

Ik loop met Jake de bioscoop uit, nog helemaal warm en nagenietend van het tweede honk.

Hield hij mijn hand maar vast. Misschien komen we wel iemand van school tegen. Heerlijk, die jaloerse blikken van de andere meisjes als ik met Jake ben, vooral van Kristy en zo. Of – nog beter – van Chelsea.

Maar Jake houdt mijn hand niet vast. Misschien maar beter ook. Ik moet mijn schouders kromtrekken om te voorkomen dat mijn beha nog verder omhoogschuift. Misschien kan ik hem beter even gaan vastmaken op de wc. Maar ik wil Jake niet alleen laten.

'Zullen we een ijsje gaan eten?' vraagt hij.

Ik kan mijn lach bijna niet inhouden als ik in gedachten een ijskarretje voor de deur van de bioscoop zie staan voor de kinderen die naar buiten komen, alsof we zeven zijn en in het park spelen. Maar Jake bedoelt natuurlijk zo'n ijssalon waar je aan een tafeltje kunt zitten. Een die zo laat nog open is, voor de 'kinderen' die uit de bioscoop komen.

De zaak ziet er cool uit, met houten tafeltjes en een hippe inrichting en wel achtenvijftig smaken ijs. Er zitten heel veel leerlingen van The Mill, maar niemand van Chelsea's groepje. Natuurlijk kent Jake iedereen, althans zo lijkt het.

'Matthews! Hé, hoe gaat-ie?'

'Dude!'

Jake strooit volop met high fives en allerlei andere ingewikkelde handbegroetingen en brult dingen als 'waardeloze wedstrijd, man'. Ik blijf bij de toonbank staan en kijk of ik een toilet zie. De sluiting van mijn beha jeukt in mijn zij en ik hoef me nu niet druk te maken over het alleen laten van Jake, want hij heeft mij ook zonder enige aarzeling alleen gelaten.

'Wat mag het zijn?' Een meisje met een gezonde blos op haar wangen zwaait met haar ijstang naar me.

'Ik... eh...' Wat nu? Moet ik een ijsje bestellen of vragen waar de toiletten zijn? Mijn hersenen verstarren. Hoe noemen ze de toiletten ook alweer in Amerika? Misschien kan ik beter een ijsje nemen. 'Doe maar...' Wat moet je hier bestellen? Ik kijk snel de tafels rond, maar bijna niemand heeft ijs. Het is net de kantine van The Mill, alleen met mooiere tafels en fellere verlichting.

Het meisje met de ijstang wordt ongeduldig.

'Een bananasplit,' zeg ik, want dat is de enige Amerikaans klinkende bestelling die ik zo snel kan verzinnen.

Oei, misschien toch de verkeerde keuze. Het meisje kijkt me aan alsof ik een alien ben. Of zou dat komen door mijn accent?

'Banaan? Zei je nou banaan?'

Ik knik. Ik durf niks meer te zeggen.

'Want het klonk namelijk heel anders. Ben je niet van hier?'

Nee, en ook niet van gisteren, denk ik, en ik begin te giechelen. Weer die alienblik, maar ze gaat wel met haar ijsschep aan de slag.

Intussen voel ik in mijn zakken en het zweet breekt me uit.

Shit! Ik heb geen geld bij me. Nee, hè? Ik dacht dat Jake alles zou betalen. Ja, ik weet hoe stom dat klinkt. We zijn weer lekker ouderwets.

Had ik trouwens ook iets voor Jake moeten bestellen? Ja dag, dan wordt het bedrag dat ik niet kan betalen twee keer zo hoog. Ik heb hier dus niet over nagedacht.

Wanhopig kijk ik naar Jake, maar die staat nu zogenaamd met een honkbalknuppel te zwaaien. Ik zie zijn prachtige spierballen rollen.

Het meisje slaat iets aan op de kassa en kijkt me verwachtingsvol aan.

'Ik... Heb je even?' zeg ik smekend.

'Ik betaal wel,' klinkt een zware stem achter me.

Ik draai me om om te kijken wie mijn redder is. 'O, Albie, wat goed dat je er bent!' HEEL goed. Ik sla mijn armen om hem heen en omhels hem op z'n Amerikaans.

Dan herinner ik me dat ik geen beha aanheb. Ik maak me van hem los.

Albie pakt geld uit zijn zak.

Nerveus kijk ik naar Jake. Die zwaait met zijn denkbeeldige honkbalknuppel.

Ja hoor, alsof hij jaloers zou worden als hij me Albie zag omhelzen. Jake weet dat hij aan de top staat van alle mannen op The Mill, op eenzame hoogte.

Lekker is dit. Ik stort me zonder beha op de broer van mijn beste Amerikaanse vriendin, die de bananasplit betaalt die ik eigenlijk niet wil, terwijl mijn vriendje is vergeten dat ik besta.

'Dank je wel, Albie,' zeg ik als hij afrekent.

'Geen dank. Ik vind het leuk om je te zien. Is mijn zusje er ook?' Hij volgt mijn blik. 'Eh, natuurlijk, je bent hier met Jake, hè? Nou, tot kijk dan maar, Katie.'

Hij maakt zich snel uit de voeten en gaat verderop zitten.

Het meisje achter de toonbank schuift een enorme bak met banaan, slagroom, chocolade en ijs mijn kant op.

'Dank je wel,' zeg ik tegen haar.

'You're welcome,' antwoordt ze.

'Bedankt,' mompel ik terwijl ik mijn ijs pak.

'You're welcome,' zegt ze weer. Ik zie de alienblik alweer langzaam opkomen.

Maar ik kan er niks aan doen. Ik kan de Britse neiging om haar te bedanken voor het feit dat ze zegt dat ik 'welkom ben' niet onderdrukken.

'Dank je wel,' zeg ik nog een keer.

'You're WELCOME.' En daar is de echte alienblik.

Ik moet op mijn lip bijten om niet nog meer bedankjes te mompelen. Het is heel moeilijk. In het winkelcentrum heb ik al een paar keer een winkelmeisje honderd keer 'you're welcome' laten zeggen omdat ik haar maar bleef bedanken. Tori lag in een deuk.

Ik loop met de bak ijs naar Jake. Zijn vrienden staan in een kring om hem heen.

Achter de groep zit Albie in zijn eentje in een schrift te schrijven. Hij heeft de oortjes van een iPod in. Hij zwaait even naar me.

Jake vangt een denkbeeldige bal en zijn vrienden juichen. Hij ziet me niet. Heeft niet eens gekeken waar ik was.

Ik kijk naar mijn bananasplit.

Ik geloof niet dat ik Albie al fatsoenlijk heb bedankt.

Ik loop langs Jake heen naar Albie toe. Zet de bananasplit op tafel. 'Mag ik die hier even neerzetten?'

Hij doet de oortjes uit en kijkt naar de bak ijs. 'Ja, hoor.'

'Ik moet even naar de, eh...' Ik weet het woord weer niet. Eigenlijk weet ik op dit moment helemaal niets meer.

'De *restrooms* zijn achterin.' Albie wijst.

Restrooms! Dat was het. Ik glimlach dankbaar en schuif de bananasplit naar hem toe. 'Eet maar op, als je wilt. Ik bedoel... natuurlijk mag je hem opeten, je hebt hem zelf betaald, maar ik bedoel...'

'Hoeft niet, ik heb net gegeten. Maar toch bedankt.'

'You're welcome,' zeg ik.

Op de wc steek ik snel mijn armen naar achteren om mijn beha vast te maken, maar hij zit gedraaid en ik krijg geen lucht. Ik maak de sluiting weer los en moet een minuut lang friemelen en draaien voordat alles op zijn plaats zit. Is dit nou het soort problemen waar de Poppetjes mee worstelden? Ik vond ze altijd zo flauw doen als ze op school tijdens de voorlichtingsles een condoom om een banaan moesten doen, maar waarschijnlijk VIELEN ze bijna flauw omdat hun beha verkeerd zat na het tweede honk. Ik voel een nieuwe bewondering voor de Poppetjes opkomen.

Als ik terugkom – en alles eindelijk weer lekker zit – zit Albie weer in het schrift te schrijven, met een kop koffie erbij. Hij heeft de oortjes niet meer ingedaan.

Hij lacht lief naar me en zegt: 'Hé.'

Ik zeg 'hé' terug.

Zou het onbeleefd zijn om bij hem te gaan zitten terwijl ik hier met Jake ben? Maar het is Albie maar. Ik neem plaats op de bank tegenover hem.

'Je bananasplit,' zegt hij, en hij schuift de bak ijs naar me toe.

Ik kan echt geen banaan eten na de gedachte die ik net

op de wc had. Ik doe mijn best om niet hardop te gaan lachen en staar naar Albie's schrift. Dat staat vol blokjes blauwe inkt, alsof hij honderd keer iets heeft doorgekrast. Het werkt ontnuchterend.

'Sorry, zit je te leren? Vind je het wel goed als ik hier kom zitten?'

'Ja, hoor.' Albie lacht. 'Ik werk aan een tekst voor Madison Rat. Wil je me helpen?'

'Ik?'

'Katie!' Jake duikt naast me op. 'Ik vroeg me al af waar je was.'

Dus hij was mijn bestaan toch niet vergeten.

Jake kijkt naar Albie. 'Ha die Windsor. Katie, ben je klaar? Ik moet morgen weer vroeg op en de trainer heeft gezegd...'

Ik sta op terwijl Jake doorpraat.

Albie zegt niets tegen hem, maar Jake is dan ook de hele tijd aan het woord.

'Sorry van de bananasplit. Maar hartstikke bedankt,' zeg ik tegen Albie.

Jake legt zijn hand op de kontzak van mijn spijkerbroek. '... als ik de tweede helft van het seizoen goed presteer...'

'Graag gedaan. Echt. You're welcome.'

'Dank je wel, Albie.'

Jake ratelt maar door: '... want het gaat er natuurlijk niet alleen om hoe ik speel, maar ook...'

'Dag, Katie,' schrijft Albie in zijn schrift.

Jake duwt me naar de deur. '... en als het andere team slecht speelt, dan...'

Het meisje met de blozende wangen achter de toonbank kijkt me jaloers aan als we langslopen. Ik durf te wedden dat ze me nu geen rare alien meer vindt.

Groepsleidster Karen kijkt strak voor zich uit. Ik heb haar nog nooit zo lang zonder haar twee vaste gezichtsuitdrukkingen gezien: de wazige glimlach of het medelevende fronsje. Ze slaat haar armen over elkaar. De rode vlek in haar nek heeft gezelschap gekregen. Dan zegt ze: 'Oké, Rachel, je theatrale boodschap is duidelijk. Je zult wel denken dat ik me nu opgelaten voel, maar ik schaam me niet voor mijn seksuele voorkeur en dat zou jij ook niet moeten doen. Wie het ook is die je leuk vindt, man of vrouw.'

Rachels haar hangt weer voor haar ogen, dus ik kan haar gezicht niet zien.

'Wil je erover praten?'

Rachel haalt haar schouders op.

'Het doel van deze opdrachtvellen is om een discussie op gang te brengen, dus ik ben blij dat je dat hebt gedaan. Maar ik ga niet aandringen. Je mag erover beginnen als je eraan toe bent, of kom anders straks nog maar even bij me.'

Rachel kijkt niet op.

'Goed, wie wil er nog wat zeggen?'

Ik vraag me af waar Rachel mee bezig is. Als dit grappig moet zijn, kan ik er niet om lachen.

'Dan gaan we verder,' zegt Karen, en ze bladert door de papieren. Ze stopt bij een vel waar heel weinig op staat. Ook geen blokken blauwe inkt, dus ik weet dat het niet dat van mij is. Haar blik blijft strak op het papier gericht, alsof ze deze keer niets wil verraden over de eigenaar.

'Dit is interessant. Deze persoon wil iemand mee uit vragen, maar durft dat niet. Als zoiets gebeurt, waar zijn we dan eigenlijk bang voor? Om afgewezen te worden? Om macht in te leveren? In veel relaties, ook die tussen leraar en leerling' – hierbij kijkt ze naar Rachel – 'draait het om macht. Laten we het daar eens over hebben.'

Ik ontspan me als ik naar Karen luister. De gekste gedachten schieten door mijn hoofd. Zou dat het papier van David kunnen zijn? Zou het over mij kunnen gaan? Misschien wil hij met me uit, maar durft hij het niet te vragen! O, wauw! Ik kan het niet laten om zijn kant op te kijken, en ik vang zijn blik weer. Als ik naar hem lach, bonkt mijn hart. Ik maak me klein op mijn stoel en probeer me op Karens verhaal te concentreren. Ironisch genoeg leidt de angst om afgewezen te worden juist vaak tot de afwijzing waar je zo bang voor bent. Bla bla bang bla bla eigenwaarde bla bla wat is dat kuiltje toch leuk. Zou hij opkijken? Nog een keer naar me lachen? Mijn hart maakt een sprongetje bij de gedachte. Vindt hij me leuk? Bonk-bonk-bonk. Ik word de eerste persoon op aarde die sterft aan door David veroorzaakt hartfalen.

Eindelijk is de les voorbij en we lopen het lokaal uit. Rachel en David lopen naast me, zoals gewoonlijk. Kendis gaat ervandoor, op zoek naar Trey.

Ik zeg niks. Ik heb geen zin om met Rachel te praten, omdat ik het stom vind dat ze zo gemeen deed tegen Karen. Maar dat zal ze wel niet willen weten.

David ergert zich helemaal niet aan haar. Hij zegt: 'Hé, wat was dat allemaal, Ray? Ray, de zogenaamde gay?'

'Zag je dat GEZICHT van haar?' zegt Rachel, en ze begint keihard te lachen.

David lacht mee. Ik weet niet waarom ik nou zo teleurgesteld ben. Het kuiltje in zijn wang is extra goed te zien en hij lacht even mooi als altijd. Maar waarom vindt hij dit grappig?'

'Rachel, op wie val je nou? Op Lenny? Of op dopehoofd Daniël?'

'Hé!' Rachel lacht niet meer. 'Wie zegt dat ik NIET lesbisch ben? Waarom geloof je dat niet?'

'Goh, eens denken,' zegt David. 'Misschien omdat je een hele rits vriendjes hebt afgewerkt?'

'Dat wil niks zeggen, meneertje Braverik.'

Ik zet mijn ergernis opzij, want dit is interessant. Is David zo'n braverik? Of juist niet? Ook nu weer zou ik willen dat Rachel het type was met wie ik kon giechelen en roddelen en aan wie ik zulke dingen kon vragen. Met Hailey zou ik het wekenlang over zo'n opmerking gehad hebben.

'Zeg op, Rachel, op wie ben je verliefd? Op Kendis? Dat zou ik goed kunnen begrijpen, Kendis is een en al seks!' David lacht twinkelend. Prachtig.

Ik probeer David bij te houden. Vindt hij Kendis leuk? Natuurlijk! Hij heeft voor haar toch ook straf geriskeerd? O, shit. Hoewel, Trey en zij zijn gek op elkaar. Maar toch. Ik lijk totaal niet op Kendis.

'David, wat is dat rare Britse woord ook alweer dat je me hebt geleerd? Hou je kop, *wanker*! Zeg ik het zo goed?' Rachels gezicht heeft nu bijna dezelfde kleur als haar lippenstift. David lijkt zich er niks van aan te trekken. 'Of misschien is het onze lieftallige Kate?' Hij geeft me een vette knipoog.

Hij noemde me lieftallig! Wauw! Hij knipoogde naar me!

Nee, wacht. Hij zei niet dat ik een en al seks was. Zelfs niet een klein beetje seks. Hij associeert mij helemaal niet met seks. Hij vindt me alleen maar 'lieftallig'. Blèèèh.

'Hou je kop, zei ik! Dat ga ik jou niet aan je neus hangen!' Rachel beent kwaad weg.

Ik ben blij dat ze kwaad is op David en niet op mij. Ze heeft me na de les van maffe Karen niet meer aangekeken.

Nu heb ik David wel voor me alleen. Maar... wat heeft het voor zin als ik voor hem toch niks opwindends heb?

Ik denk aan Karens woorden, of wat ik ervan heb meegekregen tussen mijn dagdromerij over David door. Ironisch genoeg kan de angst om afgewezen te worden juist leiden tot de afwijzing waarvoor je bang bent.

Als we langs de sportzaal lopen, hangt er een rij posters met de aankondiging van het schoolfeest en een optreden van Madison Rat.

Ik zou dolgraag naar zo'n echt Amerikaans schoolbal gaan, zoals ik zo vaak in films heb gezien. En ik zou Albie's band nog eens willen zien optreden.

Bovendien kan David heel goed dansen. Ik zou nu niet met deze gevoelens rondlopen als we die avond op het feest van mijn moeders bedrijf niet de hele avond samen hadden gedanst.

Ik krijg een droge mond. Als ik maar niet ga overgeven. Of flauwvallen. Ik blijf staan.

'Is er iets, Kate?'

'David,' zeg ik. Bonk-bonk-BONK. Ik ga dood. 'Zou je, eh... samen met Rachel... zouden jullie met mij naar het sch... naar de ijsbaan willen?'

Neeee! Waarom zeg ik dat nou? Ik bedoel, ik wil echt graag een keer gaan schaatsen, dat staat op mijn lijstje met dingen die ik nog wil doen in Boston. En dan graag samen met David. Maar dat wilde ik niet vragen! En waarom heb ik Rachel ook meegevraagd? Waar SLAAT dat op?

'Ja hoor, waarom niet,' zegt David nonchalant. Ja, waarom zou hij niet nonchalant reageren? Het klonk niet bepaald alsof ik hem mee uit vroeg. Argh! Wat zei Karen ook alweer? Eigenwaarde en nog wat en nog wat. Niks te verliezen.

'O ja,' zeg ik dan. Kom op, kom op, kom op! Bonkerdebonkerdebonk. Bonk, ik ben dood neergevallen. 'Wil jool ment me feesten? Ik bedoel: wil je met me naar het schoolfeest?'

Davids kuiltje twinkelt. Mijn knieën knikken. Ik ben het meisje zonder seks met slappe trilbenen.

'Natuurlijk,' zegt hij. Wauw-wauw-wauw. Het klinkt nog steeds nonchalant, maar toch: wauw-wauw-wauw. 'Rachel en ik wilden ernaartoe gaan om te lachen. Ga maar mee. Dan verkleden we ons als vampieren of zo, dat zal Rach leuk vinden. Je moet eens opletten hoeveel aandacht die aanhangsters van Chelsea aan hun kleding besteden. Vorig jaar had Rachel expres jus d'orange geknoeid op de jurk van Kristy en ze kreeg bijna...'

O. Dat was eigenlijk niet wat ik bedoelde.

Maar toch, ik ga met David naar het feest. Min of meer. Het is een begin.

Hij zou natuurlijk ook bang kunnen zijn om afgewezen te worden. Misschien ging Karens commentaar wel over zíjn tekening. Dan is die nonchalante houding gewoon gespeeld!

Als we bij het lokaal aankomen, is Rachel er al. Ze zit in haar schrift te tekenen. Als ze ons ziet, klapt ze het dicht en zegt: 'Ha, stelletje losers. Alles goed?' Nou ja, ze praat tenminste tegen ons.

'Ja, hoor.' David doet alsof ze nooit tegen hem tekeergegaan is, alsof ze niet kwaad is weggelopen. Hij zal er wel aan gewend zijn. 'Kate heeft mij – ons – gevraagd voor het schoolfeest.'

Ik wil naar haar lachen, maar ze kijkt me niet aan.

Dan komt er ineens een gedachte in me op. Zou ze echt lesbisch zijn? Misschien had ze besloten dat de les van Karen een geschikt moment zou zijn om het ons te vertellen. Dat vind ik wel iets voor Rachel, net doen of alles één grote grap is.

En David heeft er al eens op gezinspeeld, maar toen lette ik amper op. Zou haar tekening soms... op mij slaan?

Is Rachel verliefd op me?

Ik heb dus Halloween en Thanksgiving gehad, maar nog geen typisch Amerikaans schoolbal, bekend van televisie. De *prom*, het eindfeest, is pas over een eeuwigheid, maar op The Mill heeft iedereen het nu over het winterbal en dat is al over twee weken. Het enige waar ik mijn vriendinnen nog over hoor, is de vraag wat ze dan aan moeten. O ja, en wie met wie gaat, ook al hebben ze allemaal een vriend uit een hogere klas en is dat heus wel duidelijk. Maar blijkbaar moet je gevraagd worden, ook al heb je al iets met elkaar sinds een week na je aankomst, toen jullie hebben staan zoenen in een kast.

Ik snap niet waarom Jake me niet heeft gevraagd. Het gaat heel goed tussen ons, qua tweede honk. We praten nog steeds nergens over, behalve over zijn team, want verder is het alleen maar: 'Toe nou, Katie', 'Nee, Jake', 'Maar je bent zo lekker' en dat soort dingen. Maar we hebben nooit ruzie gehad of zo, zoals Greg en Tori. Greg scheldt haar heel vaak uit. Tori zegt dat dat normaal is in een gezonde relatie, maar ik heb toch liever Jake dan Greg. Jake duwt me zwijgend tegen mijn kluisje om me te zoenen, terwijl Greg met zijn vuist tegen Tori's kluisje ramt en dan kwaad wegloopt.

Het is zaterdag en ik ben weer bij Tori thuis. Ze laat me een heel winkelcentrum aan jurken zien en vertelt er precies bij wanneer ze welke heeft gedragen. Zo te horen draagt ze ieder kledingstuk maar één keer. Ze vertelt over andere schoolfeesten en wie met wie heeft staan vrijen.

'Wil je deze lenen? Ik heb hem een jaar geleden aangehad, dat weet Jake vast niet meer. Niet zeggen dat hij van mij is. Het model is een beetje achterhaald, maar het komt wel weer terug.'

Binnen twee weken zeker? En zou ik bang moeten zijn dat Jake merkt dat ik een geleende jurk aanheb? Terwijl ik er ook al mee zit dat hij me niet eens heeft gevráágd voor het schoolbal?

'Nou, wat zeg je ervan?' vraagt Tori, en ze wappert met de achterhaalde jurk en drukt hem in mijn handen. 'Zal Jake je niet supersexy vinden als je deze draagt?'

Het wordt tijd voor een bekentenis.

'Hij heeft me niet gevraagd,' zeg ik. 'Nog niet.'

'Nee!' Ze kijkt nog verschrikter dan ik had verwacht. In plaats van me gerust te stellen, voegt ze eraan toe: 'Daar moet je wat aan doen, Katie.'

'Wat dan? Zal ik hém vragen?' Daar heb ik ook al aan zitten denken. We leven tenslotte in de eenentwintigste eeuw, nietwaar?

'NEE!' De afschuw op Tori's gezicht wordt nog groter. 'Dat is heel slecht voor je relatie.'

'Slecht?' Slechter dan nooit met elkaar praten?

'Maar je kunt er wel op zinspelen. Je weet wel, over mijn jurk beginnen en zeggen dat hij je vast heel goed zal staan op het feest. Al moet je er dan natuurlijk niet bij zeggen dat het míjn jurk is.'

Natuurlijk niet. Die regel ben ik heus nog niet vergeten.

'Maar... we praten eigenlijk nooit,' zeg ik.

Tori lacht en kijkt me van opzij aan. 'Wat ben jij toch grappig,' zegt ze met een zucht. 'Ik weet nog dat Greg en ik zo waren. Ik weet niet, de laatste tijd is het anders. Greg is heel... Hebben jullie het derde honk al gehad?'

Die vraag overvalt me. 'Nog niet,' zeg ik. 'Dat ga ik een beetje uit de weg.' Ik weet zelf niet precies waarom. Ik geloof dat ik het wel wil, soms, vooral als we volop aan het zoenen zijn, maar op de een of andere manier haak ik toch altijd af.

Tori knikt. 'Na het winterbal, dat is een goed moment. Ik bedoel, het HOEFT niet, maar als je het zou willen, is dat een goed moment. Dat is een soort oude schooltraditie. Net als nóg verder gaan na het eindfeest.'

Help. Gelukkig duurt dat nog even. Als er al een kansje is dat ik tegen die tijd nog de vriendin van Jake Matthews ben.

In de verte hoor ik dreunende basklanken. De band van Albie die aan het repeteren is. Ik geloof dat ik het niet meer over kleren en over Jake wil hebben.

'Tori?' Ik leg de jurk weg. 'Zullen we naar Madison Rat gaan luisteren?'

Tori kreunt, maar dan lacht ze naar me. 'Ach, welja. Dan kunnen ze straks mooi even pauze nemen om ons naar de mall te brengen.'

'Oké.' Een soort ruilhandel.

Ik loop achter Tori aan naar de feestkelder. Madison Rat is goed op dreef. De stuwende klanken vullen alle hoeken van het souterrain. Er is een lange jongen met rood haar bij die drumt, een dikke met dreadlocks op de gitaar die ook nog toetsen speelt, en dan de magere Albie met zijn elektrische gitaar. Ik vind hem knap met zijn stekeltjeshaar. Op het podium is hij anders, alsof alles om hem draait, alsof het helemaal zijn domein is. Precies zoals Jake Matthews op school door de gangen loopt.

Albie zingt zachtjes een nummer van Snow Patrol in de microfoon.

Het geluid vult mijn oren en bezorgt me tintelingen. Dat moet op mijn gezicht te zien zijn. Tori kijkt me hoofdschuddend aan, alsof ik een hopeloos geval ben.

Als het nummer vijf tellen bezig is, stopt de muziek abrupt en breekt er ruzie uit. De bandleden schreeuwen tegen elkaar. Ik vang de volgende zinnen op: 'Dat moet in F!' 'In F! Dat moet in fucking F!' en 'In F, fucker!'

Ik kijk vragend naar Tori en ze haalt haar schouders op.

'Zo gaat het altijd,' fluistert ze duidelijk hoorbaar. 'Volgens mijn moeder kibbelden ze op de peuterschool al constant. Elke morgen kregen ze ruzie en elke middag maakten ze het weer goed.'

En ja hoor, de muziek begint weer, precies op het punt waar de band is gestopt.

Tori geeft een knikje naar de deur. Ik knik terug – van mij mag ze gaan, als ze wil – en leun dan tegen de muur om me te concentreren op Madison Rat. Maar Tori trekt aan mijn mouw en roept: 'Ga nou mee!'

Ik volg haar, bijna achteruitlopend om zo lang mogelijk van Madison Rat te kunnen genieten. Albie zingt weer een nummer dat ik ken, een dat normaal gesproken wordt gezongen door een zachte vrouwenstem. Het klinkt fantastisch als een man het zingt. Een jongen. Weet ik veel. Het klinkt in ieder geval helemaal geweldig.

'Katie?'

We staan nu achter de gesloten deur. Ik kan de muziek nog vrij goed horen.

Tori wappert haar hand voor mijn ogen heen en weer. 'Fijn, je leeft nog. Het wordt tijd om de repetitie te beëindigen.'

'Hmm?'

'De mall!' Tori doet alsof ze een autostuur vasthoudt.

Ik kijk haar aan. Ze kan de band nu niet storen. Dat kan ze niet maken!

Tori rolt geërgerd met haar ogen. 'Wacht hier, dan ga ik mijn vader wel halen.' Ze loopt weg en mompelt: 'Wat HEB jij toch?'

Ik ga op de onderste traptrede zitten en leg mijn oor tegen de deur. Zou het stom zijn als ik weer naar binnen ging om te luisteren? Maar dan stopt de muziek weer en hoor ik harde stemmen.

'Als je nog één keer zegt dat ik de verkeerde toonsoort gebruik, stap ik uit die kloteband!'

'Je doet maar!' Dat was een zwaardere stem. Albie, denk ik.

'Ja, je bakt er toch niks van!' Andere stem. Misschien de drummer.

'Dat moet jij nodig zeggen. Je hebt niet eens ritmegevoel.'

'Jij wel zeker!'

'Je kunt gewoon geen vriendin krijgen, dat is jouw probleem!'

'Wat ben je toch een eikelmans.'

'Durf je mij een eikelmans te noemen?'

'Ja! Eikelmans!'

'Je kunt niet eens fatsoenlijk schelden. Wat is "eikelmans" nou voor kinderachtig scheldwoord?'

'Beter kinderachtig schelden dan niet kunnen scoren!'

Ik vraag me af over wie het gaat. Wie kan er geen vriendin krijgen en niet scoren?

Het geruzie houdt op en de muziek begint weer.

Ik onderdruk een kreun als Tori boven aan de trap verschijnt.

'Mijn vader moet even uitloggen op het forum over de koninklijke familie. Kom, weg van dat lawaai daar beneden.'

Met tegenzin loop ik de trap op. 'Ik vind het goeie muziek.'

'Ja, dat weet ik inmiddels wel, maar dat is nou net het probleem. Jij houdt ook van goedkope zwijmelfilms.' Tori bekijkt me van top tot teen. 'Trouwens, gaat het je om de muziek of om mijn grote broer?'

Ik voel mijn wangen gloeien. Ik val niet op Albie, in vind hem gewoon aardig. Hij heeft talent. En zijn zus begrijpt hem niet. Trouwens... 'Ik heb een vriend, hoor.'

'Ja, of twee. Hoe zit het daar eigenlijk mee? Toen mijn vader net over prins William begon, moest ik weer aan jouw William denken. Je hebt al tijden niks meer over hem gezegd en volgens mij krijgt Kristy wantrouwen. Ze vroeg laatst naar hem.' Tori gaat op het rode bankje in de hal zitten, onder het portret van prinses Anne. 'Misschien wordt het tijd om het uit te maken, als je begrijpt wat ik bedoel.'

Waarom vraagt Kristy zulke dingen aan Tori en niet aan mij?

'Zou je denken?' Ik had niet gedacht dat het iemand wat kon schelen. Behalve Jake misschien.

'Ja...' Tori aarzelt. 'Ook omdat Jake... je steeds leuker gaat vinden. Het is tegenover hem niet eerlijk, vind je wel?'

Wat nobel van Tori. Ik heb me nooit afgevraagd wat Jake er eigenlijk van vindt. Maar ik ben blij dat ze denkt dat hij me steeds leuker gaat vinden.

'Goed, dan maak ik het uit met William.' Ik pers me naast Tori op het bankje. 'Hoe zal ik het aanpakken? Ik moet er wel bij huilen, hè? Hoe verdrietig moet ik zijn? Ik kan toch wel gewoon naar feestjes en zo?'

Tori denkt er even over na. Ze is echt een expert op dit gebied. Ik ben heel blij dat ze mijn vriendin is.

'Neem een ui mee naar school en snijd die doormidden in je kluisje. Of kies voor de natuurlijk droevige blik zonder ui.' Ze kijkt peinzend. 'Je kunt best naar feestjes gaan als je een gebroken hart hebt. Sterker nog: het is bijna een vrijbrief om jongens te versieren, want als het net uit is met je vriend, kunnen de meiden je niks verwijten. Zolang je maar niet overdrijft.'

'Bedoel je dat meisjes zich sletterig mogen gedragen als het net uit is met hun vriend? "Ga lekker je gang, je hebt een goede reden"?'

'Daar komt het wel op neer. Maar jij hebt Jake al, dus voor jou is het anders.' Ze bijt even zachtjes op de randjes van haar verzorgde nagels. 'Katie, ik had het je niet willen vertellen, maar... ik vind dat je het moet weten. Chelsea zegt dat Jake je zal dumpen als je het niet gauw uitmaakt met William. Ze zegt dat je hem aan het lijntje houdt.'

O, nee. Eerst Kristy en nu Chelsea. Sinds wanneer praat iedereen achter mijn rug over mij en mijn denkbeeldige vriend? Ik breng zoveel mogelijk tijd door met het populaire clubje, dus ze moeten het in de klas bespreken als ik er niet bij ben. Misschien geven ze wel briefjes over me door. Had ik maar niet al die nerdvakken gekozen. Ik moet mijn vriendinnen beter in de gaten houden.

'Maar je zei dat Jake me steeds leuker begint te vinden. Waarom zou hij me dan dumpen?'

'O, ik weet niet of dat echt zo is, maar Chelsea heeft wel heel goed contact met Jake. En ze krijgt meestal haar zin. Bovendien... ze valt op hem, Katie.'

Ja, ik geloof dat ik dat al een hele tijd in de gaten had. Ik probeer luchtig te reageren. 'Op William?'

Tori kijkt me ernstig aan. 'Je weet best wie ik bedoel.'

'Nou, Jake is van mij en Chelsea is een bitch.'

Tori bestudeert haar nagels. Ik verwacht dat ze partij voor me kiest, maar ze zegt: 'Ik weet het niet, Katie.'

Hè? Raak ik Tori nu al kwijt aan Chelsea, omdat er alleen maar spráke van is dat Jake me misschien zou kunnen dumpen?

'Ik heb best met Chelsea te doen. Ik weet niet hoe ik zou reageren als mijn ouders zo door het lint gingen als die van haar deze zomer. Vooral haar pa – volgens mijn vader heeft hij een zenuwinzinking gehad – maar je zult ook wel van Jake gehoord hebben dat haar moeder het ontzettend moeilijk heeft.'

Ik schud mijn hoofd, maar volgens mij ziet Tori dat niet.

'Chelsea praat er niet over, maar ik heb het van Albie gehoord. Hij werkt voor de familie Cook, of eigenlijk alleen voor mevrouw Cook nu Chelsea's vader in het ziekenhuis ligt. Gelukkig was Chelsea niet thuis toen het op z'n allerergst was. Toen logeerde ze bij de familie Matthews, weet je wel?'

Of ik dat weet? Ik weet van niks. Dus de vader van Chelsea heeft een zenuwinzinking gehad? Chelsea heeft bij Jake thuis gelogeerd?

Jake zegt nooit een woord tegen me. Hij zoent me alleen maar. We hebben het nooit over het populairste meisje van de hele school, het meisje dat hij Cookie noemt en dat zogenaamd mijn vriendin is, maar dat achter hem aan zit. Jake zegt nooit wat over de vader van iemand anders. Hij vertelt hooguit dat de Red Sox een wedstrijd verloren hebben, of ons schoolteam de Millers.

Dan ziet Tori eindelijk mijn gezicht, en ze slaat geschrokken een hand voor haar mond. 'Wist je dat niet?'

Ik schud mijn hoofd. Ik ben nog nooit bij Jake thuis geweest, ik heb alleen een keer bij hem voor de deur in de auto gezeten, toen hij zijn telefoon vergeten was en we teruggingen om die te halen.

Chelsea heeft bij hem in huis GEWOOND. En ik moet medelijden met haar hebben?

'Dat je dat niet wist! Ik was ervan overtuigd dat Jake het je wel verteld zou hebben.'

'We praten niet met elkaar, weet je nog?' Ik voel me helemaal versuft.

'Echt niet? Ik dacht dat het zo goed ging tussen jullie.'

'Nee, ik bedoel dat we elkaar nooit wat vertellen. We zoenen alleen maar. En dat soort dingen.'

'O. Nou, het is ook al een hele tijd geleden,' zegt Tori snel. Ze kijkt op haar horloge, alsof 'een hele tijd geleden' haar aan de tijd doet denken. 'Vijf minuten, zei mijn vader. Echt iets voor hem. Hij zit natuurlijk weer over die oude Britten te chatten.' Ze fronst haar voorhoofd. 'Praten jullie echt niet met elkaar? Nooit?'

'Eh... niet echt. Ik weet nooit wat ik tegen hem moet zeggen.'

'Aha.' Tori friemelt aan haar horloge. Het is heel fijn en teer, zo'n gouden designermodel. Ik wou dat ik er zo een had. Misschien moet ik Kelly vragen er een goeie nepversie van te zoeken.

'Katie, weet je wel zeker dat Jake bij je past?'

Ik doe mijn mond open om antwoord te geven, maar ik weet niet wat ik moet zeggen.

Natuurlijk past hij bij me, anders kan ik het coole clubje wel vergeten. Hij moet bij me passen, anders stond ik nu niet op het punt om met mijn coole vriendin naar de mall te gaan. En wie zegt dat je met een jongen moet práten? Daar heb je toch vriendinnen voor? Jongens zijn om mee te zoenen, of niet dan? Vriendinnen zijn er om mee te praten. Zo gaan die dingen toch?

'Kijk eens aan, de Europese prinses!' Gered door de zware stem van Tori's vader. 'Hoe staat het erbij in het paleis?'

'Eh, goed,' mompel ik, en ik voel mijn wangen gloeien. Ik weet nooit zo goed wat ik tegen Tori's vader moet zeggen. Ik heb het gevoel dat ik hem teleurstel omdat ik nooit een antwoord heb op zijn luidruchtige vragen over de koningin van Engeland. De enige vage link die ik met ons koningshuis heb, is mijn denkbeeldige vriend William.

En ik moet William nu zo snel mogelijk officieel dumpen, anders dumpt Jake mij.

En het coole groepje dus ook.

Ik weet niet wat ik moet aantrekken als we morgen naar de ijsbaan gaan. Misschien kan ik in de tweedehandswinkel een nepbontjas vinden. Ik zou kunnen proberen wat meer op Kendis te lijken.

Alsof dat wat zou uitmaken. Ik blijf toch wie ik ben, net als toen ik de kleren van Tori droeg, eeuwen geleden. Hoe krijg ik David zover dat hij me leuk vindt?

Het is trouwens niet eens een officieel afspraakje. Rachel gaat ook mee. En daar maak ik me nu dubbel druk om. Waarom is alles toch zo ingewikkeld?

Hailey weet vast wel wat ik moet doen. Ik bel haar.

'Kate! Kan ik je straks even terugbellen?'

'Jawel...' Ik wind het telefoonsnoer om mijn vingers. Mijn moeder had geen geld voor een draadloos toestel, dus hebben we een heel leuke telefoon met krulsnoer gekocht bij de tweedehandszaak. 'Maar waarom eigenlijk?'

'Jee, je hebt al helemaal een Amerikaans accent! Dat is snel gegaan. *Awesome*.'

'Ja, dat kun je wel zeggen,' antwoord ik met mijn beste Bostonse accent, dat inderdaad een stuk beter is dan haar nep-Amerikaans. 'Waarom moet je me straks terugbellen?'

'Sorry, Kate, maar ik wilde net gaan winkelen.'

'Het is toch bijna avond daar?'

'Ja, maar zelfs in het suffe Engeland hebben ze koopavond, hoor.'

'Dat weet ik heus wel.' Waarom doet ze zo kattig?

'En Jonathan wil nog even naar de nieuwe sportwinkel op het industrieterrein...'

'Jonathan?' Gaat ze winkelen met Jonathan?

Ik voel me ineens heel eenzaam. Mijn beste vriendin zit aan de andere kant van de wereld en gaat shoppen met een jongen.

'Hij is leuk, Kate. Ik kan goed met hem praten.'

Pff! Praten? Hailey en ik praten niet met jongens. We bewonderen ze van een afstand. Of van dichtbij, zoals ik met David doe. Maar praten doe ik niet met David, want de woorden komen steeds helemaal verkeerd mijn mond uit.

Sinds wanneer krijgt Hailey het voor elkaar om te praten met de jongen op wie ze verliefd is?

'Maar, Hailey, je hebt een hekel aan het industrieterrein.'

'Nee, Kate, JIJ hebt een hekel aan het industrieterrein.'

O ja, dat is waar ook.

Er valt een stilte.

'Hoe gaat het eigenlijk met die David die je leuk vindt?'

Ik draai treurig aan het snoer. 'Hailey, je moet toch weg? Ik vertel het je nog wel.'

'Ja, oké. Het spijt me.' Ze zucht. 'Hij is mijn vriend niet, hoor. Nog niet. Maar ik doe mijn best.'

'Ga nu maar. Veel plezier.'

'Dank je wel.'

'Hailey?'

'Hmm?'

'Ik wil het binnenkort allemaal horen.'

'Oké.'

Mijn moeder sluipt langs als ik ophang. Ze is helemaal opgedoft en ziet er niet meer uit als mijn moeder. Ze ruikt naar een parfumwinkel. Mijn moeder heeft ook al een vriend.

Iedereen verandert, behalve ik.

Mijn moeder zit aan mijn kop te zeuren en dat is niks voor haar. Tenminste, niet zoals ze eerst was. De laatste tijd heeft ze constant commentaar. Het is maar goed dat ik haar weinig zie.

'Katherine, je moet echt Hailey bellen.'

'Goed, maar eerst even een berichtje naar Tori om...'

'Wat is er toch met je aan de hand? Ik weet dat je het druk hebt met je nieuwe vriendinnen, maar zo onbeleefd ben je nooit geweest. Hailey heeft vorige week drie keer onze voicemail ingesproken en ik weet dat je haar niet hebt teruggebeld. Zelfs niet gemaild, denk ik.'

Inderdaad, dat heb ik niet gedaan. Hailey stuurt me nog steeds hele verhalen over Jonathan en haar leven daar. Ze eindigt altijd met: Waar zit je toch? Bel me!

Maar de berichten worden steeds korter.

Niet dat ik me niet schuldig voel. Echt wel. Dat ik Hailey niet terugbel of mail, is niet om haar te kwetsen. Maar het komt ook niet alleen maar doordat ik het zo druk heb met Tori en Jake. Niet helemaal.

Mijn moeder houdt me met een streng gezicht de telefoon voor.

'Bellen. Echt waar, Kate, Hailey is nu precies wat je nodig hebt om weer met beide voeten op de grond te komen. Je maakt je zo druk om die Giles dat we je amper nog zien...'

'Hij heet Jake, mam.' En wie zijn WE? Ik heb maar één ouder in dit land. Trouwens, dat moet mijn moeder nodig zeggen. Ze is de laatste tijd iedere avond op stap met de Fransman. Maar dat betekent wel dat ik zelf ook vaker weg kan, bijvoorbeeld doordeweeks naar feestjes, in hartstikke korte rokjes, zonder dat ze het merkt.

'Katherine, bel haar op. Goede vriendinnen zijn zeldzaam. Op een dag zul je me dankbaar zijn.'

Dat zal wel. Ik pak de telefoon aan en mijn moeder loopt hoofdschuddend de kamer uit. Mijn vingers toetsen automatisch Haileys nummer in. Vroeger belde ik haar minstens twee keer per dag. Voordat ik hierheen verhuisde.

Ik voel me weer schuldig.

Maar wat moet ik tegen Hailey zeggen? Hoe langer ik wacht, hoe moeilijker het wordt om uit te leggen waarom ik haar zo weinig heb gebeld. En ik weet precies waarom ik haar ontloop: ik weet zeker dat ze stom gaat doen over mijn nieuwe leven. Ze gaat natuurlijk zeggen dat ik nu ook een Poppetje ben. Dan ga ik aan mezelf twijfelen, omdat ik me zo krampachtig vastklamp aan Jake en het populaire groepje op school.

Ik hoor de Britse beltoon al, dat degelijke bring-bring. Het klinkt veel dwingender dan het rinkeltje hier in Amerika waaraan ik nu gewend ben.

Maar er wordt niet opgenomen. Hailey zal wel op stap zijn met die Jonathan.

Nu ik toch met mijn gedachten bij Engeland ben, bel ik meteen mijn vader. Meestal belt hij me op woensdagavond, een gesprekje van vijf minuten dat iedere week vrijwel hetzelfde is. Ik weet dat hij zal schrikken als ik zomaar op een andere dag bel, maar jammer dan. Maakt hij ook eens wat mee.

Kelly neemt op met haar opgewekte telefoonstem. 'O, is er iets?' vraagt ze. 'Je vader is er niet. Golfen. Hij had vandaag geen telefoontje van zijn dochter verwacht.'

Ik spreek Kelly niet vaak, maar ze propt altijd zo vaak mogelijk de woorden 'vader' en 'dochter' in het gesprek, alsof ze zichzelf eraan moet herinneren waarom ze ook alweer met een loser zoals ik moet praten.

'Is Lolly er wel?' Ik mis haar gebrabbel verschrikkelijk. Op woensdag, als ik mijn vader aan de telefoon heb, is ze er nooit. Ze moet idioot vroeg naar bed, om zes uur of zo, zodat Kelly de avond vrij heeft om theezakjes op haar ogen en schijfjes komkommer op haar neus te leggen.

'Lauren is bij de oppas. Ik moet over een uur bij de schoonheidsspecialiste zijn. We hadden je telefoontje niet verwacht.'

'Dat had je al gezegd,' zei ik. 'Het was een spontane inval.'

'Aha.'

Ik zie haar in gedachten al zuchten om mijn woordkeuze. Ze vindt me een ontzettende nerd.

'Ik zal tegen je vader zeggen dat zijn dochter heeft gebeld,' zegt Kelly. 'Doei.'

Maar... wacht even, ik ben nu geen nerd meer.

'Wacht! Kelly?'

'Ja?' zegt ze, op haar hoede. Ik weet niet of ik haar ooit eerder 'Kelly' heb genoemd. Meestal ontwijk ik haar naam, als ik al met haar praat.

'Mag ik je iets vragen? Heel snel, hoor. Je kunt dadelijk gewoon naar de... schoonheidsdinges.'

'Eh... ja.'

'Het gaat over handtassen.'

'Handtassen?' Nu klinkt ze wantrouwend. Ze wacht natuurlijk tot ik haar in de val lok met een of andere wiskundige formule voor de verhouding tussen de hoeveelheid onbedekt handtassenleer en het oppervlak waarop nepdiamantjes zijn aangebracht, of iets dergelijks.

Maar dat zou iets voor Nerdy Kate zijn geweest. Ik ben nu Coole Katie en er zijn belangrijkere dingen die ik moet weten.

'Ja, handtassen. Hoe kun je zien of een merktas echt is of nep?'

'Op de markt?' vraagt ze, en haar stem klinkt al wat minder gespannen.

'Nee, in een tweedehan... een liefdadigheidswinkel,' zeg ik. Daar kom ik natuurlijk niet meer, maar de Louis Vuittontas die precies op die van Chelsea lijkt, staat nog steeds in een hoekje van de etalage. Als ik zeker wist dat het geen nepper was, zou ik hem kopen.

Ik trek mijn knieën op tegen mijn borst. Wat slim van mij om dit aan Kelly te vragen. Een slimme spontane inval.

'Bah, daar stinkt het altijd zo,' zegt Kelly. Ik zie haar in gedachten haar mooie neusje ophalen, snakkend naar luchtverfrisser. Maar wat geeft het dat ze een snob is? Misschien kan ze me deze keer helpen.

'Van Vuitton. Hij leek me echt.' Ik heb de tas van Chelsea

goed bekeken om die in de etalage ermee te kunnen vergelijken. 'En hij is maar tien dollar.'

'Tien dollar!' Zo te horen is ze onder de indruk. 'Staat er een monogram in de sluiting?'

'In de sluiting?' Ik doe mijn ogen dicht en haal me de tas voor de geest die óf tot respect van het populaire groepje óf tot alienblikken zal leiden. 'Dat weet ik niet.'

'En het stiksel van de handvatten, is dat geel?' Ze is nu heel enthousiast. 'Zijn de zijkanten van de handvatten rood?'

'Dat weet ik niet uit mijn hoofd. Zou kunnen.'

'O, god, wat een koopje. Koop er voor mij ook een! Ik kan bijna niet wachten tot we naar Amerika gaan. Ik wist wel dat het een shopparadijs was.'

'Ze hebben er maar een. Het is een liefdadigheidswinkel,' zeg ik, voor het geval Kelly even was vergeten dat ze mijn winkeladresjes afkeurt. Of liever gezegd de winkeladresjes van Nerdy Kate. Met Coole Katie zou ze waarschijnlijk maar al te graag naar die mooie, nieuwe mall gaan.

'Kopen! O, je moet hem kopen! Maar let wel op de voering.'

'Waar moet ik dan op letten?'

Dit is waarschijnlijk het langste gesprek dat we ooit hebben gehad sinds mijn vader haar aan me heeft voorgesteld, toen ik haar aankeek met de dodelijke blik die ik speciaal voor haar voor de spiegel had geoefend.

Als ik heb opgehangen, is het tijd om met Tori naar de mall te gaan, zoals we hebben afgesproken. En als Albie me later naar huis brengt en we de hele terugweg een leuk gesprek hebben over muziek, is het in Engeland alweer te laat om Hailey nog te bellen.

Ach, ik moet me toch gaan omkleden voor mijn date met Jake van vanavond.

Als ik mijn moeder later zie, vraagt ze niet naar Hailey en

ze zegt ook niet meer dat ik haar moet bellen. Ze geeft zelfs geen commentaar op het gloednieuwe extra-grote-borstentruitje van Tori dat ik aanheb en vraagt ook niet of ik wel een jas aantrek, omdat de eerste lichte sneeuw van het seizoen is voorspeld. Ze kijkt alleen maar en gaat zich dan zelf omkleden voor haar avondje uit.

Ik zit samen met David achter in een auto. Jammer genoeg zitten Rachel en haar moeder voorin.

We zijn op weg naar de ijsbaan, ook al hadden we buiten waarschijnlijk ook wel een dichtgevroren plas kunnen vinden om op te schaatsen, want het is ijskoud geworden. Er lag al de hele week een dun laagje poedersuiker, maar vannacht heeft het voor het eerst echt flink gesneeuwd. Prachtig. En iedereen rijdt gewoon auto; zelfs mijn moeder heeft haar plannen voor haar dagje uit met Rashid naar een of andere beeldentuin buiten de stad niet afgezegd.

Rachels moeder rijdt zelfverzekerd en trekt zich niks aan van de witte randen die de weg smaller maken. Ze is verrassend normaal, behalve dat ze van die new-age-jank-muziek draait en het over holistische barmy-yoga heeft – althans, dat versta ik vanaf de achterbank.

'Het werkt ongelooflijk ontspannend.' Ze tikt met haar gelakte nagels op het stuur. 'Kate... zo heet je toch?'

'Eh... mmmja,' zeg ik, hoewel ik gewoon 'ja' wilde zeggen. Ik concentreer me op de mooie witte wereld buiten.

'Kate, misschien kun jij Rachel overhalen om op yoga te gaan. Ga lekker samen. Jullie hebben meer ontspanning nodig. De stress van het moderne tienerleven is veel te groot.'

Rachel snuift van woede.

'Ik meen het, Rachel.'

'Jij meent altijd alles, mam. Wees maar niet bang, we krijgen genoeg ontspanning. Dat noemen ze "de middelbare school".'

Ik vraag me af of Rachels moeder die opmerking soms maakte omdat ik megagespannen overkom. Ik ben bloednerveus. Klamp me vast aan de zitting omdat ik bang ben dat ik anders zomaar Davids hand zal aanraken, die vlak bij de mijne ligt. En ik krijg vandaag geen woorden van meer dan één lettergreep mijn mond uit. Bovendien is 'woorden' een groot woord. Ik denk alleen maar: Dit is het! Ik heb een bijna-date met David! Met Rachel erbij, maar toch. David!

'Heb jij wel eens yoga geprobeerd, Kate?'

'Neuhhh,' zeg ik.

'Kate houdt meer van zwaardere inspanningen,' zegt David.

Ooo. Ik knijp harder in de zitting.

Dat heeft hij onthouden van het gesprek dat we maanden geleden hadden op het feest van mijn moeders werk. Hij MOET me wel leuk vinden!

'Yunh... eh. Nunh. Me vriedih.' Ik haal diep adem. 'Vriendin. Uit Engeland. Zij. Niet ik. Hardlopen.'

Er valt een lange stilte.

Dit kan zo niet doorgaan. Ik moet mijn spraakvermogen terug zien te krijgen, en snel.

Gelukkig zijn we bij de ijsbaan voordat er nog meer van me wordt verwacht. Rachels moeder blijft maar onderhandelen over de vraag of ze ons ook zal komen ophalen, afhankelijk van de tijd waarop ze klaar is met yoga en het rondje kruidenthee met haar vriendinnen na afloop. Ze zegt *'erbal tea* in plaats van *herbal tea,* en vreemd genoeg klinkt dat hier chic. In Engeland zou het iets ordinairs hebben gehad.

Rachel maakt een eind aan de onderhandeling door te zeggen: 'Laat maar, mam, we nemen de trein wel.' Ze loopt al weg terwijl haar moeder nog zit te praten. David zegt heel beleefd gedag en bedankt Rachels moeder voor de lift, en ik mompel: 'Guh, bedaank.'

David en ik lopen naar de ijsbaan. Samen.

Die is veel eenvoudiger dan de enige ijsbaan waar ik in Engeland ooit ben geweest. De entreeprijs is heel laag, anders dan in Engeland, waar het schaatsen zo duur was dat we het als verjaardagsfeestje deden toen Hailey twaalf werd. We gingen met haar moeder, eerst met de trein en later nog twee keer met de metro, helemaal van Sufgehucht naar Londen. We konden voor geen meter schaatsen en hingen de hele tijd giechelend en wiebelend aan de kant. Daarna hebben we in de cafetaria bij de ijsbaan de smerigste hotdogs ter wereld gegeten, en we trokken ons niks aan van de luidruchtige, ruwe jongens die ons uitlachten en opmerkingen maakten over onze tafelmanieren. Het was een heel leuk dagje uit en we hebben daarna dikwijls gezegd dat we het vaker moesten doen, maar het is er nooit meer van gekomen.

Maar ik heb wel vaak naar het schaatsen op de Olympische Spelen gekeken, en de herhalingen van *Tonya and Nancy, The Inside Story* en *Michelle Kwan, Princess on Ice* heb ik wel tien keer gezien. Ik maak mezelf altijd graag wijs dat ik ook best een schaatscarrière zou kunnen hebben. Als je hier woont is dat een makkie, met die goedkope ijsbanen en de schaatsen die ik voor vijf dollar heb gevonden bij de tweedehandswinkel in Walnut Street.

In de kleedkamer – het is eigenlijk meer een rij bankjes, waar Rachel en David behendig hun veters vastmaken en ik nerveus zit te friemelen aan mijn grijze schaatsen, die niet echt goed passen – dagdroom ik over mijn eerste medaille, die niemand had verwacht, als zo'n typisch verhaal over een arm meisje dat de top bereikt.

Rachel kijkt me verwachtingsvol aan. David concentreert zich op zijn veters.

'Dus je vindt het oké?'

'Wat?' vraag ik. Wauw, dat leek wel een normaal antwoord! Ik ben weer bij de les. Nu moet ik alleen nog luisteren.

'Limey, ik vroeg of je weer voor me op de uitkijk wilt staan. Ik moet mijn graffiticampagne uitbreiden voor het winterbal.'

Fijn. Daar zat ik net op te wachten: nog een keer voor de toiletten staan posten, hartstikke gênant, en proberen weg te duiken voor Tori's broer Albie, die me telkens wil aanspreken, en voor Jake Matthews met zijn smeulende blikken, en de club van Chelsea, die ik al intimiderend vind als ze alleen maar langslopen. En dat allemaal om Rachel de gelegenheid te geven iets te tekenen wat binnen een paar minuten toch weer van de muur wordt geveegd. Eigenlijk slaat het nergens op.

'Ik weet het niet, Rachel...' Waarom kan ik niet gewoon 'nee' tegen haar zeggen? Vooral nu ik het idee heb dat ze verliefd op me is – ze zou toch vol bewondering aan mijn lippen moeten hangen, net als ik bij David? Maar ik voel me nog onhandiger dan eerst als ik bij haar ben. Ik zit steeds naar aanwijzingen te zoeken. Niet dat ik weet waar ik op moet letten, of wat ik zou moeten doen als ik ze had gevonden...

'Rachel, volgens mij wil Kate het niet,' zegt David. Hij heeft het gemerkt! Hij geeft om me!

'Ik denk dat Kate wel voor zichzelf kan spreken, David. En jij bent een man, dus je moet je erbuiten houden. Jullie zijn juist het probleem. Mannen zien een schoolfeest als een excuus om zich te misdragen, alsof dat traditie is,' zegt

Rachel. 'Het stikt van de Brycetypes. Ik heb een plicht tegenover de vrouwen van The Mill.'

'Ik heb helemaal niks met schoolfeesten,' zegt David. 'Ik hoef er niet eens zo nodig naartoe, maar ik word steeds gevraagd. En wat houdt die plicht van jou precies in? Chelsea pissig maken? Zij is toch ook een vrouw? Dan zou je aan haar kant moeten staan.'

'Je denkt maar wat je wilt denken,' bijt Rachel hem toe. Ze gaat zelfverzekerd staan op haar schaatsen en bergt haar laarzen op onder de bank. Dan keert ze David heel opzichtig de rug toe. 'Hé, Limey, wij gaan volgend weekend laarzen voor jou kopen en dan beschilder ik ze voor je, net als die van David en mij.'

Wauw, dat zou super zijn.

Maar is het een teken?

Vraagt ze me nu mee uit?

David fluit alsof hij onder de indruk is. 'Dat doet Rachel niet zomaar,' zegt hij plagend. 'Ze tekent niet op iedereens laarzen, hoor.'

O, nee? Ik friemel onhandig aan mijn veters.

'Ik zei toch dat je je mond moest houden, bijdehandje,' zegt Rachel.

David haalt zijn schouders op. 'Dat heb je niet gezegd, om precies te zijn.'

'Dat heb ik WEL gezegd, om PRECIES te zijn.' Ze kijkt met een schuin oog naar David.

'Ik kan volgend weekend niet,' zeg ik. 'Dan komen de Britten.' Het is waar: mijn vader, Kelly, Lolly en Hailey komen de dag na het schoolfeest aan. Maar als David iets had willen afspreken, zou ik vast wel een oplossing bedacht hebben.

Een peuter met een wollen ijsmutsje op komt op ons af gedenderd. Ze doet me aan Lolly denken. Ik kan bijna niet wachten tot ik mijn familie weer zie. En Hailey, al hoop ik wel dat ze het niet constant over Jonathan zal hebben.

Maar ik wil niet meer met mijn vader terug naar huis na hun bezoek. Dat moet ik mijn ouders binnenkort nog vertellen. Iemand moet toch een oogje op mijn moeder houden, want ze is zo langzamerhand net een tiener nu ze die Rashid heeft.

Hoewel... als ik terug naar Engeland zou gaan, zou het probleem met Rachel meteen opgelost zijn, zonder dat ik er iets over hoefde te zeggen. Misschien kan ik David mee naar huis nemen.

'Geeft niet, dan gaan we gewoon een andere keer,' zegt Rachel. 'Je nummer staat op de lijst van Karen, toch?'

Is dat weer een teken? Vraagt ze nou mijn telefoonnummer?

'Eh,' zeg ik.

Er loopt een groepje meisjes van begin twintig voorbij, giechelend. Rachel rolt met haar ogen. 'Jezus, Limey, ik snap niet dat ik mee ben gaan schaatsen. Wat een suf idee was dat. Ik heb nog wat van je te goed. Volgende week sta je voor me op de uitkijk.'

Ik strik de veters van mijn schaatsen en probeer daarbij de dubbele knoop van Rachel en David te imiteren. Ik weet zeker dat er niks van klopt.

David zegt: 'Rachel, laat Kate erbuiten.'

Ik kan wel juichen. Hij riskeert haar woede – voor mij! Rachel kijkt hem vernietigend aan.

David drukt het ijzer van zijn schaats diep in de vloer. 'De helft van de school, namelijk iedereen die de damestoiletten niet gebruikt, krijgt je werk niet eens te zien. Je bent hartstikke goed, je zou je cartoons moeten publiceren om een groter publiek te bereiken.'

'Tekent Rachel cartoons?' mompel ik.

Ze draait zich kwaad naar me om. '*Comix*, met een x!

Geen kinderachtige striptekeningetjes. Feministische tekeningen, niet dat gelul met superhelden.'

'O, zoals in seizoen 8 van *Buffy*,' zeg ik, maar ik geloof niet dat ze me horen.

'Ik kan je erbij helpen,' zegt David. 'Ik...'

'Ik heb jouw hulp niet nodig!' Rachel beent weg alsof ze niet op twee smalle ijzers staat.

Wankelend ga ik staan en ik krabbel naar het ijs.

'Maak je geen zorgen, Kate, ik ga wel met haar praten,' zegt David, die zelfverzekerd naast me loopt. Hij lacht en ik zie zijn kuiltje. Wauw.

Ik weet wel dat ik tegen Rachel in zou moeten gaan, maar ik ben blij dat hij het voor me wil doen.

David stort zich op het ijs. Rachel staat al midden op de baan en draait een pirouette. Haar zwarte jas wappert om haar heen als een schaatsrokje.

Rachel in een schaatsrokje: gisteren zou ik nog gezegd hebben dat ik het me onmogelijk kon voorstellen.

Wiebelend ga ik het ijs op. Mijn eerste stapjes in de richting van Olympisch goud en mijn eerste date met David. Bijna.

Ik gris mijn Louis Vuittontas en mijn algebraboek uit mijn kluisje en gooi het deurtje dicht. Bijt op mijn lip. Ik zie nogal tegen de algebrales op, want Wilson, de superharige leraar, gaat me een onvoldoende geven. Ik voel me daar ongemakkelijk onder – ik haalde vroeger nooit onvoldoendes – maar dat wil ik niet laten blijken. Het doet er ook niet toe. Mijn cijfers van dit jaar tellen niet mee, ik doe dit voor mijn 'persoonlijke ontwikkeling'. Pff. Het enige wat ik tot nu toe heb ontwikkeld is een decolleté, dankzij Tori's borstentopje, en tweede-honkvaardigheden met de lekkerste jongen van de hele school.

Dat is inderdaad een stuk persoonlijker dan algebrasommen.

Ik heb bijna al mijn lippenstift eraf gekauwd, maar bij mij in de klas zit toch niemand van Chelsea's groepje en de populaire jongens, dus moet ik het maar een uurtje met bleke lippen doen. Dan werk ik mijn make-up wel bij voor de lunchpauze, want ik kan natuurlijk niet met zo'n bloot gezicht naar de kantine.

'Hé, Katie, wacht even!'

Dat is Chelsea. O, nee! Dadelijk ziet ze mijn spooklippen. Ik bijt er snel op om er wat kleur op te krijgen. Stel dat ze naar William vraagt, wat dan? Ik heb nog geen kans gehad om iets aan de situatie te doen.

'Hoe gaat het, Katie?'

'Eh, goed.' Ik zuig op mijn bovenlip voor de bijpassende kleur.

'Je komt toch ook naar het feest na het winterbal?'

Oei. Het winterbal. Waarvoor Jake me nog steeds niet heeft gevraagd.

Maar Chelsea heeft het over het feest daarná, dus ik hoef me geen zorgen te maken. Dat is bij Tori thuis, daar ben ik voor uitgenodigd. Hopelijk mag ik er toch naartoe als ik niet naar het bal ga.

Wacht even, natuurlijk ga ik naar het bal. Al mijn vriendinnen gaan erheen met hun oudere vriendje, en ik ga met mijn vriend Jake. Hij vraagt me binnenkort wel. Dat moet.

'Eh, ja, ik kom ook.' Ik kom op alle coole feesten. Dat weet Chelsea. Ik bijt nog eens op mijn lip. Waarom vraagt ze dat?

'Wat trek je nou voor raar gezicht?' vraagt ze. Ik hou meteen op met lipbijten en trek een pruilmondje.

'Hoezo?'

'Laat maar.' Ze kijkt vreemd naar me. 'Je GAAT toch wel naar het feest? Met Jake?'

Dat heeft ze slim aangepakt. Die zag ik niet aankomen. Als ik knik, bekijkt ze me van top tot teen.

'Aha. Mooi zo.'

Ik krijg de zenuwen van haar. Maar ja, ze heeft een moeilijke tijd achter de rug. Misschien kan ze er niks aan doen dat ze zo scherp uit de hoek komt. Ze heeft veel aan haar hoofd.

'Chelsea, ik heb gehoord over je... je weet wel. Ik vind het heel rot voor je.'

Ze knijpt haar ogen tot spleetjes. 'Wat bedoel je?'

'Je weet wel.' Ik sta te schuifelen. 'Van je... je vader en zo. Het is vast niet makkelijk voor je moeder en jou. Ik heb gehoord dat Albie...'

Haar gezicht staat strak. 'Wat heeft Albie Windsor over ons lopen rondbazuinen?'

Ik schrik van de hatelijke toon waarop ze Albie's naam uitspreekt, maar ik mompel: 'Niks.'

'Nou, Jake dan. Wat heeft Jake verteld?'

'Ook niks.'

'Dat laatste kan ik me wel voorstellen, ja.' Ze zwiept haar haar naar achteren. 'Ik wil niet dat jij en de verstandige broer van Tori jullie neus in onze zaken steken.'

'Het was niet mijn bedoeling om...' Normaal gesproken is Chelsea supermooi, met haar fijne gelaatstrekken en haar perfecte figuur, maar nu is ze lelijk. En gemeen. En dan voel ik me ook gemeen, omdat ik zo over haar denk. Ik had natuurlijk niet over haar familie moeten beginnen, ik had kunnen weten dat dat gevoelig ligt.

'Ik moet gaan,' zeg ik. 'Algebra,' voeg ik eraan toe, en ik wou dat ik mijn mond eens kon houden. Hoe minder je zegt, hoe beter, zeker tegen Chelsea, Kristy of de rest van het groepje, behalve Tori.

'Ja, laat de algebrales vooral niet wachten.'

Chelsea zwiept nog een keer haar blonde haar naar achteren en loopt weg, maar dan lijkt ze zich te bedenken.

Ze komt teruggelopen. 'Ik zie iets aan je gezicht.' Ze bekijkt me aandachtig met haar ijzig blauwe ogen. Ik blijf stokstijf staan en wens vurig dat mijn lippen vanzelf roder worden. Dan vraagt ze: 'Heb je iets aan je neus laten doen?'

Ik begin te lachen, maar ze kijkt serieus.

'Nee,' mompel ik, en het lukt me om er geen details aan toe te voegen, al zou ik het liefst uitleggen dat ik zoiets nooit zou doen. Ik ben tevreden met mijn neus; het is een echte Reillyneus, de neus van mijn vader, ook al zal hij nooit de 'erna'-foto's van de plastisch chirurg halen. Inderdaad, het is niet de kleinste ter wereld. Maar mijn vader heeft nooit geklaagd en hij heeft altijd genoeg vriendinnen kunnen krijgen. Zelfs toen hij al met mijn moeder getrouwd was.

Chelsea laat haar blik weer kritisch over me heen gaan. O nee, dadelijk ziet ze dat ik geen lippenstift op heb en dan geeft ze me aan bij de Coole Lippen Brigade en mag ik niet meer bij hen zitten in de pauze.

'Nee, dat zie ik,' zegt ze dan. 'Maar ik zou er toch maar over denken.' Ze lacht poeslief. 'Dat zeg ik je als vriendin, Katie. Vriendinnen moeten eerlijk tegen elkaar zijn, vind je ook niet?' Ze laat het woord 'eerlijk' wel een minuut duren.

'Eh, ja,' mompel ik. Ik sta met mijn mond vol tanden. Wat moet ik hier nou op zeggen? Ik weet heus wel dat het de taak van de coole meiden is om vals te zijn, maar dit is zo gemeen en komt zo onverwacht dat ik niet eens zeker weet of het wel gemeen bedoeld is. Misschien meent ze het wel echt. Of was het nou gewoon een belediging?

Hoe dan ook, wat moet ik terugzeggen? 'Heb jij ooit overwogen om er minder perfect uit te zien? Ik weet wel een zaak waar je een dikke pukkel op je kin kunt laten tatoeëren, zodat je er wat interessanter uitziet, want die egale huid is ook maar saai'?

Ik sta daar een hele tijd als een goudvisje met bleke lippen naar lucht te happen. Chelsea blijft naar mijn neus kijken.

'Nou, doei.' Ze lacht liefjes, maakt weer haar bekende haarzwiepgebaar en loopt weg.

Langzaam loop ik achter haar aan, te laat voor de algebrales, en als ik de lippenstiften in mijn goedkoop gescoorde merktas hoor rammelen, vraag ik me af of ik niet ergens extra sterke neuscamouflagecrème kan kopen.

'Kate, gaat het wel? Kun je alles nog bewegen?' Ik lig languit op het ijs. Dat is al gênant genoeg zonder dat Rachel vanaf de andere kant van de ijsbaan naar me gaat staan roepen. Iedereen staart me aan, ook de peuter met het rode mutsje die me aan Lolly doet denken en die net nog in achtjes om me heen schaatste. Ik weiger om me daar iets van aan te trekken; ik heb eens gelezen dat baby's meteen bij de geboorte kunnen zwemmen, dus misschien is dat met schaatsen hetzelfde. Ik moet het eens uitproberen met Lolly als ze hier is.

David en Rachel komen bedreven aangeschaatst en David maakt zo'n professionele stop, waarbij het ijs met een schrapend geluid over je heen stuift. Niet dat het wat uitmaakt, want ik ben toch al drijfnat. En alles doet zeer. Dit moet zo'n beetje de vijfentwintigste keer zijn dat ik gevallen ben, maar ik houd de tel niet bij. Rachel en David ook niet, die hebben het enorm naar hun zin, ook al nemen ze zo'n ironische 'O, wat is dit NIET leuk'-houding aan. Vooral Rachel, die telkens wanneer ze langs me heen schaatst, klaagt dat dit ontzettend STOM is. Zo stom dat ze het kennelijk al haar hele leven doet.

Ik begin te denken dat ik die gouden medaille op de Olympische Spelen misschien maar moet vergeten. Tenzij er ook een onderdeel is waarbij je een volle minuut moet stilstaan zonder om te vallen. Daar zou ik me met een paar jaar trainen misschien wel voor kunnen plaatsen.

'Kate? Hallo?' zegt Rachel. 'Kom, opstaan. Pak mijn hand maar.'

O.

Hmm.

Ik zou echt liever Davids hand vasthouden. Alleen trek ik hem dan misschien mee als ik weer val. Hoewel, zo erg zou dat niet zijn.

Ik zal er wel heel charmant uitzien, nat en onder het ijs en met een knalrode kop.

Ik heb Rachels uitgestoken hand nog steeds niet gepakt.

Ik weet dat het nergens op slaat. Rachel is ECHT niet verliefd op me. Ik ben net zo erg als jongens die denken dat als een andere jongen homo is, hij meteen op HEN valt. Zo reageren die sporttypes altijd, alsof het erg is, besmettelijk of zoiets. Gisteren zag ik een groepje van die figuren die elkaar steeds te lijf gingen op de gang, en Bryce riep iets van 'Blijf van me af, mietje!' tegen Jake Matthews. De reactie was een hoop gelach en gejoel. Alsof Bryce ook maar één seconde zou denken dat Jake homo is. Om te beginnen heeft hij pas nog de vriendin van Bryce ingepikt. Niet te geloven dat ik hen ooit als mijn vrienden heb beschouwd. Dat ik bij hen ging zitten in de lunchpauze en zelfs met hen naar een feest ben geweest. En ik vind het ook niet te geloven dat Jake nog steeds minstens één keer per week mijn blik vangt en naar me lacht.

Ben ik nou net zo erg als Bryce? Als ik zo doorga, maakt Rachel straks nog van die boze tekeningen van míj in plaats van haar anti-jongenscartoons, of hoe ze ze ook noemt.

Dit slaat nergens op. Ik ben niet zoals Bryce.

Ik pak Rachels hand en ze hijst me omhoog. Ze trekt me het ijs op, en één verrukkelijke minuut is het net alsof ik echt schaats. Dan til ik een been op, wat nog niet meevalt met die natte, zware spijkerbroek, en ik kieper voorover, wankel en val weer om. Rachel lacht, maar het is niet haar gebruikelijke sarcastische lach. Ze is in een ontzettend goede bui. Zo te zien is ze helemaal in haar element op het ijs.

Of komt het door mij?

'David, hier komen!' roept ze. 'We hebben versterking nodig.'

Nu gaat het gebeuren. David gaat mijn hand vasthouden. Mijn hart maakt een driedubbele lutz. (Zie je wel, ik ken de terminologie.)

Ik heb amper de tijd om mijn natte handschoenen af te vegen aan mijn al even natte broek voordat David een droge hand naar me uitsteekt en begripvol naar me lacht. Hij heeft geen handschoenen aan – ik kan me hem niet voorstellen met zoiets gewoons als handschoenen. Daar heb je dat kuiltje weer. Zo mooi. Ik wou dat ik Davids hand kon voelen in plaats van die natte wol op mijn huid.

Ineens hoor ik iemand 'Woeoeoeoehhh!' roepen, en ik besef dat ik het zelf ben. Ik word meegetrokken door Rachel en David. Het is heerlijk. 'Probeer eens een loopbeweging, Kate,' zegt David, en ik zet kleine pasjes met mijn oude grijze schaatsen. Linkerbeen omhoog, linkerbeen omlaag. Rechterbeen omhoog, rechterbeen omlaag. En ik val niet! Wat een supergevoel!

'Opzij, losers!' roept Rachel tegen een paar pubers die midden op de ijsbaan rondhangen en elkaar lachend keihard uitschelden. Ze roepen dat Rachel een dikke kont heeft, maar ze gaan wel opzij voordat we tegen hen aan knallen.

'Ik zal ze eens laten zien wat ik met die dikke kont kan doen!' roept Rachel. Ze laat mijn hand los en ik begin gevaarlijk te wankelen. Rachel schaatst naar de jongens toe, maar dat zie ik alleen nog vanuit mijn ooghoeken, omdat ik achterover op het ijs val. Ik trek David mee en hij valt boven op me.

'Oef!' zeg ik.

'Argf!' zegt hij. Zijn gezicht is vlak bij het mijne en hij drukt me met zijn hele lijf tegen het ijs.

Opeens vind ik het niet meer erg dat het ijskoude water door mijn spijkerbroek sijpelt en mijn achterhoofd bijna bevriest op het harde kussen van smeltend ijs. Ik kan alleen nog denken aan David, een paar centimeter van mijn gezicht en boven op mijn lijf.

'Dit zal er wel elegant uitzien,' zegt hij, en hij maait met zijn armen. Maar hij staat niet op. Nee, hij kijkt me alleen maar lachend aan.

Ik kijk recht in zijn twinkelende grijsgroene ogen.

'Oef,' zeg ik, deze keer bijna fluisterend. Ik kan nu niets intelligenters verzinnen, en bovendien krijg ik amper iets mijn mond uit.

'Is alles goed met je? Krijg je nog lucht?' vraagt David.

Wat moet ik daar nu op antwoorden? Ik krijg wel lucht, maar anders dan anders. Het is ZIJN lucht. Hij ruikt naar ijsschaafsel en iets fris en een beetje exotisch. Kokoszeep of zoiets. Hij heeft alleen een T-shirt aan en ik vraag me af of hij het niet koud heeft, maar hij voelt heel warm en dichtbij en... mannelijk. Ik voel zijn borst op en neer gaan door de lagen van mijn dikke winterjas heen. O ja, ik moet antwoord geven.

'Unh,' zeg ik. Kate-van-één-lettergreep is weer terug.

'Wacht even,' zegt hij, en hij zwaait nog een keer met zijn armen. 'Heel charmant,' zegt hij grinnikend. 'Kom, we gaan dansen.' Hij wiebelt met zijn armen. Uiteindelijk lukt het hem om van me af te stappen en me omhoog te hijsen. Ik wankel naar achteren en naar voren op mijn schaatsen. De ijsbaan tolt om me heen.

'Dank je wel,' mompel ik. We staan heel dicht bij elkaar en hij houdt me vast en kijkt me aan. Ik zie er niet uit: mijn haar piekt alle kanten op en mijn wangen voelen ijskoud. Als je nu een wortel op de plek van mijn neus zou zetten, zou ik vast net een sneeuwpop lijken. Maar ik kan me niet verroeren om er iets aan te veranderen. Ik geloof niet dat ik iets gebroken heb, anders stond ik hier niet. Volgens mij zijn mijn botten alleen maar zacht en slap geworden, en als ik niet oppas, lig ik dadelijk weer op het ijs. Maar David houdt me overeind. Hij haalt zijn hand onder mijn arm vandaan en reikt ermee naar mijn gezicht. Ik houd mijn adem in. Hij pakt een pluk van mijn natte haar en strijkt het voor mijn linkeroog vandaan, waar het zat vastgeplakt. Hij doet de lok voorzichtig achter mijn oor en kijkt daarbij naar beneden. Zijn wimpers glinsteren. Gelukkig ben ik niet de enige die hier staat te smelten als een ijslolly. Ik adem uit en weer in en snuif de kokosgeur van David op.

'Zo,' zegt hij.

Opeens hoor ik zoevende schaatsen achter me, gevolgd door dat schrapende remgeluid. Rachel. Alleen stopt ze niet op tijd. Ik hoor haar nog 'Sorry' roepen als ze tussen ons door schiet. Ik vlieg de lucht in en land keihard op mijn kont, met de zoveelste 'oef'. David wankelt, maar het lukt hem om overeind te blijven. Hij schaatst een rondje om me heen om zijn evenwicht terug te krijgen.

'Hé!' zegt hij. 'We waren net weer overeind gekomen!'

'Ik zei toch sorry,' zegt Rachel. Ze klinkt niet alsof het haar spijt. Haar ogen fonkelen woest.

'Het was trouwens jouw schuld dat we gevallen zijn. Heb je die jongens lekker bang gemaakt?'

'Ha, ha, bijdehandje,' zegt Rachel. 'Lul maar lekker uit je nek jij.'

David haalt zijn schouders op en schaatst nonchalant een achtje om Rachel heen, met zijn armen op zijn rug. Ze kijkt de hele tijd woedend naar zijn voeten.

Aan het einde van de tweede acht zegt David: 'Het zijn nog maar jonge jochies, Rachel.'

'Kan mij het schelen. Inderdaad, het zijn jochies. Kinderachtige ventjes. Schaatsen IS ook kinderachtig. Wie wilde er ook weer zo nodig naar de ijsbaan?' Rachel richt haar boze blikken nu op mij. 'Ik vind er niks aan, ik ben weg.'

Ze schaatst weg. Haar zwarte jas wappert als een vlieger achter haar aan.

'Rachel! Wacht!' David spurt achter haar aan, zonder zelfs maar naar me om te kijken.

Daar zit ik dan op het ijs.

Wat is er nou met Rachel? Ik bedoel, ze is altijd opvliegend, maar ze heeft al de hele dag van die buien. Was ze nou echt zo kwaad op die jochies? Of kwam het doordat David en ik hier samen stonden alsof we... alsof we bijna gingen zoenen? Is ze jaloers? Omdat ze mij leuk vindt? En stonden David en ik ECHT bijna te zoenen? Of beeld ik me dat nou in? Ik weet niet meer wat ik moet denken.

En hoe kom ik ooit van het ijs zonder hun hulp?

Ik rol me om en ga op mijn knieën zitten. Er vormen zich al snel twee plasjes op het ijs, onder elke knie een. Ik trek één been op en probeer te gaan staan, maar dan ga ik gauw weer zitten. Er klinkt een zoemer en iedereen gaat van het ijs af. Het is een paar tellen stil en ik vraag me af of ik hier de hele dag zal blijven zitten, maar ik hoor in de verte het gebrom van een dweilmachine. De zamboni! (Zie je wel, ik weet zelfs hoe een dweilmachine heet! Dat is toch een gouden medaille waard, of niet soms?)

David en Rachel zijn nergens te bekennen. Ik voel de paniek achter in mijn keel. Ze hebben me hier alleen achtergelaten! Ik probeer mijn andere been – misschien is dat sterker. Wiebel, wiebel, glij, glij. Help, help, help.

De zamboni rolt het ijs op en laat een mooi glad spoor na. Hoeveel tijd heb ik nog voordat ik geraakt word? Overreden door een zamboni, wat een dramatisch einde van mijn carrière als officiële ijskoningin van Milltown.

Ik moet omhoog zien te komen. Ik krabbel overeind, maar het is nog erger dan daarnet. Ik maak een reuzekomische bananenschilglijer, doe een stap naar voren en land weer op mijn achterste.

De zamboni maakt een waterig spoor dat mijn kant op komt. Ik snif. 'Hé,' zeg ik, maar het komt er heel zachtjes uit. 'Kijk uit.' Snif snif.

En dan gebeurt er een wonder. De zamboni stopt en er komt een jongen uit. Mijn prins op het witte paard, of liever op de dweilmachine. Mijn eigen reddende engel. Zwijmel. Hé, het gezicht van mijn prins komt me bekend voor.

'Alles oké daar? Ach, Katie, ben jij het!'

Het is Tori's broer Albie.

Alweer zaterdag, het zoveelste uitstapje naar die gigantische winkelschuur: de mall van Milltown. Tori zegt dat het onze laatste kans is om een hele dag te shoppen voor het schoolbal van vrijdag. Er wordt voor morgen zware sneeuwval voorspeld en dan wil Tori de deur niet uit, want ze heeft 'haar sneeuwkleding voor dit jaar nog niet uitgezocht'. Ik vraag maar niet wat ze maandag naar school aantrekt als het dan nog sneeuwt; er is vast een of andere subtiele dresscode voor coole meiden, die ik niet ken.

Albie heeft het momenteel zo druk met repeteren en zijn werk dat Tori er niet over peinst om hem te vragen ons te brengen en te halen, zodat ik word getrakteerd op een nieuwe ontmoeting met meneer Windsor. Deze keer praat hij onafgebroken over een Australiër die hij van zijn internetforum kent, ene Bruce Windser ('met een "e", maar het zou toch best familie kunnen zijn'). Zo te horen is die Bruce al net zo van het padje af als Tori's vader, maar door het verhaal over de obsessie van de Australiër voor prinses Anne gaat de rit wel sneller.

Als we er zijn, stelt Tori's vader de gebruikelijke vragen. 'Heb je alles? Je telefoon, Tori? Is hij opgeladen?'

'Ja, pap, ik bel je als we een lift terug willen.'

'Doe dat. Veel plezier, prinsesjes!'

Tori schaamt zich rot.

We betreden de Wondere Wereld van het Winkelcentrum. Mijn oren gaan meteen in de slaapstand door de ingeblikte flutmuziek. Draaiden ze hier maar eens iets fatsoenlijks. Madison Rat bijvoorbeeld. Misschien moet ik dat op een briefje schrijven voor de ideeënbus bij de informatiebalie.

Maar ik vind de mall nu niet meer eng. Ik kom hier elke week en ik snap hoe het werkt. Het stikt hier van de mensen van school die moeten zien hoe Tori me heeft aangekleed en opgemaakt. Het is beter dan school: hier lopen tenminste geen saaie leraren in de weg als je bezig bent met zien en gezien worden.

Het eerste wat Tori doet is me meesleuren naar een winkel met riemen, tassen en sieraden.

'Iedereen kan zich een merkartikel veroorloven,' houdt ze me voor de vijfhonderdste keer voor. 'Gloednieuw, bedoel ik. Niet dat ik jouw Louis Vuitton niet vet vind, hoor. Top, zoals je stiefmoeder heeft uitgezocht dat het een echte is. Ik ben zo benieuwd naar haar. Misschien kan ik nog wat van haar leren.'

'Misschien kan zij nog wat van jou leren. Hip en modieus zijn zonder je als een snob te gedragen, bijvoorbeeld. En ze is mijn stiefmoeder niet!'

Tori trekt een wenkbrauw op.

'Oké, officieel wel, maar zeg alsjeblieft gewoon Kelly. Ik wil dat woord niet horen.'

'Katie, je hebt onverwerkte problemen! Je lijkt Albie wel. Je zou eens naar de schoolpsychologe moeten gaan, ik heb gehoord dat die oké is.'

'Niet nodig, ik heb geen problemen.' Althans, dat denk ik. 'Wat moet Albie bij een psycholoog?'

'Hij gaat er niet heen, maar dat zou wel goed voor hem zijn. Vraag het hem maar eens. Maar ik ben jouw shoptherapeute. Kom, we gaan een tas zoeken voor bij de jurk die je naar het schoolbal draagt.'

'Straks.' Ik wil niet aan het schoolbal denken. Tori weet dat Jake me nog niet heeft gevraagd. Ik heb ook nog geen geschikt moment gevonden om te zeggen dat het uit is met William, en de ui ligt ongebruikt in mijn kluisje. Misschien heb ik toch wel onverwerkte problemen. 'Laten we naar de eerste verdieping gaan,' stel ik voor.

Tori kijkt me bevreemd aan. 'Maar we ZIJN op de eerste verdieping... O wacht, die noemen jullie "begane grond".'

We nemen de roltrap en gaan boven nonchalant tegen de reling hangen die uitzicht biedt op de begane... eh, eerste verdieping. We kijken of er bekenden zijn. Tori ziet meteen iemand.

'O, god, Katie, daar heb je Jake! Ideaal, nu kun je over het schoolfeest beginnen.' Ze straalt helemaal.

Ik word niet goed. Ik ben er nog niet klaar voor! Maar zo gemakkelijk kom ik er niet van af bij Tori. Ze maakt zich de laatste tijd nog drukker om me dan anders, nu ze Greg niet meer zo vaak ziet.

Jake staat bij de fontein met een blond meisje te praten. Ik maak me meteen zorgen. Wie is dat? En bovendien...

'Jake zei dat hij vandaag moest trainen.'

Tori haalt haar schouders op. 'Ging zeker niet door. Greg heeft er niks over gezegd, maar ja... Moet je niks zeggen?' Ze geeft me een duwtje. 'Niet bang zijn. Hij is je vriend, weet je nog?'

O ja. Dat is waar. Ik leun over de reling en roep: 'Hoi, Jake, ik...'

Ik zwijg abrupt, want het meisje naast hem draait zich om en kijkt me recht aan. En het is Chelsea.

'Gaat het wel, Katie?' vraagt Albie.

'Kate,' mompel ik.

Hij slaat met de muis van zijn hand tegen zijn voorhoofd. 'O ja. Sorry. Tori noemt je nog steeds Katie.'

Het verbaast me dat Tori nog over me praat. O, nee! Als ze me maar niet samen uitlachen, met het coole groepje. Wat zullen Chelsea en Jake het straks leuk vinden om te horen hoe ik hier nu op het ijs zit. Ik weet wel dat Albie niet echt bij hun groepje hoort, maar hij is in ieder geval met hen bevriend. Ik hoor ze nog wel eens praten over feestjes bij hem in het souterrain.

Albie steekt zijn hand naar me uit. 'Je bent zeker niet gewend aan ijsbanen?'

Ik heb geen keuze, ik pak Albie's hand en laat me omhoogtrekken. Hij helpt me mijn evenwicht terug te vinden, zoals David dat net ook heeft gedaan. Mijn wangen gloeien en de rest van mijn lijf huivert.

'Zat je daar al lang? Kom, stap in, dan dweilen we samen de baan.'

Ik schaam me nog steeds, maar toch begin ik te lachen. Joehoe, ik mag meerijden op de zamboni!

Hij hijst me omhoog en ik kom onhandig neer, met mijn voeten opzij maar wel min of meer in zithouding. Altijd even charmant, die Kate. Albie springt behendig in de wagen en perst zich naast me achter het stuur. Er is maar één zitplaats.

'Ik heb altijd al eens op een zamboni willen zitten.' Het is eruit voordat ik het kan inslikken. Hoezo een echte nerd? Het is blijkbaar niet genoeg dat ik gered moest worden door de sportieve broer van een voormalige vriendin.

'Sst,' zegt Albie.

Ik kijk hem verbaasd aan.

'Je moet "dweilmachine" zeggen,' legt hij op overdreven fluistertoon uit. 'Laat de advocaten van Frank J. Zamboni het niet horen. Zamboni is een geregistreerd handselmerk. Dit is een goedkoper model van een ander merk.'

Ik wrijf lachend mijn handschoenen over elkaar. Albie start de motor en dan glijden we over het ijs. Hij praat veel en ik kan hem niet zo goed verstaan boven het gebrul van de motor uit, maar ik geloof niet dat hij antwoorden van me verwacht, dus geniet ik van de rit en kijk hoe er voor ons een hele sneeuwberg ontstaat.

'... bijna zevenhonderd kilo sneeuw,' zegt Albie, en: '... van gemiddeld twaalf minuten...'

Ik herinner me nog dat Tori klaagde dat haar broer zo'n nerd was, maar ik vind hem behoorlijk cool. Bij de kluisjes op school heb ik hem met Jake Matthews en de coole eerstejaars over sport horen praten, en in de rij van de kantine over wiskundige vergelijkingen met de Math Club of hoe die ook mag heten. Misschien is Albie wel een vreemde combinatie van cool en niet-cool. Hij is met iedereen bevriend en overschrijdt de grenzen die bepalen wanneer iemand een nerd is.

Ik vang nog een paar woorden op: '... apparaat veegt meer dan drieduizend kilometer per jaar...' Het klinkt ontzettend enthousiast.

Zo'n twaalf minuten later rijdt Albie de zamboni het glanzende ijs af, zet de motor uit en vraagt: 'Voel je je al wat beter?'

Ik knik en lach stralend naar hem. 'Dat was *brilliant*.'

Albie kijkt me aan. 'Geweldig, zoals jij praat. Mijn vader heeft gelijk: Britten hebben klasse.'

Klasse? Ik? Ik laat me uit de zamboni vallen als een olifant op stelten en weet nog net het zijschot van de ijsbaan vast te pakken als ik bijna weer val. Albie stapt aan zijn kant uit en zegt: 'Ik vind dit werk super, ook al kan ik dan minder vaak repeteren met de band. Maar ik wil mijn baas uit de brand helpen en de benodigdheden voor de band kosten veel geld. Ik weet wel dat je denkt dat mijn ouders rijk zijn, maar ik sta graag op eigen benen en eh...' Albie schopt tegen een hoop sneeuw die voor de dweilmachine ligt. 'Ja, ik rij graag op de zamboni.'

'Dweilmachine,' zeg ik.

'Dweilmachine.' Hij grijnst. 'Sorry. Zeg, heb je soms zin in een kop koffie? Er is hier vlakbij een Starbucks. Ik heb lunchpauze en jij kunt wel wat warms gebruiken.'

'Ik moet mijn vrienden gaan zoeken,' mompel ik. Ik speur zijn gezicht af naar tekenen dat hij me voor de gek houdt, maar die kan ik niet ontdekken. Dan kijk ik om me heen naar het ijs en wat ik van de kleedruimte kan zien, op zoek naar David en Rachel, maar ze zijn nergens te bekennen. Waarom hebben ze niet op me gewacht?

Ik gluur nog een keer naar Albie. Hij ziet er supergoed uit, met zijn stekeltjeshaar en die magere rocksterrenlook. Voor zover je eruit kunt zien als een rockster wanneer je winterkleding draagt die duidelijk is uitgezocht door je zus de stijlgoeroe. Wat zou Rachel zeggen als ze me hier met hem zag? Misschien wel niets, ondanks Albie's coole outfit. Misschien zou zelfs Rachel, met haar gouden medaille in afkraken, niets negatiefs over Albie kunnen bedenken.

Het moet heel fijn zijn om Albie te zijn, om je nooit zorgen te hoeven maken over wat anderen van je vinden.

Ik wou dat ik een mobieltje bij me had, of een *cell phone*, zoals ze hier zeggen. Mijn moeder wilde er een kopen, maar ze zei dat je dan een tweejarig contract moest afsluiten en ik heb gezegd dat het niet hoefde. Rachel en David hebben er wel een. Albie waarschijnlijk ook. Zal ik vragen of ik die mag lenen? Maar ik heb geen nummers van Rachel en David. Argh!

Als David me met Albie zou zien, zou hij dan jaloers worden? Misschien is dat net wat ik nodig heb om David zover te krijgen dat hij me een keer ECHT mee uit vraagt.

Als ik tegen Albie wil zeggen dat ik toch wel koffie wil gaan drinken, is het al te laat. Hij zegt: 'Eh, oké, een andere keer dan maar. Ik zal Tori de groeten van je doen.'

'Nee, niet doen!' Goed gedaan, Kate. Eerst beledig je hem door geen antwoord te geven op zijn vraag of je koffie met hem wilt gaan drinken en daarna beledig je zijn zus. 'Ik bedoel...'

'Geeft niet.' Ik weet niet of Albie geïrriteerd is. Hij schopt weer tegen de sneeuwhoop voor de zamboni.

Ik wil het echt graag uitleggen, maar Albie mompelt nog iets wat ik niet versta en loopt dan weg. Hij verdwijnt door een deur waar PERSONEEL op staat.

Ik hoop niet dat ik hem heb beledigd. Het lijkt wel of ik vandaag iederéén beledig.

Een tijdje houd ik me vast aan het zijschot en kijk naar de dichte PERSONEEL-deuren. Dan strompel ik weg. Er blijven natte schaatsafdrukken achter. De kleedruimte is leeg, op twee moeders na die een paar tegenspartelende kleuters hun schoentjes aantrekken.

Ik ga naar de plek waar Rachel, David en ik daarstraks onze spullen hebben achtergelaten, maar ik zie geen hippe, door Rachel beschilderde laarzen, alleen mijn eigen saaie schoenen.

Het kost me een uur om mijn schaatsen uit te trekken, althans, het lijkt wel een uur. Tegen de tijd dat ik mijn schoenen weer aanheb en ik naar de deur *moonwalk* omdat mijn voeten zo raar voelen zonder schaatsen, zijn zelfs de moeders met hun kinderen weg. Ik loop de schaatshal uit en doe mijn best om niet in paniek te raken. Wat nu? Hoe kom ik thuis?

Het is echt niet zo dat ik nooit eerder een bus heb genomen. Heus wel. In Sufgehucht ging ik altijd in mijn eentje met het openbaar vervoer, net als iedereen. We namen de bus naar school en in het weekend de trein om te gaan winkelen. Dat stelde niks voor. Maar hier heb ik het nog nooit gedaan. Hailey had dus toch gelijk over de autocultuur in Amerika. Een leuk moment om daarachter te komen.

Ik weet dat het openbaar vervoer in Boston 'de T' heet, dus ik ben blij als ik op de stoep een besneeuwd bord zie waar T op staat. Het is duidelijk een bushalte. Maar er staat geen geruststellend busnummer of tabel met vertrektijden bij. Moet ik hier wachten? Ik herinner me nu dat Rachel tegen haar moeder zei dat we de trein zouden nemen, dus besluit ik op zoek te gaan naar een treinstation.

Ik loop in de richting van de spoorlijn die ik in de verte zie liggen, en het station blijkt niet meer te zijn dan een bord naast de rails, die trouwens dwars over de weg lopen. De vertrektijden hangen erbij, achter zwaarbekrast glas. Ik tuur er een eeuwigheid naar, maar bij ZONDAG staan maar drie treinen: 9.30, 10.30 en 11.30. Ik weet niet hoe laat het is, maar we waren om een uur of tien bij de ijsbaan, en aangezien ik rammel van de honger moet het wel later zijn dan halft waalf. Zouden Rachel en David de trein van half twaalf hebben genomen? Waarom zijn ze me niet komen halen?

Als ik echt de laatste trein heb gemist, hoe kom ik dan thuis? Ik zie hier geen taxi's en bovendien heb ik maar tien dollar en nog wat kleingeld op zak. Ik had niet verwacht dat ik meer geld nodig zou hebben. En mijn moeder is weer op stap met Snorremans Rashid. Ze heeft geen tijd meer voor me. Waar komt die gedachte opeens vandaan? Ik sta te klappertanden.

Goed, ik ga Rashid bellen. Op het perron is een munttelefoon. Maar hoe vind ik het nummer? Ik pieker me suf over zijn achternaam – het was iets Frans. Ineens mag ik Rashid helemaal niet meer. Het is een moederinpikker. Een 'ond van een moederinpikker. Ik heb het nummer van Inlichtingen niet eens. En al had ik het wel, ik kan toch moeilijk bellen en vragen naar het telefoonnummer van iemand wiens naam ik niet weet? Rashid Le-Croissant? Net iets voor mij om mijn moeders slechte geheugen voor namen net NU over te nemen.

Help.

Ik ben gestrand.

Er valt iets wits op mijn neus. Ik sla het weg met mijn handschoen, maar dan komt er nog meer bij. De lucht vult zich met witte stippen.

Mooi.

Koud.

Ik ben gestrand en alleen. En het sneeuwt keihard.

Wat een geweldig leven heb ik toch.

Chelsea zwaait nonchalant naar me, alsof ze niet met mijn vriend in de mall staat. Mijn vriend, die me heeft wijsgemaakt dat hij moest trainen. Ik weet ook wel dat ze met elkaar bevriend zijn, maar als ik hem op dit moment nog één keer Cookie tegen haar hoor zeggen, verkruimel ik haar.

Kon dat maar.

Tori kijkt verbaasd, maar ze herstelt zich snel. 'Hoi, Chelsea!'

'Ha, Tori.' Tegen mij zegt Chelsea niks.

Jake lijkt niet bepaald blij me te zien, maar hij toont geen enkele emotie. Ik vraag me af of hij eigenlijk wel gevoel heeft, behalve als het om sport gaat – en om alles wat met het derde honk te maken heeft.

Hij knikt naar me.

'Ik had jullie hier niet verwacht!' roept Tori. 'Zijn de anderen er ook? Is Bryce erbij? Heb je Greg gezien?'

Jake wijst naar zijn oor en schudt zijn hoofd.

'Wacht, we komen eraan!'

Ik volg Tori in een roes. Op de roltrap fluistert ze tegen me: 'Niks aan de hand, Katie. Ze zijn al heel lang vrienden, weet je nog?'

Ik doe mijn best om me geen zorgen te maken.

'Hoi,' zeg ik tegen Jake als we beneden aankomen.

'Hoi,' zegt hij terug. Zodra ik zijn 'hoi' hoor, gaan mijn lippen in de zoenstand staan – dat zijn ze zo gewend. Maar er wordt niet gezoend. Ik friemel aan mijn haar.

'Is de training afgelast?' vraagt Tori.

'Nee, ik ben niet gegaan.'

'O,' zeg ik. De training is Jake's leven. Waarom zou hij spijbelen om met Chelsea naar de mall te gaan? Ik moet hard met mijn ogen knipperen.

'Katie en ik zijn aan het shoppen voor het schoolfeest,' zegt Tori.

Ik kijk haar geschrokken aan. Niet nu, probeer ik haar met mijn ogen duidelijk te maken. Dit is het VERKEERDE moment om Jake hints te geven over het winterbal.

Maar mijn ogen geven de boodschap blijkbaar niet goed door, want Tori gaat gewoon verder: schoolbal dit en schoolbal dat.

Ik verplaats mijn gewicht naar mijn andere been en gluur naar Jake. Na een tijdje kijkt hij op en glimlacht loom. Zijn prachtige, verschillend gekleurde ogen zenden die smeulende blik uit. Ik lach opgelucht terug. Misschien moest Chelsea hem dringend iets vertrouwelijks vertellen over haar familie. Waarom zou hij niet een training voor haar overslaan, als zorgzame vriend?

'En Bryce kan aan een fust bier komen,' zegt Chelsea.

Ik ben helemaal opgelucht dat ze het over Bryce heeft en over zijn connecties om drank te regelen voor het feest bij Tori. Waar maakte ik me nou zo druk om? Chelsea gaat gewoon met Bryce naar het schoolbal.

'Jij komt toch ook?' vraagt Tori rechtstreeks aan Jake.

Ik staar naar de grond en krimp in elkaar.

Jake zegt: 'Ja, ik denk het wel.' Er valt een korte stilte.

'Mooi zo.' Tori slaat haar handen ineen en knikt. 'Chelsea, ik zag net een... ding dat perfect zou zijn voor het feest, schitterend, dat MOET je zien...' Ze loopt al pratend weg.

Chelsea aarzelt, maar dan zegt ze: 'Ik zie jullie zo', en ze loopt achter Tori aan.

'Tori pakt het niet erg subtiel aan, hè?' zeg ik tegen Jake. Pff, en ik zeker wel!

'Huh?' zegt Jake. Hij staart naar Chelsea in de verte en ik kan hem wel slaan. Hij is MIJN vriend. Chelsea heeft Bryce. Zijn vriend Bryce.

'Eh, over het feest...'

'O ja, het schoolfeest,' zegt Jake, en hij haalt een hand door zijn haar. 'Ga ik met jou?'

Dat weet ik dus niet, zou ik willen zeggen. Zeg jij het maar.

'Eh,' zeg ik. 'Ja? Waarom niet.'

'Chelsea zei dat je vader dan komt met vrienden uit Engeland. Ik nam aan dat je wel met William naar het feest zou willen.' Hij spreekt Williams naam heel langzaam uit.

Niet te geloven. Hoe komt hij erbij? Had ik William maar nooit verzonnen. Overal waar hij... niet komt ontstaan problemen.

'Nee, mijn vriendin Hailey komt mee,' leg ik uit. 'Pas de dag na het schoolbal, trouwens. Niet William.'

'Een vriendin? Je hebt het nooit over haar.'

Er zijn zoveel dingen waarover ik het nooit heb.

Ik moet van William af. En voor uien heb ik nu geen tijd. 'Jake, het is uit met William. Eigenlijk was er al heel lang niks meer tussen ons, maar ik wachtte steeds op het juiste moment om het jou... eh, hem te vertellen. Hij had het moeilijk met eh... zijn examens. Nee, zijn ouders.' Ik had hier van tevoren over na moeten denken. 'Het examen van zijn ouders. Ehm.'

'O.' Ik heb wel eens een hartelijkere glimlach gezien, maar toch werkt het bemoedigend.

'Ik wil geen verkering meer met William. Ik wil jou.' Ik pak zijn hand.

Hij trekt me naar zich toe en zoent me. Drukt zijn lijf tegen het mijne. Nu ben ik pas echt opgelucht. De coolste jongen van de school is nog steeds mijn vriend en Chelsea is gewoon een vriendin van hem. William is van de baan en alles komt goed.

'Weg met William,' zegt Jake als we even stoppen om adem te halen. Hij kijkt heel blij. Hij moet me wel echt leuk vinden.

Ik knik.
'Betekent dat dat we het nu echt kunnen doen?' Hij wacht niet op antwoord en begint me weer te zoenen, wilder. 'Wat ben je lekker, Katie.'
O, dus DAAROM is hij zo blij.
Ik wacht tot zijn lippen naar mijn hals gaan. 'Ik dacht dat jij van honkbal hield in plaats van voetbal.' Ik probeer het luchtig te laten klinken.
Jake kijkt op van mijn hals. 'Huh?'
'Je weet wel, dat verhaal met de honken. Jij gaat ineens recht op je doel af, maar we hebben het derde honk toch nog niet gehad?' vraag ik zo speels als ik kan.
'O.' Hij knijpt me bijna fijn. 'Ja, oké. Zal wel.'
Hongerig likt hij aan mijn oor. Zo valt het niet mee om na te denken. Zijn armen glijden naar mijn rug. Mijn knieën worden slap. Ik zucht.
'Dus we gaan het doen?' mompelt hij.
Help! Wat gaan we doen? We hadden het toch over het derde honk? 'Wat?' vraag ik. Het komt eruit als gepiep.
'Samen naar het schoolbal. Op het feest daarna kunnen we dan mooi... je weet wel. Al die honken langs.'
Ik had me de uitnodiging voor mijn allereerste Amerikaanse schoolfeest heel anders voorgesteld. Zo gaat het niet in de vele films die ik heb gezien. Waar slaat dat op, dat Jake van tevoren regelt wat we gaan DOEN, hoe ver we gaan? Zulke dingen horen toch gewoon te GEBEUREN, ongepland? Of op z'n minst een beetje spontaan.
'Jongens!' Tori zwaait. Chelsea sjokt met een verveeld gezicht achter haar aan. Tori komt stralend naar ons toe en kijkt me aan alsof ze wil zeggen: Heeft hij je al gevraagd?
'Natuurlijk ga ik met je naar het feest, Jake,' zeg ik extra hard. Kinderachtig van me, maar ik geniet van Chelsea's vernietigende blik.

'Mooi,' zegt Jake, een stuk zachter dan ik, maar dat is niet zo moeilijk.

'Katie, je zei toch dat je Britse vriend kwam?' vraagt Chelsea aan mij. Haar stem klinkt onschuldig, maar haar ogen zijn net stenen.

'Mijn vriendín. Hailey.' Waarom vraagt iedereen daar toch naar? 'Met mijn vader en Kelly en mijn kleine zusje Lolly. Ze komen de dag na het schoolfeest.'

'En William?'

O, nou snap ik het. Dus Chelsea is degene die tegen Jake heeft gezegd dat ik met William naar het feest ging. Geeft niet, ik heb het al opgelost.

'Nee,' zeg ik treurig. 'Het is uit.'

Ha! Als Chelsea zich in haar hoofd had gezet om mijn vriend in te pikken, kan ze dat nu mooi vergeten.

'Ach, echt waar?' Chelsea voegt nog wat extra suiker aan haar stem toe. Ik word er een beetje misselijk van. 'Heb je Jake dat wijsgemaakt?'

'Het is echt zo,' verdedig ik me.

'Ach, het is ECHT zo?' zegt Chelsea langzaam, terwijl ze Jake aankijkt.

Ik krijg het opeens heel warm. Er klinkt een bonzend geluid in mijn oren. Wat weet ze precies?

'Chelsea...' zegt Tori. Ze kijkt van mij naar Jake naar Chelsea en weer terug. Haar gezicht is een en al bezorgdheid.

O, god, o, god. Wat heeft ze hun VERTELD? Heeft Tori aan Chelsea verteld dat ik William verzonnen heb?

Dat zou ze me toch niet aandoen? Tori is mijn vriendin. En als ze het er per ongeluk uitgeflapt had, zou ze me toch wel gewaarschuwd hebben?

Mijn oren gaan van woesj-woesj-woesj.

'Dus je hebt Jake de WAARHEID verteld over William?'

vraagt Chelsea net zo poeslief als daarnet, maar met nog verder dichtgeknepen oogjes.

In de stilte werkt de ingeblikte muziek helemaal op mijn zenuwen.

'Rustig maar, Cookie, het is oké,' zegt Jake.

'Nee, Jake, het is niet oké. Katie heeft tegen je gelogen. Maandenlang. Vind je dat dan niet erg?'

'Tori, heb je het hun verteld?' Ik heb een piepstemmetje van pure paniek. 'Dat William niet bestaat? Heb jij verteld dat hij een verzinsel van me is?'

Chelsea kijkt Jake triomfantelijk aan. 'Zie je wel!'

Jake fronst zijn voorhoofd. Er valt weer een stilte.

Chelsea zegt: 'Wat ZEI ik nou, J.? Maar je moest zo nodig het meisje met het leuke accent scoren.' Ze zet een idioot stemmetje op en doet Jake helemaal verkeerd na. 'Katie is een leuke meid.' Ze zwiept haar haar naar achteren. 'Een leuke leugenaar, zul je bedoelen!'

Daar heb ik niets op te zeggen.

Jake zegt: 'Katie, was William een verzinsel? Al die tijd?' Zijn frons wordt dieper.

O, god. Hij gaat het uitmaken, en terecht. Niet om een of andere oppervlakkige reden, niet omdat ik de verkeerde kleren draag of zo.

In plaats van dit op te lossen, draai ik me om naar Tori. Ze schudt haar hoofd. Ik ga harder praten. 'Waarom? Waarom heb je het haar verteld? Ik heb jouw geheim over Carl toch ook aan niemand doorverteld?'

Tori wordt bleek.

Het kan me niet meer schelen. Ze heeft mijn geheim doorverteld! Ze heeft alles verpest!

'Over Carl? Carl Earlwood, Kristy's Carl?' vraagt Chelsea. Ze kijkt Tori aan.

Tori schudt nog een keer haar hoofd. Ze zet heel grote ogen op.

'Ja, dat Tori met Carl naar bed is geweest.'

O, god, wat zeg ik nou?

'Dat is al heel lang geleden. Voordat hij iets met Kristy had. Het stelde niks voor,' zegt Tori snel. Ze ziet eruit alsof ze ieder moment in tranen kan uitbarsten en kijkt wild om zich heen, alsof ze een ontsnappingsmogelijkheid zoekt.

'Interessant,' zegt Chelsea, en ze glimlacht naar me. Eén belachelijke seconde lang ben ik blij dat ze nu mijn kant kiest. 'En weet Kristy dat?'

Tori's gezicht betrekt nu helemaal. 'Het stelde niks voor,' zegt ze nog een keer, iedere lettergreep even toonloos.

Jake leunt tegen de muur. Hij ademt diep in en blaast de lucht weer uit. Alsof hij staat te roken zonder sigaret. 'Cookie,' zegt hij. 'Laat toch zitten. Carl Earlwood is een ontzettend watje. Kristy is een aanstelster. Bemoei je er niet mee, het is niet belangrijk.' Hij blaast een reeks onzichtbare rookkringels uit.

'Misschien is het wél belangrijk,' zegt Chelsea. 'Dat bepaal ik zelf wel.'

'Ik... ik moet gaan,' zegt Tori. Ze kijkt me niet aan en rent het drukke winkelcentrum in.

Ik moet me bedwingen om niet achter haar aan te hollen. Alsof ze mij nu zou willen spreken.

'Nou, Jake? Wil je nog steeds met Katie naar het feest nu je DAT weet?'

'Ja, hoor. Zo erg is het niet. Katie en ik komen er samen wel uit.' Hij kijkt me aan met die glinstering in zijn verschillende ogen.

'Jij bent niet normaal, Jake Matthews. Niet normáál.' Chelsea beent vol afkeer weg en zwiept nog een keer haar haren over haar schouder.

Jake glimlacht traag naar me, een beetje verontschuldigend. 'Trek je maar niks van haar aan, ze maakt zich altijd druk om niks.'

Mijn maag rommelt nog steeds. 'Dit is niet niks.'

Hij haalt zijn schouders op. 'Katie, ik weet niet wat voor idiote reden je had om al die tijd tegen me te liegen, maar ik ben eigenlijk wel blij dat William nooit bestaan heeft.' Zijn prachtige ogen schieten nu vuur.

Dan kust hij mijn oor en zegt: 'Nu staat niets ons nog in de weg, Katie. Eigenlijk al die tijd al niet, hè? Je was gewoon bang. Had dat toch gezegd. Maar je zult het vast fijn vinden, dat beloof ik je.' Hij zuigt aan mijn oorlelletje. Dat is lekker, maar... ik kan me niet concentreren.

'Ik moet gaan,' mompel ik.

Eerlijk gezegd heb ik weinig zin om hier met Jake te blijven. Ik ben gekomen om te shoppen met mijn beste vriendin.

En wiens schuld is het dat ze ervandoor is?

O.

In plaats van Jake een afscheidskus te geven, zoals ik natuurlijk had moeten doen, zwaai ik heel suf naar hem.

Als ik me omdraai, geeft hij een mep op mijn kont, zoals die keer in de kast, duizenden zoenen geleden.

Ik giechel niet zoals die dag, en zoals ik sindsdien bijna iedere keer heb gedaan. Ik zeg niks. Met hangende schouders loop ik weg.

Als ik hier nog lang blijf zitten, verander ik in een sneeuwpop. Ik lijk er nu al heel aardig op, met de grote, dikke muts die ik bij de tweedehandswinkel heb gekocht. Daarstraks had ik geen zin om hem op te zetten, met David en Rachel erbij, want Rachel heeft een keer gezegd dat het net is alsof ik een kat op mijn hoofd heb als ik hem draag. Ik moet toegeven dat ik de muts eerder heb gekocht omdat ik hem leuk vond dan uit praktische overwegingen. Ik kon toch niet weten dat ik hem nog eens ECHT nodig zou hebben? In Sufgehucht sneeuwt het een dag of twee per jaar; een laagje nat, wit spul dat al snel verandert in grijze drab. We klagen er allemaal over en iedereen heeft moeite om op school te komen, en op het nieuws hoor je dan meteen hoeveel de sneeuw het bedrijfsleven kost. Onze voeten en de auto's van onze moeders komen vast te zitten in de smurrie. Dan trekken we huiverend sjaals en handschoenen aan en zetten onpraktische mutsen op zoals Moggy de Kat, die ik nu op mijn hoofd heb.

Maar hier is het anders. Hier is het echt koud en dit is echte sneeuw. En de auto's lopen niet vast, niet eens zogenaamd. Ze hebben allemaal de ruitenwissers aanstaan en iedereen rijdt gewoon door. Zoiets heb ik nog nooit gezien. Al kan ik niet al te veel zien door die mooi dwarrelende, dikke witte vlokken. Ze blijven liggen op de rand van Moggy en op mijn schouders en bovenbenen. Ze kringelen om me heen en de vlokken worden steeds groter. Ik steek mijn tong uit om er een op te vangen. Hij is nat en smaakt nergens naar en het heeft iets magisch. Als ik het niet zo koud had en niet helemaal werd bedekt door de sneeuw, zou ik hier wel eeuwig willen blijven zitten.

Maar nu moet ik ergens schuilen. Ik kan me niet herinneren dat ik op weg naar dit vreemde station langs een Starbucks ben gekomen, maar er moet er een zijn. Zou Albie er zitten? Was hij sowieso van plan om erheen te gaan, ook al ging ik niet met hem mee?

Ik sta op en sjok terug in de richting waar ik vandaan gekomen ben, genietend van het zachte gekraak van de sneeuw onder mijn voeten. Ik maak een spoor met mijn effen zwarte, onbeschilderde schoenen. Daar heb je de bushalte weer, maar er is nog steeds geen bus te bekennen. Als ik langs de ijsbaan loop, kijk ik voor alle zekerheid nog een keer naar binnen. Ik zie een groep jongens met ijshockeysticks en allemaal dezelfde beige-met-bruine sweatshirts, en een man die bevelen naar hen blaft. Geen David, geen Rachel.

Achter de ijsbaan is een filiaal van de Milltown Citizens Bank, met een grote hal en een geldautomaat. Door de zachte vloerbedekking ziet het er bijna uitnodigend uit. Net als ik overweeg om in te breken en er te gaan schuilen, zie ik Starbucks.

Ik duw de deur open en ga naar binnen, waar ik de sneeuw van me af schud als een hondje dat in een plas heeft gezwommen. Er zou nu trouwens best een hondje kunnen zwemmen in de plas die ik op de vloer maak, met alle sneeuw die er van Moggy af komt. Het duurt even voordat ik aan de schemerverlichting gewend ben, na het felle wit van de sneeuw buiten. Eerst lijkt het alsof er niemand is, op een verveeld kijkend meisje met een paardenstaart na, dat sloom het koffieapparaat staat op te poetsen. Ze knikt naar me.

Dan zie ik hem zitten, in de hoek. Albie, geconcentreerd over een tijdschrift gebogen, met een grote beker koffie. Mijn verandering in een sneeuwpop heeft me moed gegeven, en ik loop naar hem toe en zeg 'hoi'.

Hij schrikt zo dat hij koffie knoeit op zijn tijdschrift. Hij dept het op met een servetje.

'Sorry, ik wilde je niet aan het schr...'

'Nee, sorry. Normaal gesproken ben ik niet zo onhandig. O, heel mijn haar zit onder!'

'Nee echt, het spijt me, ik... Hè?' Hoe kan er nou koffie in zijn HAAR zitten?

'Hier, kijk maar. Ik heb een schoonheidsvlekje op mijn slaap en ik zie eruit alsof ik een toupetje draag.' Hij wijst op het tijdschrift. Daar staat een foto van hem waarop hij poseert met zijn gitaar, en zijn gezicht zit vol bruine vlekken. 'Wat stom van me om zo te knoeien. Ik had dat artikel willen bewaren voor mijn moeder – eh, voor de band, bedoel ik.' Hij strijkt zijn haar uit zijn gezicht met de hand waarmee hij zijn koffie vasthoudt, en nu heeft hij een koffievlek in zijn gezicht op dezelfde plek als de Albie van de foto. Ik moet erom lachen.

'Ik sta nu eenmaal niet iedere dag met mijn foto in de *Improper Bostonian*.'

'Dus dat is nogal wat?'

'Best wel. Het blad wordt veel gelezen op scholen en misschien houden we er nog een optreden aan over of... Wacht even, je zit weer te bibberen. Zal ik koffie voor je halen?'

Ik ben zo gewend geraakt aan het bibberen dat ik het zelf niet eens doorhad. 'Graag,' zeg ik dankbaar, en ik ga op de stoel tegenover Albie zitten.

'Wat vind je er eigenlijk van?'

Even ben ik van mijn stuk gebracht. Iedereen vraagt me hoe het me bevalt om in Amerika te wonen, maar ik had de vraag nu niet verwacht, niet van Albie.

'Gaat wel,' zeg ik. 'Maar ik denk toch dat ik na de kerst naar huis ga.'

Albie kijkt me niet-begrijpend aan. 'Hmm?'

Misschien is de kou naar mijn hoofd gestegen, of het komt door Albie dat ik me zo op mijn gemak voel, maar om de een of andere reden flap ik er uit: 'Je weet het, hè? Je was erbij. Je weet wat er is gebeurd met Jake Matthews en zo. Ik heb een slechte start gehad op The Mill. Ik had eigenlijk al willen vertrekken. Maar toen ben ik met een paar anderen opgetrokken, alleen hebben die me nu ook laten zitten. Het zal wel aan mij liggen.' Ik begin te sniffen en er valt een grote druppel op Albie's tijdschrift. Dat moet wel een sneeuwvlok zijn die van Moggy af komt – ik zit toch niet te huilen? Wacht, misschien toch wel. De volgende traan komt op de foto van Albie terecht en loopt uit over zijn neus.

Nee, hè? Die jongen schiet me te hulp en ik toon mijn dankbaarheid door zijn dag én zijn foto in een tijdschrift te verpesten.

'Sorry! Heb ik het nou nog erger gemaakt?' Ik snuf en er valt nog een grote traan, maar ik kan hem net op tijd opvangen met mijn natte handschoen.

'Nee, dat is juist goed. Als hij ver genoeg uitloopt, wordt het bruin een beetje minder. Stil maar. Hier.' Albie gaat staan, geeft me het servetje vol koffievlekken en kijkt nerveus naar de bar, alsof hij niet weet of hij iets moet zeggen of niet. Misschien probeert hij zijn ontsnapping te plannen, weg van het gestoorde Britse meisje.

'Ik, eh... bedoelde eigenlijk... wat je van de koffie hier vindt,' zegt Albie, en als ik kreunend mijn hoofd in mijn handen leg, voegt hij eraan toe: 'Maar dat geeft niet, ik wil ook graag weten hoe het je hier bevalt. Laat me dan eerst even een kop koffie halen, volgens mij kun je die wel gebruiken.'

'Eh, doe maar gewone koffie,' mompel ik door mijn handen heen, en ik ben opgelucht als Albie zonder verdere vragen naar de toonbank loopt. Ik word gek van al dat middelgroot-met-magere-melk-zonder-cacao-gedoe hier in dit land.

Ik trek Albie's tijdschrift naar me toe en lees het artikel. Ze noemen Albie 'het grote nieuwe talent van de schoolband Madison Rat, met teksten die zijn geïnspireerd door de jaren-negentigserie *Buffy the Vampire Slayer*'. Nu weet ik waarom de naam van de band me zo bekend voorkwam.

Albie komt terug met mijn koffie en een muffin. 'Alsjeblieft,' zegt hij.

Goh, hoe wist hij dat ik rammel van de honger? 'Onwijs bedankt,' zeg ik een paar keer. Dan wijs ik op het artikel. 'Madison Rat, komt dat van de heks uit *Buffy*, Amy Madison?'

Albie lacht stralend naar me. 'Wauw! Hoe wist je dat? Dat snapt nooit iemand!'

Ik lach terug. '*Gingerbread*, seizoen 3, aflevering 11.' Ik neem een enorme hap van de muffin.

'Jij bent echt tof!' zegt Albie. 'Ik bedoel, eh... cool. Eh... welk seizoen vind je het mooiste?'

Ik houd mijn koffie met twee handen vast.

'De winter,' zeg ik zonder erbij na te denken.

Albie kijkt me weer bevreemd aan. 'Ja, de winter is mooi,' zegt hij dan, 'maar ik bedoelde welk seizoen van *Buffy* je het mooiste vindt. O, wacht! Dat was natuurlijk je Britse humor, hè?'

'Eh, nou nee.' Het is net alsof ik niet kan ophouden voordat ik mezelf zo volledig mogelijk voor schut heb gezet. Ik haal diep adem en probeer het opnieuw. 'Seizoen 6.'

'Echt waar? Interessant. Ik heb nooit eerder iemand seizoen 6 horen zeggen.'

'Ik vind het mooi dat Buffy zichzelf eigenlijk weer helemaal opnieuw moet ontdekken, snap je, na de grote veranderingen in haar leven. De manier waarop ze dat doet, vind ik heel goed. Alsof ze niet meer weet wie ze is – niemand weet nog wie ze is. Daardoor heeft ze de vrijheid om te worden zoals ze wil zijn.'

'Zo heb ik het nooit bekeken. Ik vond gewoon de monsters nooit zo goed. Zelf hou ik meer van seizoen 2.'

'*Duister melodrama*? *De ware pijn van liefde*?'

Albie grijnst. 'En het is het seizoen waarin Willow er op haar best uitziet.'

Ik lach en neem een grote slok koffie. Ik ben eindelijk ontdooid.

'Hoewel in seizoen 6 ook die gezongen aflevering zit, die vond ik vet,' zegt Albie.

'Zou het niet leuk zijn als iedereen zong in plaats van praatte?'

'Voor mij wel. Super. Ik zing stukken beter dan dat ik praat.'

Zo zitten we een hele tijd te kletsen, over school en het leven en alles. Ik vertel over Hailey en hij over zijn vrienden in de band. Dan stelt hij me de gevreesde vraag. 'Waarom trek je niet meer met Tori op? Ze mist je bezoekjes.'

Ik weet niet wat ik moet zeggen. Hij zal het toch wel weten?

'Sorry, het gaat me ook niks aan... Ik weet wel wat er is gebeurd, maar...'

Ik kijk naar Albie's donkere ogen en naar zijn donkere haar. Hij lijkt totaal niet op de rest van de familie Windsor, met dat ernstige gezicht en die rode wangen bij zijn verder mediterrane huid.

Wauw, wat ziet hij er goed uit.

Ik zet de gedachte uit mijn hoofd. Het lijkt wel of ik knettergek ben geworden sinds ik in Amerika ben.

'Je lijkt helemaal niet op je zus,' zeg ik dan, om te verklaren waarom ik zo naar hem zit te staren.

'Dat komt doordat ik geadopteerd ben.'

Ik begin te lachen, maar Albie lacht niet mee.

'Nee, echt. Dat Tori je dat nooit heeft verteld. Ik weet het al mijn hele leven, ik zit er niet mee. Mijn ouders snakten naar een koninklijke Windsorbaby, maar die kwam niet. Het heeft ze jaren gekost om alle papieren voor de adoptie te regelen, en door al die stress merkte mijn moeder pas dat ze zwanger was van Tori toen ik er al was.' Hij grijnst. 'Ik ben het gewenste kind en zij is het ongelukje.'

Deze keer moeten we allebei lachen. Albie gaat overal zo relaxed mee om.

'Ik weet ook wel dat ik niet op hen lijk. Ik ben het donkerharige schaap, maar ik maak evengoed deel uit van de koninklijke familie. Albert en Victoria Windsor.'

'Nee! Heet je officieel Albert? En Tori is natuurlijk...'

'Nou, je mag ons gewoon Albie en Tori noemen, hoor,' zegt hij grinnikend. 'Maar ik geloof dat ik er soms toch meer moeite mee heb dan ik denk. Dat ik geadopteerd ben, bedoel ik. Ik wil mijn eigen geld verdienen, ook al krijg ik flink wat zakgeld van mijn vader.'

'O.'

'Maar ik heb een heel hechte band met Tori en ik weet dat ze je mist.'

'Nou, ik denk het niet.'

'Jawel, echt waar. Ze was zo blij met je komst. Ik weet dat het niet lekker gaat met haar andere vriendinnen. Die Kristy Melbourne lacht haar uit en Chelsea is nog erger dan haar moeder... De rest praat altijd met Chelsea mee. Soms zou ik ze wel eens willen vertellen...' De agressieve grimas past totaal niet bij Albie's gezicht, maar dan haalt hij zijn schouders op en ontspant zich weer, tot zijn gebruikelijke glimlach terug is. 'Ach, ik ben haar nerdy grote broer maar, wat weet ik er nou van? Het zijn HAAR vrienden, ze kan wel voor zichzelf opkomen. Vroeger nam ze het zelfs voor míj op, op de lagere school.' Hij lacht en speelt met zijn koffiebeker.

'Daar geloof ik niks van,' zeg ik.

'Ik zweer het. Toen ze zes was, kon je gerust bang voor haar zijn. Jongetjes van zeven hadden geen schijn van kans. Vraag het haar maar eens.'

Ik draai rondjes met mijn koffiebeker. 'Ik kan niet meer met haar praten na, eh...' Ik kijk hem niet aan. Hoe zijn we ook alweer op dit onderwerp gekomen? 'Na dat feest. Je weet wel.' Ik houd mijn blik strak op de rondtollende koffie gericht.

'Ik weet dat ieder verhaal twee kanten heeft,' zegt Albie.

Ik kijk op en vang zijn blik.

'Wist je dat ik nog achter je aan ben gegaan? Ik maakte me zorgen om je.'

Ik geloof mijn oren niet. 'Was JIJ die stalker? Ik was als de dood. Heel even, bedoel ik.'

'Sorry. Ik riep je nog, maar je was me veel te snel af. Zit je op hardlopen of zo?'

'Ik ging in Engeland regelmatig lopen met Hailey, maar het is haar hobby, niet de mijne.'

Ik laat mijn koffie nog een keer ronddraaien. Een tijdje zeggen we geen van beiden iets.

'Albie? Heb jij wel eens iets gezegd of gedaan waarvan je later spijt had?' vraag ik zonder hem aan te kijken. 'Vraag je je nooit af hoe het leven gelopen zou zijn als je dat niet had gezegd of gedaan? Ik weet niet wat me die avond bezielde. Ik weet zeker dat ik gelukkiger zou zijn als... Ik denk dat alles dan oké zou zijn, maar ik kan het niet... je weet wel.' Hoe haal ik het in mijn hoofd om dit met Albie te bespreken? Met een jongen! Niet te geloven. Ik praat met hem alsof hij Hailey is. Meestal vind ik het hartstikke eng om met een jongen te praten. Met David kan ik dat helemaal niet.

'Maak je geen zorgen, je moet gewoon jezelf zijn. Wat kun je anders doen?' zegt Albie.

'Maar wie is "mezelf"?' Ik gluur door mijn wimpers heen naar hem om te zien of hij niet naar me kijkt alsof ik gek ben. Maar dat doet hij niet. Hij kijkt heel begripvol naar me. Ik besluit door te gaan. 'Ik bedoel, ik ben mezelf bij mijn moeder en ik doe anders tegen Hailey. En toch ben ik bij allebei... ik. Een andere ik. Snap je? En bij mijn vrienden ben ik ook mezelf.' Althans, dat denk ik. Alleen ben ik bang voor Rachel en word ik nerveus van David. Dus misschien ben ik toch niet mezelf. Eigenlijk ben ik bij Albie meer mezelf, maar dat zeg ik maar niet. 'Er is dus meer dan één ik. Welke moet ik nu zijn?'

'Ik geloof dat ik wel begrijp wat je bedoelt.'

Ik glimlach. Hij glimlacht terug. Zo zitten we een tijdje te glimlachen.

Albie verbreekt de glimlachstilte. 'Zou het niet mooi zijn als we allemaal gewoon onszelf konden zijn en konden zeggen wat we willen tegen wie we maar willen?'

'Misschien zou dat ook wel saai zijn.'

'Ik denk het niet.' Albie kijkt alsof hij er nog iets achteraan wil zeggen, maar dan gaat zijn telefoon. Ik kijk toe als hij in zijn zak graait.

Dus zo voelt het om vrienden te zijn met een jongen op wie je niet verliefd bent. Dat heb ik nog nooit meegemaakt.

Het doet me weer aan David denken, aan die bijna-zoen vandaag op de ijsbaan. Had ik het gewoon moeten doen in plaats van te aarzelen? Was ik dan trouw gebleven aan mezelf? Ik denk het wel. Ik voel mijn gezicht gloeien bij de gedachte. Ik hoop dat David me nu aan het zoeken is.

'Is Chelsea thuis?' zegt Albie in de telefoon. Hij wendt zich een beetje van me af en dempt zijn stem. 'O, bij Kristy? Aha. Geeft niet, maakt u zich geen zorgen. Ik kom al.' Hij drukt de beller weg en kijkt me verontschuldigend aan. 'Ik moet gaan. Sorry.'

'Geeft niet.' Wat een raar gesprek.

'Zal ik je thuis afzetten? Ik ga naar de familie Cook, dat is vlak bij jou, toch?'

'Chelsea Cook? Ga je naar Chelsea's huis?'

Albie kijkt een beetje ongemakkelijk. 'Ja,' zegt hij dan. 'Rij je mee?'

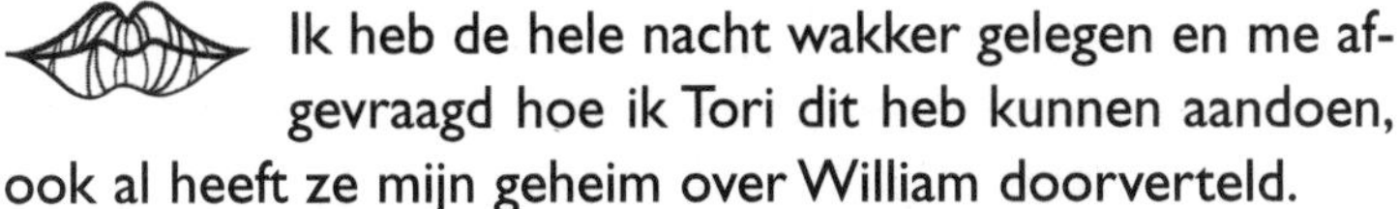

Ik heb de hele nacht wakker gelegen en me afgevraagd hoe ik Tori dit heb kunnen aandoen, ook al heeft ze mijn geheim over William doorverteld.

Het heeft flink gesneeuwd. Voor mijn raam is de straat wit en sprookjesachtig. Zelf voel ik me donker en afschuwelijk. Ik moet Tori hierover spreken, maar ik denk niet dat ze ooit nog met me wil praten.

Ik loop de kamer van mijn moeder in. Misschien kan ik mijn hart bij haar luchten en haar om advies vragen. Maar ze is druk in de weer met kleding en make-up, precies zoals ik doe voordat ik met Jake uitga.

'O fijn, je bent al op! Ik ga vandaag een dagje uit met Rashid, naar een prachtige beeldentuin en daarna lunchen en... Wat denk je, Kate, kan ik dit aan? Is het niet overdreven voor overdag? Zal ik lippenstift opdoen of niet? En mascara? Jij weet dat soort dingen toch? Hé, misschien moeten we een keer met z'n drietjes afspreken. Maar je vader komt binnenkort en het lijkt me niet gepast om... Je denkt nu toch niet... Vind je dit niet vervelend? Dat ik...?'

'Je ziet er heel goed uit, mam. Echt.' Ik zou willen zeggen dat ze niet moet veranderen. Dat dat nergens voor nodig is.

Mijn moeder komt naar me toe en slaat haar armen om me heen. Ze ruikt naar de parfumwinkel op het vliegveld. Niet naar mijn moeder.

'Ik ben blij dat je het hier naar je zin hebt, Kate.'

Ik kan wel janken. Ze is helemaal opgewonden over haar dagje uit en ik kan haar nu niet gaan vertellen dat ik er vannacht over heb liggen denken om na de kerst met mijn vader mee terug naar Engeland te gaan. Om te vluchten voor Tori en Chelsea en Jake. Ik zou binnen een maand om dit hele verhaal kunnen zitten lachen met Hailey bij de McDonald's in Sufgehucht.

Maar VOOR mijn ontsnapping moet ik het uitpraten met Tori. Dat ben ik aan haar verplicht.

Mijn moeder vertrekt, in die wolk van dure parfum. Ik zet Lifetime op en kijk met een half oog twee hele films om het bellen zo lang mogelijk uit te stellen, al die tijd piekerend. Dan pak ik de telefoon en begin een paar keer Tori's nummer in te toetsen, maar ik kan het niet. Misschien is het makkelijker om haar onder vier ogen te spreken. Ik pak mijn jas.

Het sneeuwt weer heel hard en het is pas zondagmiddag – lunchtijd – dus nog maar weinig wegen zijn sneeuwvrij gemaakt. Ik ren, spring en glijd over sneeuw en ijs om zo snel mogelijk bij Tori te zijn, voordat ik me bedenk. Maar als ik bij haar voordeur ben aangekomen, blijf ik stokstijf staan.

Wat moet ik zeggen? Er is geen fatsoenlijke verklaring voor wat ik heb gedaan. Ik zal haar moeten smeken om vergiffenis.

Na een paar keer diep ademhalen klop ik aan.

Albie doet open. Hij heeft dikke sneeuwkleding aan. Staat hem goed. Hij ziet eruit als zo'n man die mensen redt in de bergen. Ik zou me het liefst in zijn armen storten, zoals laatst bij de ijssalon.

O, nee. Zou Tori het hem verteld hebben? Heeft hij nu ook een hekel aan me?

'Katie! Wat leuk dat je er bent. Alles goed?'

Hij weet het dus niet.

'Gaat wel.'

'Ik heb Tori nog niet gezien, ik kom net uit mijn werk. Misschien ligt ze nog wel in bed, op zondag is ze altijd heel lui. Ga maar kijken.'

De moed zakt me in de schoenen. 'Nee, eh, laat haar maar slapen,' zeg ik. Ik wil haar niet wakker maken, zeker niet omdat ik waarschijnlijk de laatste persoon op aarde ben die ze wil zien.

'Wil je iets drinken? Ik neem zelf nog een kop koffie voor ik weer de deur uit ga.'

'Dat zou lekker zijn.' Waarom zeg ik dat nou? Ik moet hier weg.

'Of ik kan een bananasplit voor je maken.' Hij lacht.

'Nee, dank je. Maar bedankt voor het aanbod.'

'Graag gedaan. You're welcome.'

Als ik achter Albie aan naar de keuken loop, voel ik me een oplichtster. Als hij wist wat er is gebeurd, zou hij die koffie natuurlijk het liefst in mijn gezicht gooien.

Hij zet met veel gerammel en gerinkel de halve inhoud van het keukenkastje op het aanrecht. Het is een fascinerend gezicht. Dan strooit hij koffiebonen in een ouderwetse koffiemolen en praat door terwijl hij de hendel overhaalt. 'Ik ben vanmorgen op de ijsbaan geweest en ik moet straks nog terug. Balen, want eigenlijk zou de band wel een extra repetitie kunnen gebruiken. Maar dit moet nu eenmaal.'

'Werk je op zondag?' Hij stelt me op mijn gemak, zoals altijd.

'Ja, voor de familie Cook. De halve stad is van de ouders van Chelsea, inclusief de ijsbaan. Ze hebben het de afgelopen tijd niet makkelijk gehad...'

'Dat heb ik gehoord.'

'Ja. Daarom help ik mevrouw Cook tegenwoordig wat vaker dan eerst.' Hij strooit de gemalen koffie in het apparaat. 'En ik kan het geld ook goed gebruiken.'

'Het geld?' Ik kijk om me heen in de glanzende keuken, met alle nieuwe snufjes die je maar kunt bedenken, en denk aan het kleine keukentje van mijn moeder, met onze plastic vorkels die ze telkens opnieuw afwast. Waar zou Albie geld voor nodig hebben?

'Ja, eh...' Hij zwijgt even. 'Ik teer niet graag op de zak van mijn ouders. Tori zegt dat ik onverwerkte problemen heb.' Hij haalt zijn schouders op. 'Misschien is dat ook wel zo.'

Ik frons mijn voorhoofd.

'O, heeft Tori je niet verteld dat ik geadopteerd ben?'

'Nee.' Ik vroeg me wel af hoe het kon dat hij zo donker is en de rest van de familie zo blond. Maar hij heeft net zulke grote ogen als zij. Ik vond hem eigenlijk altijd wel op zijn vader lijken. Maar dan zonder tweedjasje en obsessie voor de koninklijke familie van Engeland. 'Hoe is dat? Ik bedoel...' O jee, misschien is dat wel een onbeleefde vraag.

Het koffieapparaat pruttelt en Albie schenkt voor ons allebei een kopje in. 'Nee, geeft niet. Ik vind het niet erg. Het stelt niet zoveel voor, ik weet het al mijn hele leven. Vroeger plaagde ik Tori ermee, dan zei ik dat ik heel gewenst was en zij een ongelukje.' Hij lacht.

Ik kan me niet voorstellen dat Albie ooit gemeen zou zijn tegen zijn zusje.

'Sorry, ik praat weer eens te veel. Wat wil je in de koffie?'

'Niks. Zwart.'

Hij geeft me het kopje. 'Hoe gaat het met je? Vind je het hier nog steeds leuk?'

'Gaat wel.' En dan voeg ik er om de een of andere reden aan toe: 'Alleen zou ik nu naar huis willen. Ik heb iets gedaan... waardoor ik alles heb verpest.' Mijn stem trilt. Ik snap niet waarom ik hem dit vertel.

Hij kijkt me heel vriendelijk aan. 'Het komt vast wel goed.'

'Ik hoop het.' Het liefst zou ik hem vragen niet te hard over me te oordelen als hij het straks hoort. Maar hoe zeg je zoiets? Trouwens, het gaat er nu om hoe Tori over me denkt, dat is belangrijk.

Belangrijk. Ik denk aan Chelsea, die zei dat ze zelf wel uitmaakte of het verhaal over Tori en Carl belangrijk was of niet. Daarmee bedoelde ze dat zij bepaalt of ze het zal doorvertellen, en hoe. Hoe ze zoveel mogelijk plezier kan beleven aan Tori, die al haar vriendinnen kwijtraakt. Ik heb gezien hoe ze allemaal tegen Kendis doen, nadat ze haar uit hun groepje hebben verstoten. Of eigenlijk heb ik gezien hoe ze NIET tegen Kendis doen, want het is alsof ze niet meer bestaat. Ze lachen alleen nog om haar.

Ik weet niet of het bij Tori ook zo zal gaan, want haar huis wordt gebruikt als locatie voor feestjes. Die wil Chelsea vast niet kwijt, maar dan blijft er nog genoeg over om Tori het leven mee zuur te maken. En Kristy is de grootste kattenkop die ik ooit heb gekend.

Arme Tori, eerst maakten Chelsea en haar groepje misbruik van haar, en nu ik ook al. Ik ben een waardeloze vriendin.

'Albie...' zeg ik.

'Ja?'

Ik wou dat ik hem om hulp kon vragen. Ik neem een grote slok koffie en verbrand mijn mond.

'Wat is er, Kate?' Hij kijkt me ernstig aan.

Kate? Het is de eerste keer dat iemand me zo noemt sinds ik het coole clubje heb leren kennen. Duizenden zoenen met Jake geleden. Een heel leven geleden. Toen was ik een ander mens.

'Niks.'

Albie's telefoon gaat. 'Dat is mijn baas,' zegt hij verontschuldigend.

'Ik moest maar eens gaan.' Ik loop naar de deur en roep nog: 'Bedankt voor de koffie. Doei!'

Ik ploeter door de witte straat, mijn schoenen krakend in de nog niet geruimde sneeuw, waar ik diepe voetafdrukken in maak. Er zit maar één ding op.

Ik moet naar Chelsea toe. Ik moet haar ervan zien te overtuigen dat het verhaal over Carl en Kristy niet belangrijk is.

Albie brengt me naar huis en vertelt onderweg honderduit over de bands die hem hebben beïnvloed, en hij zegt dat hij de Britse popmuziek geweldig vindt. De rit naar Main en Lexington gaat veel te snel. Kon ik maar wat langer bij hem zijn.

'Dag, Kate, ik vond het gezellig,' zegt Albie grijnzend.

'Dag, Albie.' Wat moet ik nu zeggen? Dank je wel? Insgelijks? Ik vind dat je leuk kunt vertellen? *'Yeah,'* zeg ik snel, gevat en ad rem als altijd.

'Yeah,' herhaalt hij.

Ik stap uit en kijk de wegrijdende auto na tot aan de grote huizen van Winter Street.

Yeah? Wat een antwoord! Maar ja, Albie zei het zelf ook.

Waarom maak ik me eigenlijk druk om wat ik tegen Albie heb gezegd? Hij is gewoon een vriend van me. Heel anders dan David; bij hem maak ik me druk om iedere blik en elke glimlach.

Ik kan me niet voorstellen dat ik dezelfde Kate ben als die bij Albie thuis heeft staan feesten. Het lijkt een eeuwigheid geleden. Maar eigenlijk lijkt vanmorgen met Rachel en David ook ontzettend ver weg.

Mijn moeder zou nog op stap moeten zijn met Rashid, maar als ik bij de deur sta, hoor ik binnen een vreemd geluid. Het lijkt wel gehuil. Wat raar. Misschien staat de televisie nog aan?

Ik steek mijn sleutel in het slot en maak de deur open.

Het geluid klinkt nu harder, en ik krijg het ijskoud als ik besef dat het de televisie niet is. Het is mijn moeder. Ze zit snikkend op de bank.

'Mam, wat is er?' Ik vlieg op haar af en ga op mijn hurken voor haar zitten. Ze kijkt me aan en wil iets zeggen, maar er komt alleen gesnik uit. Zo heb ik haar nog nooit gezien. Zelfs niet toen mijn vader bij ons wegging.

'Komt het door Rashid? Wat heeft hij gedaan?' Ik kan hem wel vermoorden. Het liefst zou ik nu weer de deur uit stormen om hem te gaan zoeken en...

'Nee!' snikt mijn moeder. 'Nee, ik... Ik heb zelf...'

'Mam, wat is er?' Ik pak haar hand en wacht tot ze wat rustiger wordt. De afschuwelijkste gedachten over wat er gebeurd kan zijn schieten door mijn hoofd.

'Dank je wel, Kate,' zegt ze na een hele tijd. Ze snuft nog wat na, maar gelukkig is het snikken opgehouden. 'Maak je niet ongerust, ik stel me aan. Echt. Waarom ben je al thuis? Je ging toch schaatsen met Frap junior?'

'David. Ja, dat klopt. Wat is er nou, mam? Wat is er gebeurd?'

'Ik heb het uitgemaakt met Rashid.' Er loopt een mascaraspoor over haar wangen. Normaal gesproken gebruikt mijn moeder nooit mascara. 'Ik kon het gewoon niet, Kate. Een nieuwe vriend en al dat gedoe eromheen. Dat vond ik niet eerlijk tegenover hem, dus ik heb er een punt achter gezet.' Ze snift nog wat. 'Het is toch niet te geloven? We zijn al drie jaar verder en ik zit hier nog te janken. En volgende week komt je vader. Waarom ben ik niet zo sterk als hij? Hij heeft al een nieuw gezin. Hij heeft een heel nieuw leven opgebouwd terwijl ik... Laat ook maar. Hoe was jouw dag? Was het schaatsen leuk?'

'Mam,' zeg ik, 'het gaat nu even niet om mij. Of om papa. Hij had al een nieuw leven opgebouwd voordat hij bij ons wegging.' Het klinkt gemeen, maar het is toch zo? Mijn moeder mag zichzelf niet met hem vergelijken. Ze is heel anders dan hij.

En wat zei ze nou laatst over Hailey, dat het het moeilijkst is voor degene die achterblijft? Nou, mijn vader is wèggegaan en heeft nu zijn eigen leven, maar mijn moeder bleef achter en moest maar zien dat ze het redde. Met de leegte die hij achterliet, met mij, met haar baan, alsof er niks aan de hand was. Ze kookte voor me, droogde mijn tranen en pikte mijn woedeaanvallen. En ze had de moed om naar Amerika te verhuizen en opnieuw te beginnen, om mij mee te nemen, en om vorkels te kopen. En ik maar lopen klagen en jammeren en zeggen dat ik naar huis wilde. Toch heeft ze zich erdoorheen geslagen. Volgens mij is ze sterker dan mijn vader ooit zou kunnen zijn.

'Papa had al een nieuw leven voordat hij bij ons weg-ging,' zeg ik nog een keer, maar niets wijst erop dat mijn moeder me heeft gehoord. 'Sorry, hoor, maar zo is het nu eenmaal.'

Ik ga naast haar op de bank zitten en pak haar andere hand vast. Dan dringt er iets tot me door. 'Je had al die tijd nog niet gehuild, hè?'

'Nee. Sorry, het was niet mijn bedoeling. Ik had je pas later thuis verwacht.' Ze lacht treurig naar me.

'Er is niks mis mee, mam. Echt niet.' Wat zou maffe Karen nu zeggen? Dat mijn moeder haar gevoelens moet uiten. Die verbergt ze al veel te lang. 'Je MOET juist huilen. Papa heeft je schofterig behandeld. Ons.' Ik zou nu zelf ook wel een potje willen janken.

'Kate!'

'Het is toch zo? Hoe kon hij zo gemeen zijn?'

'Ik ga zelf ook niet helemaal vrijuit, Kate.' Mijn moeder zucht. 'Het ging al een hele tijd bergafwaarts tussen ons. Het was ingewikkeld.' Zo hard heb ik haar al eeuwen niet zien huilen.

'Zeg nou niet weer dat ik het later wel zal begrijpen, als ik ouder ben.' Want ik begin het nu al te begrijpen. Mijn eigen leven is nu ook niet meer zo eenvoudig. Ik dacht dat ik iemand leuk kon vinden en hij mij, en dat was dan dat. Maar ik vind David leuk en volgens mij vindt hij mij ook leuk, maar het lijkt allemaal verschrikkelijk ingewikkeld. 'Zag je die Rashid nou zitten of niet?'

Ze knikt treurig. 'Ik kan met hem lachen. Kon. Het was leuk met hem.'

'Leuker dan met papa?' Voordat mijn vader iets leuk vindt, moet het minstens in een doos zitten waar met grote letters LEUK op staat. Die bestelt hij dan weken van tevoren, haalt hem vervolgens af, zet hem drie minuten in de magnetron en eet de inhoud snel op voordat hij doorgaat met belangrijkere zaken, zoals de belastingaangifte. 'Hoewel dat niet zo moeilijk is, leuker dan met papa.'

'Kate.' Mijn moeder kijkt me streng aan. 'Je vader houdt van je.'

'Dat maakt hem niet minder saai.' Ik haal mijn schouders op. 'Wat is er dan gebeurd? Met Rashid, bedoel ik. Het ging zo goed. Je zong Franse liedjes uit de jaren tachtig.'

'Het GING ook goed, ik ben er alleen nog niet aan toe. Je kent de Lifetime-films toch? Ik heb BINDINGSANGST!' Ze lacht treurig.

Ik zou mijn moeder het liefst willen kietelen, of iets anders geks doen om haar aan het lachen te maken. Ik vind dit vreselijk.

'En dit soort veranderingen vind ik ook maar niks.' Ze wrijft over haar ogen en wiebelt met haar zwarte mascaravingers naar me. 'Maar wat moet ik anders... Mannen hebben graag dat vrouwen een beetje moeite doen. Je vader wilde altijd dat ik andere kleren droeg, een ander kapsel, meer zoals...'

'Kelly?' Zodra ik het heb gezegd, heb ik er spijt van. 'Ik bedoel...'

'Nee, het is waar. Dat is het precies. Zij is het type vrouw waar mannen van houden. Ze...'

De telefoon gaat. Mijn moeder staat op en veegt haar handen af aan haar nieuwe, in de mall gekochte kleren.

'Laat toch gaan,' zeg ik, maar het is al te laat.

'Voor jou, Kate,' zegt ze. En ze voegt er geluidloos aan toe: 'Een jongen.'

Een wát? Ik neem de telefoon van haar over.

'Kate? Met David.'

David.

Mijn moeder loopt de keuken in.

David belt me op.

Wauw.

Zijn stem klinkt warm en zacht en bezorgd. Bezorgd om mij. 'Ik kon je nummer niet vinden. Ik vind het heel rot dat we je alleen achtergelaten hebben op de ijsbaan. Is alles goed met je?'

'Waar waren jullie nou? Ik heb de hele tijd zitten wachten...'

'Dat snap ik. O, Kate, het liep totaal uit de hand. Je weet hoe Rachel is...'

'Ik ben een bushalte gaan zoeken en daarna het station, maar er reden geen treinen en toen begon het te sneeuwen...'

'Kate, ik wilde je... iets zeggen. Het...' Hij zucht. 'Mag ik even bij je langskomen?'

Hij wil langskomen! Om met me te praten!

Ik kijk snel even naar mijn moeder, die in de keuken onze rare fluitketel laat vollopen met veel te veel water. Het stroomt eruit en ze staat daar maar.

David klinkt bezorgd. 'Of kom je liever hierheen?'

Ik ben nog nooit bij David thuis geweest. Omdat we niet op die manier met elkaar bevriend zijn. Nog niet.

'Dat is misschien beter, ja.' Dat is geweldig!

'Oké.' Hij klinkt nog steeds bezorgd. 'Ik wil je namelijk uitleggen...'

'Het is al goed.'

Ik voel me een beetje schuldig dat ik mijn moeder nu alleen laat, maar volgens mij begrijpt ze het wel. Ik wil David heel graag zien. Ik kan bijna niet geloven dat het eindelijk gaat gebeuren.

Mevrouw Cook, Chelsea's moeder, doet de deur open. Haar neus heeft dezelfde kleur roze als haar zijden nachthemd en ze bibbert. Ze kijkt me uitdrukkingsloos aan. Het liefst zou ik een smoesje verzinnen en ervandoor gaan. Wat een zenuwslopende toestand. Wat ik tegen Chelsea moet gaan zeggen, en om haar moeder zo te zien, om hier te zijn, bij Chelsea thuis. Ik ben hier wel eens op feestjes geweest, maar ik zie mezelf niet bepaald als Chelsea's beste vriendin.

'Wat kan ik voor je doen?' vraagt mevrouw Cook afwezig.

'Ik ben Katie, een schoolvriendin van Chelsea!' Ik probeer net zo cheerleaderachtig te klinken als haar dochter. Dat vindt ze vast leuk. Ik zeg nog net niet *'ma'am'* tegen haar, zoals de mensen hier doen als ze heel beleefd willen zijn.

'O, Chelsea is boven met Kristy. Ogenblikje. CHELSEA!'

O, nee! Ik ben te laat. Zelfs als Chelsea de roddel nog niet heeft doorverteld, want hoe kan ik met haar praten als Kristy erbij is?

Chelsea's ergernis dendert van de trap af. 'Wat NU weer, mam?'

Ik glimlach vol medeleven naar mevrouw Cook, maar ze ziet het niet eens. Haar ogen staan dof en ze ziet er moe uit. 'Je vriendin...' Ze kijkt even naar me.

'Katie,' zeg ik.

'Katie... is hier.'

Even stilte. 'Wie?'

Mevrouw Cook kijkt me nog een keer aan. Ik knik en moet me inhouden om niet hard weg te rennen.

'Katie,' zegt ze nog een keer.

Weer een stilte, en dan hoor ik voetstappen. Chelsea verschijnt boven aan de trap.

'We hadden het net over je. Kom boven.' Ze verdwijnt weer.

Ik probeer zo normaal mogelijk te doen, maar iedere pas is er een van angst en tegenzin. Ik kan het. Ik doe dit voor Tori.

'Hierheen, Katie!'

Chelseas kamer is gigantisch en staat vol roze pluchen spulletjes. Pantoffels, sjaaltjes, zelfs fotolijstjes. Ze heeft een hemelbed met witte, wapperende stof. Kamers zoals deze ken ik alleen uit reclamefolders, ik wist niet dat ze echt bestonden. Alles wat er staat lijkt te zijn neergezet om de kamer er zo vrouwelijk mogelijk uit te laten zien. Er is zelfs een hangmat met kantjes vol met knuffelbeesten. Als dit mijn kamer was, zou ik me ervoor verontschuldigen, maar in Chelseas geval versterkt het alleen maar het effect van de knappe tiener op weg naar volwassenheid. Op haar kaptafel ligt een hele rij lippenstiften. Haar kast staat open en laat een enorme collectie kleding in plastic beschermhoezen zien. Vast allemaal designerspul. Het is net Tori's kast, maar dan tot de tiende macht.

Kristy komt de inloopkast uit met een piepklein cocktailjurkje in haar hand. 'Hoi, Katie,' zegt ze, alsof het heel gewoon is dat ik op zondag Chelsea's volmaakte kamer binnenkom.

Chelsea zit op haar bed, achterovergeleund met haar enkels bevallig gekruist.

'Ga zitten,' beveelt ze. Ze klopt op het bed. Ik neem plaats op het puntje en duw de dunne witte hemel opzij als de stof langs mijn neus strijkt.

'We hadden het net over je,' zegt Kristy, en ze schudt het jurkje uit zodat het naar me glinstert.

'O,' zeg ik.

'Chelsea zei dat je haar gisteren iets interessants hebt verteld. Ze doet er heel geheimzinnig over. Misschien kan ik jou zover krijgen dat je het vertelt.'

Niemand zegt iets. Kristy houdt zichzelf het jurkje voor. Chelsea kijkt me doordringend aan met haar kille blauwe ogen.

'O, nee hoor...' zeg ik. 'Het was niks bijzonders.'

Chelsea laat een schattig klaterlachje horen. 'Nou, dat zou ik anders niet zeggen,' zegt ze. 'Ik vind dat Kristy recht heeft het te weten.'

'Jongens! Vertel nou,' zegt Kristy.

Ik kijk naar Chelsea en probeer haar met mijn ogen te dwingen haar mond te houden. Tori maakte zich terecht zorgen, ik weet zeker dat Kristy dit niet goed zal opvatten. Daar zorgt Chelsea wel voor.

'Laat mij het maar vertellen, Chelsea.' Ik weet niet wat ik ga zeggen, maar voor Tori zal het altijd beter zijn dan alles wat er uit Chelsea's mond komt.

'Nee, ik vertel het,' zegt Chelsea. 'Kristy, raad eens wat ik heb ontdekt? Een van onze beste vriendinnen heeft iets voor ons verzwegen.'

Kristy wappert ongeduldig met haar handen. 'Wat dan? Wat dan?'

Ik houd mijn adem in.

'Ik ben te weten gekomen... dat Katie die hele William uit haar duim heeft gezogen. Hij bestaat niet. Geweldig, hè? Je had al die tijd gelijk!'

Kristy hapt naar adem. 'Ik WIST het wel! Dat zei ik toch?'

Chelsea zegt: 'Arme Katie. Ze wilde zo graag bij ons elitegroepje horen, hé, Katie?'

Knarsetandend probeer ik me opgelucht te voelen.

'Ik vroeg Tori laatst nog naar William, toen jij dat had gezegd, Kristy,' zegt Chelsea, 'en ik zweer je dat ze het wist. Ze gedroeg zich als een klein kind met een geheimpje, maar ze zei niets. Ontroerend, hè, hoe loyaal SOMMIGE vriendinnen kunnen zijn?'

Mijn maag zakt nog een paar verdiepingen lager.

Dus ze hebben het niet van Tori?

Nee, besef ik. Tori heeft het niet doorverteld.

Dat heb ik zelf gedaan.

Ik heb het zelf verteld.

En Tori's geheim erbij.

Ik ben de slechtste vriendin op aarde.

'Maar toch heb ik medelijden met Katie. Zij heeft niet dezelfde kansen gekregen in het leven als wij. Daarom moet ze natuurlijk af een toe een leugentje rondvertellen, flink RODDELEN.' Chelsea werpt me een steelse blik toe. 'Om toch een beetje op te vallen.'

Ik kan geen woord uitbrengen.

'Ik durf bijvoorbeeld te wedden dat ze niet eens weet dat dat jurkje van Nordstrom komt.' Chelsea wijst op het jurkje dat Kristy in haar hand heeft. 'Heb ik gelijk, Katie?'

Ik knik. Ik vind dit verschrikkelijk, maar ik moet wel.

Ik moet Chelsea alleen spreken. En snel, om Tori te helpen. Dit zijn Tori's vriendinnen en ik weet dat ze veel voor haar betekenen.

Misschien betekende ik ook veel voor haar. Voordat het misging.

'Arme Katietje.' Kristy lacht reutelend.

'Kristy, wil je dat jurkje soms even passen?' vraagt Chelsea. 'Ga gerust je gang, hoor. En neem er de tijd voor.'

'Goh, dank je wel, Chelsea.' Het klinkt alsof ze samen een toneelstukje opvoeren. Hoewel ik geloof dat ik Kristy nog nooit iets heb horen zeggen dat echt gemeend klonk.

Kristy doet preuts de deur van de inloopkast achter zich dicht. Dit is mijn kans. Nu of nooit.

'Chelsea, luister...' fluister ik.

Chelsea kijkt me met samengeknepen oogjes aan. 'Wat is er? Ik mag Kristy toch wel vertellen wat voor een loser je bent? Volgens mij wist ze het al.'

'Chelsea, je vertelt Kristy toch niet over Tori en Carl, hè?'

Ze lacht als een valse krokodil naar me.

'Doe dat alsjeblieft niet. Tori kijkt erg tegen je op.'

'Ja, Tori is een schatje. Het zou toch jammer zijn als ze geen vriendinnen meer overhield, behalve zo'n loser zoals jij, toch?' Ze slaat haar hand voor haar mond. 'O, wacht, had jij haar niet op een achterbakse manier verraden? Triest, hoor – zelfs jou is ze kwijt! En ik durf te wedden dat Greg haar dumpt zodra hij dit hoort.'

Ik snap niet dat Chelsea met een glimlach zulke dingen kan zeggen.

'Maar het is jaren geleden. Het stelde niks voor.'

'Dat zal wel. Kristy denkt er vast anders over. Maar het hangt natuurlijk allemaal van jou af.'

Is dat een dreigement? 'Wil je iets van me?' Het komt er piepend uit. Wat heb ik haar nou te bieden?

Chelsea's glimlach verdwijnt. Ze staat op, loop naar de kaptafel en pakt een dikke make-upkwast. Ze kijkt naar me in de spiegel. 'JIJ past totaal NIET bij Jake.' Dan richt ze haar blik naar beneden en doopt geconcentreerd de kwast in een poederdoos. 'Maar als je hem nu laat GAAN' – ze kijkt naar het plafond, met de kwast in de aanslag – 'dan loopt het allemaal goed af.'

Ik geloof mijn oren niet. 'Je bedoelt dat ik het moet uitmaken met Jake en dat jij dan niet...'

'Ik bedoel...' – Chelsea poedert haar neus, die toch al

bijna onzichtbaar is – '... dat ik niks tegen Kristy – of Greg – zal zeggen als het niet... per se nodig is, zeg maar.'

Ik staar verbijsterd naar haar spiegelbeeld.

'Natuurlijk hoor je zonder Jake niet meer bij ONS, hè? En misschien wil Tori je ook niet meer kennen. Maar eigenlijk heb je er toch nooit echt bij gehoord, of wel? Vroeg of laat moest dit wel gebeuren.' Ze glimlacht naar zichzelf in de spiegel. 'Denk er maar eens over na.'

De kastdeur gaat open en er komt een rood glinsterende Kristy tevoorschijn. 'Waar moet ze over nadenken? Zie ik er niet fantastisch uit?' Ze draait een rondje. 'Niet dat ik hiermee de deur uit zou gaan, Chelsea. Alleen losers dragen afdankertjes van hun vriendinnen, toch?'

'Zeg, ik moet nog... iets doen. Ik zie jullie op school wel,' zeg ik. Ik hol de kamer uit zonder om te kijken. Zonder om te kijken naar mijn coole Amerikaanse zogenaamde vriendinnen.

Ik strompel de trap af. Mijn hoofd tolt, en daardoor zou ik bijna het stel niet zien staan dat elkaar pal voor de open voordeur innig omhelst. Dat zullen meneer en mevrouw Cook zijn. Ik loop snel door.

Dan kijk ik om. Ik ken dat sneeuwjack. Het jack van iemand die mensen moet redden in de bergen. Dat heb ik vanmorgen nog gezien.

Het is Albie.

Albie met mevrouw Cook.

En ik dacht nog wel dat het niet gekker kon.

Ik blijf staan en staar ze aan, al weet ik dat dat niet netjes is. Ze zien me niet.

Ik hoor Albie zeggen: 'Stil maar, mevrouw C. Hij komt vast gauw terug. Het komt allemaal goed, dat zult u zien.'

Mevrouw Cook maakt zich van hem los. 'Het spijt me, Albie, sorry dat ik weer een inzinking had. Fijn dat je bent gekomen.' Haar neus is nog roder dan daarstraks. Zo te zien heeft ze gehuild.

'Nee, geeft niks. Hebt u verder nog ergens hulp bij nodig?'

'Alleen vanmiddag op de ijsbaan. Als jij nog een keer met de zamboni de baan op zou willen gaan...'

'Geen punt, mevrouw C. Ik regel het wel.'

Ik loop snel door voordat ze me zien. Natuurlijk was dit niet wat ik in eerste instantie dacht – heel even maar, met mijn verknipte derde-honkgeest. Het is echt iets voor Albie, altijd even aardig. Hij doet alles om mevrouw Cook te helpen. Hij heeft van die troostende armen waardoor je je meteen een stuk beter voelt.

Ik haast me naar huis.

Nu begin ik te begrijpen wat mijn moeder jaren geleden antwoordde toen ik haar vroeg waarom papa bij ons wegging: 'Dat is ingewikkeld. Relaties zijn ingewikkeld.'

Onderweg naar huis val ik wel vijftig keer, maar zelfs door de sneeuw lopen is makkelijker dan mijn leven op orde krijgen.

Ik loop naar Davids huis, van onze verlopen buurt naar de wijk waar iedereen woont die erbij hoort. Milltown is net een sandwich, met aan de buitenkant twee chique wijken en in het midden de mindere buurt, waar mijn moeder en ik wonen. Tori woont in een van de chique delen en ze heeft me ooit verteld dat Chelsea, Chris en Ana aan de andere kant wonen, in het gedeelte waar ik nu naartoe loop. Wie had gedacht dat David vlak bij Chelsea zou wonen?

De tocht duurt een eeuwigheid, want iedereen heeft een sneeuwmuur voor zijn oprit achtergelaten na het sneeuwruimen. Heel anders dan in mijn straat, waar we allemaal zo dicht op elkaar wonen dat er één pad ontstaan is nadat de hele buurt zijn stoepje had geveegd. Hier staan de huizen zo ver uit elkaar dat mijn tocht als volgt verloopt: wandel-wandel-wandel KLIM SNEEUWHOOP OP strompel-strompel-strompel KLAUTER SNEEUWHOOP AF wandel-wandel-wandel. Uitrusten, herhalen. Het duurt eindeloos, en één keer zak ik weg in de zachte sneeuw van een slecht aangedrukte hoop. Ik blijf even staan, bijna tot aan mijn kin in de sneeuw.

Het is de tweede keer vandaag dat ik verander in een sneeuwpop, maar deze keer kan het me niet schelen. Deze keer ben ik op weg naar David.

Ik schop naar mijn sneeuwgevangenis. Ik weet eraan te ontsnappen, al ziet dat er waarschijnlijk niet uit.

Tijdens een ontspannen wandel-wandel-wandelgedeelte zie ik op een brievenbus COOK staan. Prachtig, die brievenbussen hier – ik vind ze zo lekker Amerikaans. COOK? Dat moet Chelsea's huis zijn, waar Albie naar onderweg was toen hij me thuis afzette. Ik kijk om, want ik wil wel eens weten waar een meisje als Chelsea woont. Dan zie ik iets heel geks bij de voordeur van het grote huis. Dat moet Albie zijn, want hij heeft dezelfde praktische 'zamboni'-kleren van vanmorgen aan.

Dat is op zich niet raar, natuurlijk. Hij heeft me verteld dat hij hierheen ging. Wat wel raar is, is dat hij een vrouw in een nachthemd omhelst. Een nachthemd, met dit weer. Ik huiver bij de gedachte alleen al. Maar ik denk ook: dat is de moeder van Chelsea. En Albie houdt de vrouw van wie ik denk dat het de moeder van Chelsea is in zijn armen.

Goh.

Zou Albie soms iets HEBBEN met Chelsea's moeder? Wenste hij daarom dat iedereen kon zeggen wat hij wilde? Is hij bang dat anderen erachter komen?

Nu snap ik nog minder van de wereld dan ik dacht. Ik

kijk strak naar de grond en loop snel door, een beetje glibberend op het ijs. Als dit is wat het lijkt, wil ik ze niet in verlegenheid brengen. Om de een of andere reden krijg ik er een beetje een raar gevoel van, al weet ik niet waarom. Vrouwen kunnen best een jonger vriendje hebben, toch?

Nee, ik kan het maar niet uit mijn hoofd zetten. Ik weet niet wat me nou zo dwarszit. Het is hetzelfde gevoel dat ik kreeg toen David over Kendis vertelde. Het lijkt wel of ik... jaloers ben. De hele wereld lijkt te draaien om stelletjes: samen zijn, samen dingen doen. Iedereen doet het, behalve ik. Ik ben zelfs nooit tot het tweede honk gekomen.

Ik heb al mijn aandacht nodig om zo snel mogelijk bij Davids huis te komen. Ik kan zo niet doorgaan, ik kan niet eeuwig bang blijven om iets verkeerd te doen. Waarom ben ik die dag in de kast niet verder gegaan met Jake? Wat was nou eigenlijk het probleem? Waarom heb ik niet tegen David gezegd dat ik hem leuk vind? Waarom heb ik hem dat niet laten MERKEN?

Davids huis lijkt veel op dat van Chelsea, alleen is het lichtblauw in plaats van lichtgeel. Ik had kunnen weten dat hij zo woont, ondanks zijn stoere, rebelse houding, zijn zwarte kleding, zijn beschilderde laarzen en zijn grote mond over het populaire groepje dat alles heeft. Volgens mij heeft hij net zoveel als zij, hij gaat er alleen anders mee om. Hij is op de juiste manier anders.

Tegen de tijd dat David de deur opendoet, ben ik vastbesloten iets met mijn gevoelens voor hem te doen. Het wordt tijd.

Hij staat daar en ziet er supergoed uit in zijn zwartleren jasje, met die grijsgroene ogen strak op me gericht en een lok haar voor zijn ogen. Hij lacht naar me. Naar mij!

'Kate,' zegt hij.

Ik durf niks te zeggen, ik vertrouw mezelf nu niet. Als ik

achter hem aan naar binnen loop, vraag ik me af of ik een praatje zal moeten maken met zijn ouders. Ik heb zijn vader één keer ontmoet op het feest van mijn moeders werk, maar mevrouw McCourt nog nooit. 'Zijn ze wel thuis?' vraag ik me af, en dan besef ik dat ik het hardop heb gevraagd. Ik voel dat ik bloos.

Maar David geeft antwoord alsof ik niks stoms heb gezegd. 'Mijn ouders zijn weg met mijn broer. En Rachel is net vertrokken. Ze kon je niet onder ogen komen, zei ze, en eh... ze zou maandag haar excuses wel aanbieden. Het spijt haar. Het spijt ons allebei. Echt, Kate.'

Ik was bijna vergeten dat Rachel de reden is dat David zo overhaast is vertrokken. Hij ging achter haar aan. Of misschien was ik zelf wel de reden, misschien was Rachel wel kwaad op mij. Toch kan ik me niet voorstellen dat Rachel er zoveel spijt van heeft dat ze mij niet onder ogen durft te komen. Dat zegt David vast om aardig te zijn. Typisch David. Rachel durft volgens mij alles. Alhoewel... als ze inderdaad verliefd op me is... Daar draait het allemaal om: gevoelens voor anderen. Aantrekkingskracht. Daar komen problemen van.

Ik volg David naar een grote kamer met witleren banken en een enorme plasmatelevisie. Wauw, hier zou ik graag een keer Lifetime-films willen kijken. Zou David dat goedvinden? Misschien kunnen we lekker tegen elkaar aan kruipen op de bank en...

Plotseling besef ik dat het mijn beurt is om iets te zeggen. Gelukkig heb ik dat laatste niet hardop gezegd.

'Het geeft niet,' zeg ik.

'Jawel. We hadden je niet zomaar mogen achterlaten,' zegt David. Hij kijkt er ernstig bij. Zo heb ik hem nog nooit gezien. Ik zou het liefst mijn armen om hem heen slaan en zeggen dat het allemaal wel goed komt.

Hij kijkt naar de grond. 'Kate... er is iets wat ik je moet vertellen en het is nogal gênant. Ik weet niet hoe ik het moet zeggen.'

Mijn hart bonst. Zeg het gewoon, denk ik. Niet bang zijn. IK VOEL HETZELFDE VOOR JOU.

Hij is nog knapper als hij zo ernstig kijkt. Zijn ogen roerig als een kolkende oceaan. 'Sorry dat ik je helemaal hierheen heb laten komen, maar op school kan ik het niet vertellen, dat is te... Het gaat... over...'

'Sst, David. Je hoeft niks te zeggen. Het was inderdaad een rotstreek om me op de ijsbaan achter te laten, maar ik begrijp het. Het is moeilijk omdat Rachel...'

'Ja...'

'Sst.' Ik wil niet meer praten. Ik buig me naar hem toe. Het is maar een klein stukje. Ik kijk hem aan. 'David,' mompel ik, en ik denk: doe het dan. Ik adem diep in.

En dan kus ik hem.

Ik kus hem op zijn mond. Zomaar. Eindelijk. Ik heb het gedaan, ik heb David gekust. En het was heerlijk. Net zo fijn als de kus waarvan ik al die tijd heb gedroomd. Ik kan bijna niet geloven dat het nu eindelijk echt gebeurt.

'O, god, Kate,' zegt David. Mijn hart gaat zo tekeer dat het gebons boven het geluid van zijn stem uit komt.

'Sst,' zeg ik weer. Het kan me niks meer schelen. Ik ben hier niet eens meer. De hele wereld draait om... dit. Dat begrijp ik nu. Ik buig me weer naar hem toe, en deze keer sla ik mijn armen om zijn nek. Ik trek hem naar me toe en druk mijn lippen op de zijne. En dan gaan alle remmen los. Ik tol rond. Ik smelt. Er is niks meer over van de sneeuwpop van daarstraks, zelfs geen muts.

Eerst aarzelt David. Ach, misschien had hij dit niet verwacht. Ik verras hem ermee. Ik verras mezelf ermee, dus zo verrassend is dat niet. Ik ga door met kussen.

'Nee, Kate, niet doen,' zegt David dan. Hij doet een stapje achteruit, een klein stapje maar. 'Ik...'

'Ja,' zeg ik. 'Ja.' Ik kus hem weer. Hij verzet zich niet meer, als hij zich al verzette, en dan zoent hij me terug. We vallen achterover in het witte leer. Hij kreunt nog iets wat klinkt als 'nee', maar zijn lichaam zegt iets heel anders. Zijn mond op mijn mond, zijn tong tegen mijn tong. Vuur. Ik schuif zijn handen naar mijn borsten. Ik wil dit zo graag. Dit is niet zomaar ineens gekomen, dit verlangen. Het is langzaam gegroeid, vanaf de dag dat David voor het eerst naar me keek. Ongelooflijk dat we hier nu zitten. Tweede honk. Ik snap niet waar ik zo bang voor was.

David kreunt en maakt zich van me los. 'Kate... Katie...'

Het is gek om hem Katie te horen zeggen. Ik doe alsof ik het niet hoor. Ik buig me weer naar hem toe en kus hem weer. Hij geeft zich gewonnen. Even. Dan trekt hij zich terug en brengt me de doodssteek toe.

'Kate, we moeten dit niet doen. Ik ben niet... het is niet... Dit is niet gebeurd. Sorry, ik...'

O, god. O, nee. Ik voel me niet goed. Ik spring van de bank overeind.

'Kate? Laat me uitleggen wat...'

Ik wil dit niet horen. Ik voel nu een ander vuur branden in mijn gezicht. Geen passie, maar schaamte. Ik ren naar de deur. Kan het zijn dat ik deze situatie echt zo verkeerd heb ingeschat? Het kost me drie pogingen voordat ik de deur open krijg, maar ik kijk niet om. Ik kan David niet onder ogen komen.

Als de deur eindelijk open is, roep ik: 'Je hebt gelijk! Dit is nooit gebeurd! Het doet er niet toe.' Dan ren ik de straat op en spring over een sneeuwhoop om hier weg te komen, en ik glijd en spring nog een keer en maak dat ik wegkom, zo ver en zo snel als ik kan.

 Thuis, eindelijk. Ik verwacht een leeg huis aan te treffen – mijn moeder is bij Rashid – dus ik schrik me rot als ik op de trap de televisie in onze flat hoor schetteren. Het is de muziek van een goedkope zwijmelfilm. Heb ik de tv aan laten staan toen ik wegging? Volgens mij niet. Ik sluip de laatste twee treden op en steek voorzichtig mijn hoofd om de hoek van de deur.

Mijn moeder zit op de bank. Ze ziet er moe uit, verslagen. Haar gezicht is vlekkerig en gezwollen. Zo heb ik haar nog nooit gezien, zelfs niet toen papa net bij ons weg was. Toen was ik degene die altijd liep te huilen. Mijn moeder maakte popcorn voor me en troostte me.

Daar heb ik eigenlijk nooit over nagedacht. Mama hield zich bezig door voor mij te zorgen. Maar ik denk niet dat er iemand is die voor HAAR zorgde.

'Mam?'

'O, Kate!' Ze veegt haar tranen weg. Hoe lang zal ze wel niet gehuild hebben? 'Je bent thuis. Ben je bij Tori geweest?'

'Ja... nee... laat maar. Wat is er, mam? Wat is er gebeurd?' Ik voel me ellendig. Ik heb het zo druk gehad met mezelf dat ik helemaal geen aandacht had voor mijn moeder. We hadden altijd zo'n hechte band en nu zie ik haar bijna nooit meer. Of ik ben met mijn vriendinnen op pad of zij is met haar vriend op pad. Ik heb hem zelfs nog niet ontmoet. Ik had op z'n minst mee moeten gaan naar dat feest van haar werk, in plaats van die stomme eerste date met Jake, toen Bryce en Anthony ook mee moesten. Wat ben ik egoïstisch geweest.

'Niks aan de hand, Kate.' Ze snift. 'Ja, oké, het is uit. Het is uit met Rashid.' Haar stem trilt. 'Het heeft niet zo mogen zijn. Ik ben er nog niet aan toe, het werd me te veel. Ik kan niet aan zijn verwachtingen voldoen. Ik kan aan de verwachtingen van geen enkele man voldoen.' Haar stem trilt nog erger. 'O, sorry.'

'Mam! Waar slaat dat op?' Ik ga naast haar zitten.

'Toen ik hem pas kende, zei je zelf dat ik wat meer aandacht aan mijn uiterlijk moest besteden. Nou, dat heb ik gedaan, Kate, maar ik hou het niet vol. Dat past niet bij me.'

'Dat heb ik helemaal niet gezegd!' Of misschien toch wel. Het klinkt wel als iets wat Katie zou zeggen. 'Of in ieder geval bedoelde ik het niet zo.'

'Ik kan het niet, Kate. Voor je vader kon ik niet veranderen en voor hem kan ik het ook niet.'

Ik sla mijn arm om mijn moeder heen en ze drukt me tegen zich aan.

'Vertel op, mam, wat is er gebeurd?'

Ze slaakt een diepe zucht. 'Er valt niks te vertellen. Ik heb het nu toch al verpest. Ik heb gezegd dat hij me met rust moet laten. Dat hij me niet meer moet bellen. Ik ben behoorlijk duidelijk geweest.'

De telefoon gaat en ons ouderwetse antwoordapparaat slaat aan. Een bekende stem zegt: 'Ik ben het maar. Alweer. Hailey. Doei.'

'Ik bel haar straks wel.' Ik sla mijn arm weer om mijn moeder heen.

'Nee, Kate, bel haar nu. Alsjeblieft, doe het voor mij. Ik wil graag... even hier blijven zitten. Ga Hailey alsjeblieft bellen.'

'Oké.' Ik geef haar een dikke knuffel. 'Als je het zeker weet.'

Hailey neemt meteen op. 'Eindelijk, *American girl*,' zegt ze. Ze klinkt niet echt blij om mijn stem te horen. Eigenlijk klinkt ze sowieso niet blij.

'Yo,' zeg ik aarzelend.

'Yo.' Haar stem klinkt mat.

Ik voel een brok in mijn keel. Ik heb niet alleen mijn moeder verwaarloosd, maar ook Hailey. Sinds ik in Amerika woon, ben ik verschrikkelijk. En dat is niet de schuld van

Chelsea of Jake, ik heb me zélf door het coole groepje laten meesleuren.

'Hailey? Ik... het spijt me.'

'Wat spijt je?' vraagt ze zacht. 'Dat je geen aandacht had voor je saaie vriendin in Engeland en voor de puinhoop die ze van haar leven heeft gemaakt? Wat natuurlijk jouw schuld is, want je was er niet voor me. En al was je er wel geweest, dan nog zou het jouw schuld zijn geweest, omdat je bij me weggegaan bent.'

Daar heb je het al. Ik begin te snikken. 'Het spijt me zo verschrikkelijk.'

'Ach, hou toch je kop.' Ze snikt nu ook. 'Ik heb je gemist, stomme huilebalk. En je hoeft je niet te verontschuldigen, want ik heb jou ook niet gebeld. Niet zo vaak. Ik had ook mijn eigen leven. Met de nadruk op HAD.'

'Hoezo?' vraag ik. Ik veeg de tranen weg. Dit wil ik horen.

'O, dat is een lang verhaal.'

Wil dan niemand me nog wat vertellen? 'Ik heb de tijd.'

'Hmm, laten we zeggen dat sommige mensen – jongens – gemengde signalen uitzenden. Dat kan duidelijker. Er zouden vaste signalen moeten komen, zoals verkeerstekens.'

'Je bedoelt PAS OP of STOP?' Mijn gesnuf lijkt nu meer op gelach.

'Nee, maar in parkeergarages wordt soms aangegeven hoeveel plaatsen er nog beschikbaar zijn. Het zou handig zijn als mensen een bord op hun hoofd droegen waarop staat wie ze leuk vinden en wie niet.'

Het is een enorme opluchting om weer met Hailey te praten. Ze is gek. Ik heb haar zo gemist.

'En hoe zit het met jou, yankee? Heb je al atletische jongens gescoord?'

'Hailey! Nee, ik heb er hier alleen een puinhoop van gemaakt met iedereen die ik belangrijk vind.'

'Zo ken ik je weer! Vertel het maar aan tante Hailey.'

'Nee, jij moet eerst je verhaal vertellen.'

Ik luister naar Haileys problemen totdat haar moeder roept dat ze moet ophangen. Dan ga ik weer bij mijn moeder zitten, net zolang tot ze me wel meer MOET vertellen over de Fransman. Dat doet ze de rest van de avond. Ze hielden allebei van waardeloze jarentachtigmuziek (nou ja, ik zeg 'waardeloze', zij zei 'klassieke') en hij had haar zijn iPod geleend, dat soort romantische dingen. Gatver. Maar ook wel lief. Zo te horen passen ze hartstikke goed bij elkaar.

Maar als ik zeg dat ze het nog eens moet proberen met hem, reageert ze opeens heel vastberaden en dwars. 'Nee, het is uit – echt uit, Kate. En ik moet dit helemaal niet met jou bespreken! Zet maar een kop thee voor me, oké?'

Terwijl ik in de weer ben met die rare Amerikaanse fluitketel, bedenk ik dat ik het mijn moeder verschuldigd ben Rashid voor haar terug te krijgen. Het wordt tijd dat ik iets aardigs voor haar doe. Tori zou wel weten hoe ze me moest helpen, zij is de relatie-expert.

Had ik maar niet alles verpest.

Die maandag als ik naar school ga, kan ik alleen maar aan David denken. Zal hij doen alsof er niets gebeurd is? Of zal hij zich voor mijn voeten werpen en zeggen dat hij zich niet van me had moeten losmaken, dat hij niet snapt hoe hij onze hartstocht heeft kunnen negeren?

Maar hoe KON hij die negeren? Dat begrijp ik dus niet. Ik heb gisteren de hele avond aan niets anders kunnen denken.

Nou ja, ik heb ook zitten piekeren over een manier om mijn moeder op te vrolijken. En Hailey. Ik heb haar gisteravond gebeld en ze heeft me alles verteld over de ellende met Jonathan. Blijkbaar vindt hij haar toch niet leuk, niet op die manier. Ik heb haar over David verteld. We hebben afgesproken om niet meer aan dat liefdesgedoe mee te doen. Vijf minuten lang lagen we in een deuk omdat we allebei compleet waardeloos zijn als het om jongens gaat. Dat was een heerlijk gevoel.

Nu valt er niks te lachen. Ik schaam me kapot als ik eraan denk om hem te zien, en tegelijk snak ik ernaar om hem te zien.

David is nergens te bekennen, maar Rachel komt naar me toe en zwaait met haar rugzak tot ze me ermee raakt.

'Hoi,' zegt ze.

'Hoi.'

'Grrr!' Rachel trekt een gezicht. 'Ik zeg het heel snel, oké? Luister goed. Over gisteren. Je maakte me woest. Maar het was niet oké van ons om je daar achter te laten. Helemaal niet. Dus...' Ze knijpt haar ogen dicht en mompelt: 'Sorry.'

'Is al goed.'

'Oké. Mooi zo.' Ze doet haar ogen weer open. 'Blij dat we dat gehad hebben. Loop je mee naar het lokaal?'

'Ja.'

Dan duikt David ineens op. Hij komt nonchalant naast ons lopen. We doen alle drie heel hard ons best om net te doen alsof dit weekend nooit heeft plaatsgevonden. Rachel en David voeren een gesprek over iets heel gewoons, een aflevering van een of andere realityserie op tv en de yoga-obsessie van Rachels moeder. Maar het klinkt niet gewoon – het is net alsof we onszelf spelen in een toneelstuk.

Dat rare toneelstuk gaat bijna de hele week zo door. David zegt niks tegen me, niet echt. Ik voel me ontzettend rot over wat er is gebeurd. Als ik aan die middag bij hem thuis denk, gloeien mijn wangen. Het is een kwelling om naar hem te kijken. Toch kijk ik zo vaak mogelijk naar hem, alsof ik op een blauwe plek druk om te kijken of hij nog pijn doet.

Vrijdag, de dag van het schoolfeest, zegt hij voordat we naar huis gaan: 'Nou, tot straks.' Rachel is erbij, en eigenlijk zegt hij het tegen ons samen.

Rachel veert op. Misschien heeft zij zich ook afgevraagd wat er toch met David aan de hand is. Het moet haar opgevallen zijn. Ze zegt: 'Mooi, dus we gaan nog wel? Hé, laten we na afloop onuitgenodigd naar dat zogenaamd supercoole feestje gaan. Kate was een paar maanden geleden nog zo'n beetje Tori's beste vriendin, dus die weet vast wel een of andere geheime code om binnen te komen.'

Ik kijk aandachtig naar haar, maar ze lacht. Ik snap nog steeds niks van haar.

David zegt: 'Ik weet het niet, Rachel. Ben je dat clubje niet beu? Ik heb meer dan genoeg van die figuren. Telkens wanneer we dezelfde lucht inademen als zij, sterven er een miljoen hersencellen af. Dat is precies wat ze willen. Zo nemen ze de wereld over.'

Rachel antwoordt: 'Ja, maar stel dat het ook andersom werkt. Ik kan vast wel een omgekeerde spreuk vinden in een van mijn boeken. Denk je hun gezichten eens in als ze ons op hun feestje zien. Ze ontploffen! Of imploderen. Dat zou nog eens cool zijn.'

Ik mompel: 'Ik denk niet dat ik meega. Misschien ga ik ook wel niet naar het schoolfeest.' Tot nu toe heb ik steeds gehoopt dat we WEL zouden gaan, alsof er niets gebeurd was. Maar nu wordt het me allemaal te veel. Ik kan in Davids buurt niet doen alsof er niks aan de hand is. Mijn moeder zal blij zijn als ik thuisblijf. Dan kunnen we samen films kijken en popcorn eten. Ik moet meer tijd met haar doorbrengen. Nu het uit is met Rashid heeft ze het nog veel moeilijker dan toen papa bij ons wegging.

'Je moet mee, Kate,' zegt Rachel, en ze legt een hand op mijn arm.

Ik herinner me dat ik de gekste dingen over haar dacht. Ik weet nu vrijwel zeker dat ik het toen mis had, zoals ik het altijd mis heb als het om aantrekkingskracht of hartstocht gaat.

'Ja, ga mee, Kate,' echoot David. Hij raakt mijn arm niet aan.

Ik had me zo verheugd op mijn eerste Amerikaanse schoolbal. 'Oké,' zeg ik.

We maken plannen, of eigenlijk maakt Rachel plannen en luisteren David en ik.

Ik wou dat hij me aankeek. Dat hij met me praatte. En ik weet dat ik het niet mag denken, vooral niet na wat ik Hailey heb beloofd, maar toch denk ik het.

Ik wou dat hij me kuste. Ik wil weer met hem zoenen.

'Tori, wacht even!'

Het is maandag en we zijn op school. Ik moet Tori spreken. Ik moet het uitleggen. Niet dat er iets uit te leggen valt aan wat ik heb gezegd.

Tori kijkt me niet aan, lacht niet en zegt niks, maar ze blijft wel staan.

'Over zaterdag, in het winkelcentrum...'

'Geeft niet,' zegt Tori, en ze kijkt strak naar haar boeken.

'Het geeft WEL!' schreeuw ik bijna. Een paar mensen blijven naar ons staan kijken. 'Het geeft wel,' zeg ik wat zachter. 'Ik ben de slechtste vriendin op aarde. Niet alleen voor jou, maar wel vooràl voor jou. En het spijt me heel, heel erg.'

Tori kijkt met een ernstig gezicht op. 'Ik heb het niet doorverteld, van William en jou. Ze hebben er wel naar gevraagd, maar ik liet niks los. Ik dacht dat ze het vanzelf wel zouden vergeten als het eenmaal uit was tussen jullie.'

'Ja, dat dacht ik ook,' zeg ik met een zucht. 'Ik had moeten weten dat jij het niet hebt verteld. Maar dan nog zou het geen excuus zijn geweest voor wat ik heb gedaan. Het spijt me zo!'

'Hmm.' Tori bestudeert haar boeken weer.

'Moet je horen, Tori, ik weet niet of het wat uitmaakt, maar... ik heb Chelsea gevraagd haar mond te houden. En dat heeft ze me min of meer beloofd.' Op voorwaarde dat ik het uitmaak met Jake en me laat verstoten door haar groepje. Maar dat zeg ik er niet bij. Misschien verdien ik haar vriendschap ook wel niet.

'Ja, dat scheelt wel.' Eindelijk kan er een lachje af bij Tori.

Ik weet dat we er nog lang niet zijn, maar het is een begin. We lopen naar de les. Ik ben het niet gewend dat Tori niet de hele tijd loopt te kletsen. Vreselijk, die stilte.

'Ze zou het toch niet doorvertellen,' zegt Tori na een tijdje. 'Nog niet. Ze wil het feest bij mij thuis niet op het spel zetten. Ze vindt ons huis veel te leuk als locatie. Maar zou Kristy nog wel komen als ze het hoort van Carl en mij? En zo niet, dan zouden Ana en Chris haar voorbeeld volgen, want ze zijn bang voor haar. Dat zou het hele feest bederven en het is nu veel te laat om nog een andere ruimte te vinden.'

En dan te bedenken dat de anderen Tori dom vinden! Ze snapt juist precies hoe de mensen in elkaar zitten. Ze weet alles van vriendschap en trouw, en de machtsspelletjes van anderen.

Ik ben helemaal opgelucht dat ze weer tegen me praat. En er zit wat in: misschien hoef ik Jake niet te dumpen voor het schoolbal. Voor de avond waarop ik heb beloofd tot het derde honk te gaan.

'En jij kunt er niks aan doen dat je het hebt doorverteld, Katie.'

'Niet?' Tori is zelfs vergevingsgezind – misschien wel TE.

'Niet echt. Chelsea heeft je in de val gelokt, dat doet ze altijd.' Tori bijt op haar nagel. 'Zou je me een plezier willen doen? Niks moeilijks, echt niet.'

'Ik doe alles voor je.' Ik meen het nog ook.

'Beloof me dat je met Jake naar het feest gaat. En dat je lol met hem maakt – voor Chelsea's neus. Laat haar maar flink balen.' Tori lacht. 'Zie je wel? Niks moeilijks.'

'Oké,' mompel ik.

'Dat zal haar leren.' Tori haakt haar arm in de mijne. O, wat ben ik blij dat ze nog steeds mijn vriendin is.

Ik ga dus met Jake naar het feest, zoals ik Tori heb beloofd. En ik ga met hem tot het derde honk, zoals ik hem heb beloofd.

En dan maak ik het uit, zoals ik Chelsea heb beloofd.

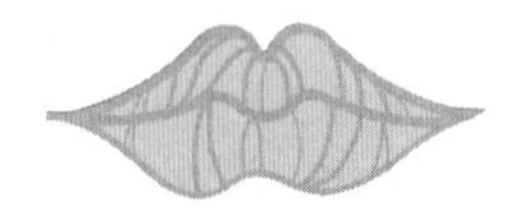

DERDE HONK

Ik ben klaar voor het schoolbal. Vanavond draag ik geen Katiekleren. Ik heb besloten een jurk van mijn moeder aan te trekken in plaats van een van Tori, met de kralenkettinkjes die ik gisteren heb gekocht bij de tweedehandswinkel in Walnut Street. Daar ben ik met mijn moeder geweest. We hebben er een echt meidenmiddagje van gemaakt. Ik heb een plan bedacht en zeg nu de hele tijd tegen haar dat vrouwen niet hoeven te veranderen om het anderen naar de zin te maken.

Ik wou dat ik het zelf geloofde. Ik heb die kralenkettinkjes omgedaan omdat ik dat zelf wilde, maar ik ben nu al bang voor de reacties van het coole clubje.

Of misschien hoop ik juist wel dat ze er iets van zeggen. Ik weet het niet. Hoe meer van dat soort dingen ik tegen mijn moeder zei, hoe meer ik er zelf in begon te geloven.

Als Jake me komt halen, zegt hij niks. Zoals gewoonlijk. Hij zegt niet: 'Wat zie je er mooi uit,' maar ook niet: 'Wat heb jij in godsnaam aan?' Zou hij wel zien dat ik er anders bij loop dan anders? We rijden zwijgend naar het feest. Misschien kan ik nog steeds zijn wie ik wil zijn.

Maar als we samen The Mill in lopen, weet ik dat alle meisjes toch wel jaloers op me zijn, hoe ik er ook uitzie. Omdat ik met Jake ben, en ze zouden allemaal met me willen ruilen.

Ik ontspan me en wentel me in de warme, coole gloed die hij uitstraalt. En ik probeer niet te denken aan wat ik beloofd heb met hem te gaan doen.

'Oké, denk post-ironisch, mensen,' zegt Rachel als we op de avond van het feest bijna bij The Mill zijn.

David lacht naar haar en zijn kuiltje verschijnt. 'Wat moet dat betekenen, Rachel?'

'Gewoon jezelf zijn, freak.'

We beginnen alle drie te geloven in het toneelstukje dat er niks aan de hand is tussen ons. Rachel praat opgewonden over hoe de anderen zullen kijken als ze ons straks zien binnenkomen. Volgens mij hebben ze het allemaal veel te goed naar hun zin om op ons te letten, maar Rachel weet zeker dat we enorm veel ophef zullen veroorzaken en ik wil haar niet tegenspreken. Ze heeft haar pikzwarte haar voor vanavond knalrood geverfd en draagt bij hoge uitzondering kleur: een jurk in dezelfde tint als haar haren. Het staat haar prachtig. Ze heeft zwarte lippenstift op en zwarte laarzen aan, met de prachtige tekeningen die ik ook graag op de mijne zou willen, maar ik durf haar er niet meer om te vragen omdat ik bang ben om haar aan te moedigen als ze verliefd op me is.

Ja, ik besef zelf ook wel hoe stom dat klinkt.

Misschien ga ik het haar nog wel een keer vragen.

David is helemaal in het zwart en ziet er net zo wild en stoer uit als altijd. Maar hij kijkt me nog steeds niet aan. Ik wou dat ik wist hoe ik het goed kon maken tussen ons, wat er ook verkeerd gegaan is. Maar ik wil er niet meer over nadenken. Als ik nu weer ga blozen, vloekt het rood met mijn paarse jurk. Ik heb een oude jurk van mijn moeder geleend, eentje die ze niet meer aangehad heeft sinds ze wilde veranderen voor Rashid en waarvan ik haar nu probeer over te halen hem weer te gaan dragen. En ik heb kralenkettinkjes gekocht bij de tweedehandswinkel.

Aan de buitenkant zie ik er gewoon uit als Kate, maar vanbinnen begrijp ik het allemaal niet meer.

Albie's hypnotiserende stem vult de ruimte. Madison Rat klinkt nog beter dan anders en speelt een geweldige cover van een nummer van Snow Patrol. Ik steek mijn duim op naar Albie – op een moment dat ik denk dat het coole clubje het te druk heeft met drankjes halen om het te zien – maar hij stopt al zijn passie in de woorden en heeft zijn ogen dicht. Tori ziet mijn duim als ze komt aanlopen en kijkt me hoofdschuddend aan, maar ze lacht erbij. Haar broer is een muzikaal genie en zij ziet dat niet in.

Het feest is anders dan ik had verwacht. Om te beginnen wordt er niet gedanst. Iedereen staat maar een beetje commentaar te leveren op de kleding van anderen. Mijn vriendinnen krijgen bijna tranen in hun ogen van het lachen als ze de chique outfits van de rest zien. Behalve die van ons populaire groepje, natuurlijk. Ik heb wel een paar vreemde blikken getrokken, maar nog niemand heeft commentaar geleverd op de paarse jurk van mijn moeder, behalve Tori, die zo lief was om te zeggen dat hij me beter stond dan het jurkje dat ik van haar had geleend.

Ik ga een beetje aan de kant staan en kijk toe hoe de jongens elkaar met hun ellebogen aanstoten. Ze zien er sexy en mannelijk uit in hun smokings, maar hun gedrag is precies hetzelfde als dat wat ik elke dag in de gangen op school zie. Ze duwen en trekken en maken elkaar belachelijk.

Mijn vriendinnen giechelen naar hen.

'O, mijn god!' roept Kristy plotseling uit. 'Die geflipte heksenfiguren zijn er ook!'

'Nee! Zijn David en Rachel op het feest? O jee, als satan er dan ook maar niet is,' roept Chris met haar schelle stem, en ze zwaait theatraal met haar armen. Volgens mij is het niet eens een grapje.

'De heks is vanavond in het rood! En dat haar! O, mijn GOD!'

Ik volg Kristy's wijzende vinger. David en Rachel staan onder een soort spandoek om zich heen te kijken, bijna alsof ze iedereen uitdagen hen uit te lachen.

Chris lacht overdreven hard. Ana en Kristy lachen mee en zeggen een paar keer 'Ja, ERG, hè?' tegen elkaar.

Dan knapt er iets in me. Ik ben vanavond echt mezelf niet. Ik loop naar de plek waar ze staan en aarzel even. Dan ga ik bij David en Rachel staan.

'Hoi. Rachel was het toch? Leuk, je haar. Die kleur staat je goed.'

David en Rachel kijken me allebei wantrouwend aan. Ik kijk om naar mijn vriendinnen. Kristy staat met open mond naar ons te staren. Chris schudt verwoed haar hoofd. Ik ben blij dat Chelsea er nog niet is, want zij is de enige voor wie ik nu nog bang ben.

'Katie, wat zullen we nou krijgen? Kom hier!' zegt Kristy. 'Jezus, we moeten haar als een klein kind in de gaten houden.' Ze kijkt naar haar vriendinnen, die allemaal instemmend 'Ja, eeeeeerg hè?' zeggen. Behalve Tori. Tori staat breed te grijnzen.

'Kom maar op, Limey,' zegt Rachel, en ze steekt haar middelvinger op. Maar wel met een grijns.

'Rachel, je moet twee vingers opsteken.' David doet het voor. 'Dat is Brits.' Tegen mij zegt hij: 'Ik ken jou, je zit bij mij in de klas bij weerwolf Wilson. Mijn vader is een collega van je moeder.'

'O ja? Kent hij dan soms ook een Fransman?' Ik praat een

tijdje met David over mijn moeders werk. Hij heeft een heel mooie lach en een supergoed figuur. Ik moet wel ver heen zijn geweest in de klas dat hij me niet is opgevallen. Die gedachte zet ik gauw uit mijn hoofd, en niet alleen omdat ik met Jake ben. Het is volkomen duidelijk dat ik bij David geen enkele kans maak.

'Oké, de voorstelling is afgelopen, jongens!' roept Rachel, en ze trekt David lachend mee de dansvloer op.

Ik wou dat ik zo zorgeloos was als die twee.

Als ik weer bij mijn vriendinnen ga staan, fluistert Tori: 'Wat was DAT nou ineens?'

'Ik weet niet, Tor. Ik ben het zat dat ik niet zelf mag bepalen wie mijn vrienden zijn.'

'God, je hebt helemaal gelijk,' zegt ze, en daarna is ze een hele tijd heel stil.

Post-ironisch of niet, ik vind het verschrikkelijk dat iedereen ons de hele avond aanstaart. Maar Rachel lijkt er enorm van te genieten.

'Laat ze toch kijken,' zegt ze, en ze danst wild en steekt daarbij regelmatig haar middelvinger op.

Kon ik me maar net zo weinig van de anderen aantrekken als zij. Ik voel me zo opgelaten dat ik me bijna niet durf te verroeren.

Het enige positieve van vanavond is de band van Albie. Die is geweldig. Albie kan ontzettend goed zingen. Als hij op een bepaald moment mijn kant op kijkt, zou ik zweren dat hij me aankijkt. Maar dat kan niet waar zijn. Ik vind het rot dat ik zijn geheim weet. Zouden er meer mensen zijn die weten dat hij iets heeft met de moeder van Chelsea? Wat zit het leven toch raar in elkaar. En het lijkt wel alsof het de laatste tijd steeds gekker wordt.

'Mooie JURK. Heel RETRO,' klinkt een sarcastische,

agressieve stem. Ik kijk op en probeer niet te laten merken hoe gekwetst ik me voel. Kristy loopt vals lachend langs. Ze heeft me nooit gemogen.

Rachel haalt haar schouders op. 'Lachen, Limey.'

Maar ik kan er niet om lachen.

Ik pluk aan mijn paarsfluwelen jurk. Leek ik maar wat meer op Kristy, of op Chelsea of een van de anderen. Ik dacht dat ik speciaal was door me aan mijn Kateprincipes te houden en te weigeren te veranderen, maar ik heb er niks mee bereikt. Die avond bij Tori thuis ben ik op de vlucht geslagen, en volgens mij ben ik al die tijd blijven vluchten. En ik heb er evengoed alles aan gedaan om erbij te horen, alleen bij een ander groepje, op een andere manier. Ik maak me voortdurend druk over wat Rachel en David van me zullen denken. Ik heb me bij hen nooit echt op mijn gemak gevoeld.

Ik kijk waar Kristy naartoe gaat en zoek Tori. Misschien moet ik eens met haar praten. Ze is altijd veel aardiger voor me geweest dan de rest en Albie zei dat ze me miste. Ze staat bij Chris en Ana. Natuurlijk, waar anders?

Maar wat heb ik nou eigenlijk te verliezen? Ze hebben mijn jurk al afgekraakt. Ze hebben toch al de pest aan me. Nu is het mijn beurt om actie te ondernemen. Ik loop naar hen toe voordat ik me kan bedenken. Het coole groepje heeft de koppen bij elkaar gestoken en staat gemeen om iets of iemand te lachen. Tori staat een beetje afzijdig en doet er niet echt aan mee.

'Hoi, Tori,' zeg ik.

Kristy, Chris en Ana houden op met praten en staren me aan.

'Wat zullen we...' begint Kristy.

'Hoi,' zegt Tori. Ze kijkt nerveus naar Kristy, maar ze lacht wel naar me. 'Alles goed? Mooie jurk.' Het klinkt alsof ze het meent.

Kristy snuift minachtend.

'Dank je, maar eerlijk gezegd voel ik me nogal een nerd. Ik vind jouw jurk heel mooi. Jammer dat ik je metamorfoses moest missen.'

Ik kan Tori moeilijk verstaan boven de muziek uit, maar volgens mij hoor ik het toch goed. 'Je hebt er al die tijd al cool uitgezien van jezelf,' zegt ze. 'Ik luister nooit naar Albie, maar hij heeft altijd gelijk.' Ze loopt nog een stukje verder bij de anderen vandaan. 'Ik, eh... sorry dat ik probeerde om je er precies hetzelfde te laten uitzien als de rest.'

'Ik wilde op jou lijken. Het spijt me dat ik je nooit meer heb gesproken sinds...'

'Het spijt mij ook. Dan staan we quitte.' Tori grijnst. Nu weet ik weer hoe leuk ik haar vind.

Kristy snuift nog een keer. 'Tori, doe normaal.'

'Kom je straks naar mijn feest?' zegt Tori heel hard, zonder zich iets van Kristy's open mond aan te trekken. 'Alsjeblieft?'

'Tori, ben je gek geworden?!' Chris legt haar hand op Tori's arm, maar Tori trekt zich los.

'Breng je vrienden ook maar mee. Het is een leuk stel.'

Ik moet bijna lachen. Rachel zal niet blij zijn met de uitnodiging. Ze verheugt zich er al tijden op om dit feest binnen te dringen.

Chris staat nog net niet op en neer te springen. 'Ze is gek. Kristy, ze is gek. Wat zit er in die vruchtenbowl? Tori, wat HEB jij toch?'

'Tori, zeg dat ik het niet goed gehoord heb. Je hebt die losers toch niet ECHT uitgenodigd?'

Ik loop weg en laat het coole clubje kibbelend achter. Albie had gelijk wat Tori betreft. Ik zou me schuldig moeten voelen omdat ik haar over één kam heb geschoren met de rest na het gedoe met Jake, dat ik niet heb ingezien wat een goede vriendin ze was. Ik zou me schuldig moeten voelen, maar ik kan maar aan één ding denken.

Een leuk stel.

Leuk STEL.

Ik ben blind geweest, maar nu niet meer. Want ik kijk naar Rachel en David op de dansvloer. Rachel strijkt die mooie lok van David uit zijn schitterende ogen. Davids hand ligt op Rachels middel. Ze zoenen niet of zo, maar eigenlijk komt dit op hetzelfde neer. Het ligt er zo dik bovenop.

Waarom heb ik dat niet gezien? Was ik zo druk met mezelf bezig?

Rachel en David zijn een leuk... stel.

Jake drukt me met zijn hele lijf tegen de koude muur van de sporthal. Eén hand streelt mijn haar en de andere friemelt aan de achterkant van mijn jurk. De verlichting is wel gedimd, maar iedereen kan ons zien. Daar trekken we ons niks van aan. Dit hebben ze ons dagelijks zien doen, als ze tenminste zin hadden om ernaar te kijken. Tegen de kluisjes aan, voor de kantine, onder de sporttribunes.

Dus als Jake zegt: 'Laten we een... rustiger plekje zoeken,' weet ik dat dat maar één ding kan betekenen.

Het gaat gebeuren. Het derde honk.

'Ik dacht dat we tot na het feest moesten wachten. Dat dat traditie was,' zeg ik voor de grap.

Jake laat gretig zijn handen over me heen dwalen. Ik gloei helemaal.

'Fuck de traditie,' zegt hij schor. Hij trekt me de sporthal uit. De deur zwaait achter ons dicht. De gang galmt leeg en verlaten.

Ik doe een stapje terug als Jake de klink van een deur

waar VOORRAADKAST op staat omlaag duwt. Die gaat open.

'Katie? Kom,' fluistert hij, en hij onderstreept zijn uitnodiging met zijn sexy ogen.

Net als ik hem achterna wil lopen, bast een zware stem: 'Meneer Matthews, waar dacht jij naartoe te gaan?'

Harrison, de trainer.

Ik bestudeer mijn schoenen.

De trainer rammelt met een enorme sleutelbos en doet de deur van de voorraadkast op slot.

'Het is een schoolbál.' Hij wijst naar de zaal. 'Ga maar lekker dansen.'

Jake trekt me naar zich toe en slaat zijn arm stevig om me heen. Hij fluistert: 'Onze dans komt nog wel.' Ik krijg er hartkloppingen van.

We lopen de sportzaal weer in. Chelsea moet in de tussentijd binnengekomen zijn. Ze werpt me een blik toe die maar één ding kan betekenen: Wie denk je wel dat je bent?

Geen wonder dat David niet met me wilde zoenen.

Geen wonder dat Rachel raar tegen me doet: ik heb maar al te duidelijk laten merken dat ik iets met David zou willen.

Ik schaam me dood.

Rachel en David hebben al een halfuur alleen maar aandacht voor elkaar en ik weet me geen houding te geven. Er is van mijn kant weinig post-ironie te bekennen op dit moment. Ik denk dat ik beter naar huis kan gaan. Het is fijn dat Tori aardig voor me was en ik ben blij dat ik naar Albie's fantastische band heb kunnen luisteren, maar ik hoor hier niet. Tori heeft Greg en Albie heeft... zijn band, maar waarschijnlijk ook Chelsea's moeder.

'Hallo hallo.' David duikt achter me op.

Ik kijk of ik Rachel zie.

'Rachel is naar de wc,' zegt David, alsof hij gedachten kan lezen. Ik hoop niet dat hij dat kan, want ik denk: Hoe kon je? Ik dacht dat je voor mij bestemd was.

Ik zeg: 'Dus Rachel is je vriendin?'

David kijkt naar de grond. 'Ja.'

'Ja,' echo ik.

'Kate, het spijt me echt van laatst. Ik had je niet moeten kussen...'

'Ik kuste JOU,' zeg ik zacht, en ik krimp in elkaar.

'Ja, en ik kuste je terug. Maar, eh... ik heb Rachel niet verteld over...'

Aha, dat verklaart een heleboel.

'Het is nog niet zo lang aan tussen ons. Ja, het speelt al zolang ik haar ken ergens op de achtergrond, maar we hebben het eigenlijk nooit willen toegeven, voor onszelf en voor elkaar. Snap je?'

Nee.

David bevestigt alleen maar wat een enorme stomkop ik ben geweest. Ik wou dat hij zijn mond hield.

'Ik geloof dat we het nu pas zo langzamerhand inzien. Ik wilde het je vertellen omdat ik wist dat je, eh... me leuk vond. Ik had het al eerder willen zeggen, maar je...'

'David, hou op.'

'Nee, ik moet dit kwijt. Geef die rare Karen maar de schuld, maar ik heb de behoefte om mijn gevoelens te uiten. Luister nou.'

Ik doe mijn ogen dicht. Het is alsof ik bij de tandarts in de stoel op een injectie wacht.

'Ik vond je leuk, Kate. Heel leuk. Maar Rachel... Weet je nog dat ze opbiechtte dat ze, eh... verliefd op iemand was? Bij Persoonlijke Relaties? Toen deed ze alsof het één grote grap was, maar dat is typisch Rachel.' Hij grijnst verliefd. Au. 'Nou ja, daar bedoelde ze... mij mee. Dat weet ik nu.'

En ik dacht dat ze mij bedoelde. Ik begin hardop te lachen.

'Wat nou?'

'Niks.'

'Oké. Nou ja, eh... Sorry, maar ik ben half Amerikaans, half Engels, dus ik kan mijn gevoelens half uiten en half niet.'

Daar moet ik om lachen, of ik wil of niet. Alsof ik mijn gevoelens voor hem laatst bij hem thuis niet heb geuit.

'Kate, is het nu weer goed tussen ons? Want ik zou je niet kwijt willen als vriendin. Ik vind je echt heel leuk. Die, eh... andere gevoelens zal ik moeten uitschakelen.'

Hij kijkt me ernstig aan. Ik zie Rachel aankomen, ze danst de zaal door. Ze blaakt vanavond van het zelfvertrouwen. Ze is verliefd.

'Ja, het is goed,' zeg ik snel voordat ze bij ons is.

'Hé, Limey, wat sta je te roddelen?' roept Rachel. 'Maak me niet jaloers, hè – want je wilt niet weten wat er dan gebeurt. Dan word ik GROEN! Limey-GROEN. En ik ben goed in voodoo...' Ze is nu bij ons en geeft me een harde zet. Maar ze lacht erbij. Ik denk dat dit haar manier is om echt sorry te zeggen voor laatst op de ijsbaan, of misschien zelfs voor het feit dat ze verkering heeft met David. Rachel is oké. Ze doet altijd hartstikke bot, maar ze is oké.

David lacht weer dat mooie kuiltje in zijn wang.

Ik probeer snel mijn andere gevoelens uit te schakelen.

Dat was het dan. Mijn allereerste Amerikaanse schoolfeest is voorbij. We stappen met z'n allen in een paar limousines van de vader van Chelsea.

Twee aan twee komen we bij Tori's huis aan. Tori en Greg, Chelsea en Bryce, Kristy en Carl, Jake en ik.

De jongens gaan recht op de drank af. Chelsea verdwijnt smoezend met Kristy in een hoekje en ik blijf bij Tori staan terwijl de kamer zich langzaam vult met feestgangers.

'Waar is Albie?'

'Die zal wel later komen. De band moet de boel afbreken en ik geloof dat hij nog iets ging afgeven bij de familie Cook.'

'O.'

'Het gaat goed, hè, tussen jou en Jake? Chelsea zal wel flink balen!'

Ik knik, maar ik zeg 'Ssst!' omdat Jake eraan komt.

'Hoi.' Hij gaat op de armleuning van ons bankje zitten en geeft me een drankje. Hij strijkt met zijn vinger over mijn arm.

Tori staat op. 'Ik ga Greg zoeken. Doei.'

Ik zie Chelsea naar Tori staren en dan naar mij.

Jake slaat zijn arm om me heen. Mijn huid tintelt. Komt het doordat ik hem straks moet dumpen dat iedere aanraking vanavond extra lekker is?

Chelsea vangt mijn blik en zegt geluidloos: 'Duf mens.'

Of misschien zegt ze: 'Dump hem.'

Rachel en David zijn plannen aan het smeden om het feest bij Tori thuis binnen te dringen. Ik durf niet te vertellen dat ze gewoon uitgenodigd zijn. Ik zeg dat ik me niet lekker voel en dat ik naar huis ga.

Mijn moeder zit met een grote bak popcorn op schoot naar Lifetime te kijken. Eerst zag dat er altijd gezellig uit, maar vanavond vind ik het triest. Ik ben eraan gewend geraakt dat ze uitgaat en het naar haar zin heeft.

Ik vertel haar niet veel over mijn avond. We kijken samen naar een film die *Painful Secrets* heet. Zwijgend nemen we het allemaal in ons op: ellende, depressie, wanhoop. En intussen kauwen we popcorn.

Na een tijdje zegt mijn moeder: 'Kate, je zei toch laatst dat er na het schoolbal nog een feestje was?'

Ik haal mijn schouders op. Ik wil het mijn moeder niet uitleggen. Het is allemaal zo stom, en bovendien zitten we onszelf hier al somber genoeg te maken.

Mijn moeder doet de televisie uit en zet de popcorn weg.

'Kom, laten we iets anders gaan doen. Dit is vast niet goed voor jou. Voor ons allebei niet.'

Ze heeft natuurlijk gelijk.

'We gaan alles vast klaarzetten voor als Hailey morgen komt,' zegt ze.

Op mijn kamer pakt ze het logeerdekbed uit de kast. Ze schudt het uit.

Ik schuif een stapel kleren opzij om plaats te maken voor die van Hailey. Er valt een truitje uit de kast, en een broek. Dat zijn Tori's kleren, van heel lang geleden. Van de avond dat ik met Jake heb gezoend in de kast. Ik heb nooit de moed gehad om Tori onder ogen te komen en ze terug te brengen.

'Die heb ik al een hele tijd geleden voor je gewassen,' zegt mijn moeder. 'Ik heb je er nooit meer in gezien, maar het is ook niet echt jouw stijl, toch?'

'Omdat ze niet van mij zijn,' zeg ik. 'Ze zijn van iemand die mijn vriendin niet meer is.' Maar dat is niet waar. 'Of misschien toch wel.'

Ik denk aan de manier waarop Tori vanavond met me praatte. Ze heeft haar reputatie bij het coole groepje op het spel gezet door me uit te nodigen voor haar feestje.

'Mam, vind je het goed als ik toch nog uitga?'

'Ja, hoor.' Ze kijkt blijer dan ik haar in tijden heb gezien.

We zitten verstrengeld op de bank en Jake's handen graaien, strelen en plukken. Iedere kus voelt als een vonkje, en allemaal samen zetten ze me in vuur en vlam.

Ik verlies me er helemaal in, totdat Chelsea langsloopt en ze haar drankje over mijn been morst.

'Ach, SORRY,' zegt ze met een honingzoet stemmetje. 'Weet je wat, ik vraag wel even of Tori het schoonmaakt. Ik moet toch nog wat tegen Greg zeggen. En tegen Kristy.'

Meteen krijg ik het ijskoud. 'Niet doen!' zeg ik. 'Ik bedoel, dat is niet nodig. Echt niet.'

'Goed, zolang je de boel maar ONDER CONTROLE hebt.' Ik krijg de rillingen van haar neplachje als ze wegloopt.

Dan kijk ik naar Tori. Greg heeft zich van haar afgewend en ziet lijkbleek. Volgens mij hebben ze weer ruzie. Arme Tori. Ze zit er nu echt niet op te wachten dat Chelsea het allemaal nog erger maakt.

Ik moet hier een eind aan maken. Ik moet Jake dumpen – nu. Ik heb me aan mijn belofte aan Tori gehouden.

'Jake? Hmmm... Jake?'

Hij heeft geen antwoord, want hij is net mijn hals aan het zoenen, en bovendien klonk het niet als een vraag.

Ik moet me van hem losmaken. Misschien kan ik beter eerst met Tori gaan praten, kijken of het wel goed met haar gaat. 'Jake, ik moet weg...'

Ik sta op, maar hij trekt me terug en fluistert in mijn oor: 'Goed, ik zie je in de kast.'

Als ik opsta, streelt hij mijn rug. Ik krijg het er warm van. Mijn hart bonkt. Mijn hele lijf wil met hem de kast in.

Ik slik een enorme, nerveuze brok in mijn keel weg voordat ik de zijdeur naar Tori's souterrain openduw. Het is heel lang geleden dat ik hier ben geweest. De vorige keer was ik een ander mens.

De ruimte is gevuld met stelletjes in diverse fasen van een vrijpartij. Vanavond is er geen muziek, alleen druk geroezemoes en gelach.

Naast me klinkt een stem: 'Kate! Je bent toch gekomen!'

Het is David. Rachel zie ik niet.

'Gaat het al beter met je?' vraagt hij. 'Had je toch nog zin om te komen?'

Ik knik.

'Rachel is wat te drinken aan het halen. Het lijkt wel of niemand zich er wat van aantrekt dat we hier zijn. Ze is helemaal teleurgesteld.'

Ik druk Tori's kleren stevig tegen me aan, mijn excuus om hier te zijn. Al heb ik nog een ander excuus. Ik heb iets bedacht wat ik aan David wil vragen, iets over mijn moeder. Dus steek ik een heel verhaal af om mijn opgelaten gevoel te onderdrukken – tot Rachel verschijnt. Ze lacht naar me en geeft David een plastic bekertje. Ze streelt zijn achterhoofd. Het is heel gek om haar zo verliefd te zien. Dit is niet de Rachel die ik ken.

'Jij ook wat drinken, Limey?' vraagt ze, en zelfs 'Limey' klinkt aardiger dan alles wat ik ooit uit haar mond heb horen komen.

'Nee, dank je, ik moet... gaan.' Ik heb geen zin om langer dan noodzakelijk bij het stel van de eeuw te blijven staan.

Tori is bij Greg. Ze zitten samen op een bank, ieder aan een ander uiteinde, zo ver mogelijk bij elkaar vandaan. Greg heeft zijn armen over elkaar geslagen en zit te mokken. Hij lijkt net Lolly die van Kelly te horen heeft gekregen dat ze geen ijsje mag.

'Tori?' Hopelijk val ik niet midden in een ruzie.

'Hé, hoi! Je bent toch gekomen!' Tori straalt helemaal en gaat staan.

'Hier.' Ik geef haar de kleren terug.

Ze kijkt me even niet-begrijpend aan. Dan zegt ze: 'Ach, joh, die mag je houden, hoor.'

'Hoeft niet.'

'Nou, kom dan gerust nog een keer iets lenen. Als je wilt, bedoel ik. Niet dat je het nodig hebt. Maar toch, ook dan moet je bij me langskomen. Ik meen het.'

Greg bromt wat.

Opeens duikt Kristy naast me op, met open mond en een woedend gezicht. Carl staat pruilend naast haar.

'Moet je horen, Katie, Kate, hoe je ook mag heten. Tori is duidelijk helemaal gek geworden. Je bent hier niet welkom.' Kristy wijst naar me en zegt, met zoveel venijn dat haar stem er van overslaat: 'Loser.'

Het wordt stil in het souterrain. Iedereen staart me aan.

Ik had nooit moeten komen.

'Kristy, hou toch op!' Carl trekt aan haar arm.

'Ik hou NIET op! Ze heeft geen respect voor mijn vriendinnen en Jake praat de hele tijd over haar...'

'Kristy, niet doen,' zeurt Carl. 'Wat kan Jake jou nou schelen? IK ben je vriend.'

Chelsea komt naar me toe gelopen, gevolgd door Chris en Ana en hun vriendjes. De voltallige coole bende duikt plotseling op uit het niets.

'Kristy heeft gelijk.' Chelsea's stem galmt door het stille souterrain. 'We willen geen losers op ons feest, Tori. Stuur haar weg.'

'Nee,' mompelt Tori.

'Jawel,' zegt Chelsea.

'Nee.' Tori's stem klinkt nu wat vastberadener. 'Ze is mijn... vriendin.'

Kristy knijpt haar ogen tot spleetjes. 'Tori, ben je gek geworden? WIJ zijn je vriendinnen. Zij NIET.'

Chelsea zegt heel zacht: 'Tori, het lijkt me een goed idee als je nu je excuses aanbiedt aan Kristy. En aan mij. Met wie iemand omgaat, zegt veel over die persoon. Als jij bevriend bent' – hier vertrekt Chelsea vol walging haar gezicht – 'met nerds, dan kun je niet meer bij ons groepje horen. En dan pas je niet bij Greg.'

Greg bromt weer.

Tori lijkt volkomen onaangedaan. 'Prima. Greg en ik hebben het net uitgemaakt. Weet je, ik loop al een tijdje na te denken over vriendschap en zo. Misschien wel zolang als ik Katie ken. Kate, bedoel ik.' Ze haalt diep adem. 'En zal ik je eens wat vertellen, Chelsea? Ik wil graag dat je nu meteen mijn huis verlaat.'

Kristy sputtert nog iets wat eindigt met: '... je vrienden de rug toekeren?'

'En jij mag ook vertrekken, Kristy. Want ik zie nu in dat jij hartstikke nep bent... en ik niet.'

Kristy wordt spierwit. Haar stem klinkt net zo zeurderig als die van Carl. 'O, mijn god, Tori. Chelsea...'

'En iedereen hier die geen respect heeft voor mijn gasten,' gaat Tori verder, 'kan ook gaan.'

Het wordt zo stil dat ik denk dat ik buiten de sneeuwvlokken kan horen vallen.

Maar de stilte duurt niet lang.

Er barst een enorm rumoer los. Kristy gaat tekeer tegen Carl. Ana duwt Jonny weg. Greg vloekt hard en slaat tegen de muur. Al die ideale stelletjes van daarstraks lijken te imploderen.

Alleen Rachel en David staan nog steeds te zoenen alsof ze niets van alle drukte hebben gemerkt.

Het grootste deel van het coole groepje stormt vloekend

naar buiten. Tori kijkt met haar armen over elkaar toe terwijl de verwensingen over haar hoofd vliegen. Greg vertrekt als laatste. 'Ik hoop dat je nou je zin hebt,' roept hij naar Tori. Hij smijt de deur dicht.

Tori zwaait naar de overgebleven gasten, die totaal verbijsterd zijn. 'Jongens, het is feest. Ga lekker feesten.'

Langzaam keert het geroezemoes terug.

'Tori, je bent geweldig,' zeg ik. Wat een moed moet het gekost hebben om tegen Chelsea in te gaan. Eigenlijk heb ik het zelf ook geprobeerd, een eeuwigheid geleden. Maar Tori heeft het een stuk beter gedaan.

Ze haalt haar schouders op. 'Het zat er al een tijdje aan te komen. Ik kon er niet tegen, zoals ze over je praatten. Of eigenlijk over iedereen. Zij zijn hier de losers.' Ze kijkt op haar horloge en pakt haar mobiel. 'Kate, ik moet op zoek naar mijn broer. Ik weet dat hij iets ging afgeven bij Chelsea's moeder en ik moet hem waarschuwen dat ik de dochter van zijn bazin het huis uit heb gegooid.'

'Is mevrouw Cook Albie's bazin?' flap ik er uit. 'Verder niks?' Oeps, dat klonk veel luider dan de bedoeling was.

Tori kijkt me vragend aan. 'Ja, hij werkt voor de familie Cook. Hoe bedoel je?'

'Niks.'

'Chelsea's vader is... weg en haar moeder heeft het daar erg moeilijk mee. Je weet hoe Albie is, die doet alles om haar te helpen.'

Natuurlijk. Weer zo'n voorbeeld van mijn slecht afgestelde stelletjesradar. Of eigenlijk mijn ontbrekende stelletjesradar.

Tori fronst haar voorhoofd en loopt met de telefoon in haar hand naar de tussendeur. 'Ik ben zo terug, oké?'

Ik kijk om me heen. Ik voel me hier verloren. Rachel en David staan in een hoekje. Snel wend ik mijn blik af. Al die medeleerlingen die ik amper ken staren me aan en staan te smoezen. Dit is niet veel beter dan de laatste keer dat ik bij Tori thuis op een feestje was. Ik wil hier niet blijven. Ik leg het Tori later wel uit.

Buiten trek ik de deur van het souterrain achter me dicht, leun ertegenaan en haal diep adem. Het sneeuwt, maar niet meer zo hard. Ik ben niet meer bang van een paar vlokjes.

'Hé. Katie was het toch, hè?'

Ik schrik me rot. Jake Matthews staat naast me tegen de muur geleund.

Als ik dichter bij Tori ga staan, hoor ik haar heel rustig zeggen: 'Het is uit, Greg. Als je hier al niet tegen kunt, heeft het toch geen zin om ermee door te gaan?'

Greg werpt haar allerlei scheldwoorden voor de voeten.

'Ik denk dat het al heel lang voorbij was tussen ons. Dat moeten we maar eens inzien.'

Greg balt zijn vuist en kijkt naar de muur alsof het zijn grootste vijand is. Dan stormt hij naar de bar en roept nog meer akelige dingen over Tori. Hij pakt een blikje en trekt het ruw open.

Tori gaat midden in het vertrek staan. Om haar heen staan mensen te praten, vrijen, feesten. Maar niet lang.

'Mag ik even de aandacht?' roept Tori, zo hard dat iedereen verstart. 'Van jullie allemaal. Er is hier iemand die geruchten over mij probeert te verspreiden. Die zijn eigenlijk ook best wel waar, maar daar gaat het niet om. Als je me niet moet, als je er niet tegen kunt, dan hoor je hier niet.'

Niemand verroert zich. Ik hoor Albie ergens aan de kant juichen. Hij staat daar met zijn vrienden van Madison Rat. Ik vraag me af wanneer hij binnengekomen is.

'Tori, dimmen,' zegt Chelsea, die uit een donker hoekje tevoorschijn komt. Bryce staat met een strak gezicht naast haar.

'Je moet zelf dimmen, Chelsea,' zegt Tori. 'Je weet heel goed waar ik het over heb.'

Een meisje slaakt een geschrokken kreetje. Zo praat je niet tegen Chelsea.

'Tori, we zijn je vriendinnen.' Chelsea rolt met haar ogen naar Kristy alsof ze wil zeggen: wat een idioot.

'Behandel me dan ook als een vriendin. Mij en Katie. Ik ben het zat.'

Chelsea laat haar klaterende lachje horen.

Niemand anders lacht. Ze staren Chelsea allemaal aan.

'Het heeft lang geduurd,' zegt Tori, 'maar ik zie nu eindelijk in wie mijn echte vrienden zijn. En daar hoor jij niet bij.'

Er valt een lange stilte.

'Wil je soms dat ik wegga? Zeg het maar, hoor, ik stap zo op. Maar ik waarschuw je: je leven wordt een hel.'

'Goh, Chelsea, wat ben ik bang voor jou. Niet dus.' Tori kijkt mij aan. Zo heb ik haar nog nooit gezien. 'Ik heb nu echte vrienden,' zegt ze dan.

'Tuuuurlijk. Bedoel je die loser die een vriend uit haar duim zuigt en aan iedereen heeft doorverteld dat jij met Carl naar bed bent geweest?'

Nu wordt er overal druk gemompeld. De meeste mensen zeggen: 'Carl van Kristy?' maar ik hoor ook iemand vragen: 'Heeft ze Jake Matthews uit haar duim gezogen?'

Chelsea draait zich triomfantelijk om naar Greg, maar die neemt een grote slok uit zijn blikje en kijkt haar niet aan.

'Ik heb het hem zelf verteld,' zegt Tori, 'en anders was het toch wel uit gegaan.'

Het geroezemoes neemt toe. Ik hoor 'uit' en 'Goed gedaan, Carl!' en weer diezelfde stem: 'Ik dacht dat Jake Matthews echt was!'

'Dus je mag zeggen wat je wilt, Chelsea. Maar eerst ga je hier weg.'

Chelsea loopt naar de deur, een en al waardigheid. 'Niet te geloven! Hier krijg je spijt van.'

'ECHT niet!' roept Tori.

Bryce loopt als een schaap achter Chelsea aan.

Chris maakt zich uit de voeten met Anthony. Kristy staat ook op, en ze geeft Carl een duw. Ik weet niet of ze Chelsea's voorbeeld volgen of dat ze op een rustig plekje verder willen ruziën.

Iedereen staart Tori aan, en die zwaait met haar armen en zegt: 'Jongens! Feest lekker door.'

Overal wordt weer druk gepraat. Ik hoor een paar meisjes de hele ruzie woord voor woord herhalen. Het ziet ernaar uit dat niemand partij kiest voor Chelsea.

'Dat heb ik voor jou gedaan,' zegt Tori glimlachend. 'En ook een beetje voor mezelf. Maar nu hoef je het niet uit te maken met Jake.'

'Hè?' Ik ben stomverbaasd. 'Hoe wist je dat?'

'Typisch iets voor Chelsea.' Ze haalt haar schouders op. 'En ik zag daarstraks wat ze vanuit de verte tegen je zei. Ik ben dan misschien geen nerd die tienen haalt, zoals jij, maar over meisjes zoals Chelsea hoef je me niks te leren.'

'Tori, je bent de beste vriendin van de hele wereld.' Ik sla mijn armen om haar heen.

Ze straalt. 'Jij bent ook best oké, ondanks dat gedoe van vorige week. Ik ben het beu om bang te zijn voor Chelsea. Dat was ik al sinds groep drie. Ik ben blij dat jij bij ons op school bent gekomen.'

'Dank je wel.'

'Graag gedaan. En nu naar die man van je.' Ze geeft me een duwtje en kijkt om zich heen. 'Waar is Jake?'

Ik geef geen antwoord. Ik weet waar hij is: in de kast, wachtend op mij en het derde honk.

Door het licht dat uit Tori's feestkelder komt, glinsteren de sneeuwvlokjes op Jake's schouders. Daar staat hij dan, de knapste jongen van school, door wie al mijn problemen en twijfels begonnen zijn.

Ik hoor in de verte deuren dichtslaan en allerlei mensen roepen: 'Rot op met je feest!' en 'Het was toch al niks!'

'Moet je niet naar je vrienden?' vraag ik. Ik wil niet bot overkomen, maar... Trouwens, het kan me eigenlijk niet schelen of ik bot overkom. Als Tori ze aankan, kan ik het ook. Maar waarom gaat mijn hart dan zo tekeer?

Jake haalt zijn schouders op. 'Geen zin.'

Wauw, je hebt een eigen mening, denk ik, maar ik zeg het niet hardop. Deels omdat Jake me aankijkt met DIE OGEN. Zo keek hij op de gang ook steeds naar me, zelfs nadat ik me belachelijk had gemaakt. Ik krijg er knikkende knieën van.

Jake haalt een pakje sigaretten en een aansteker uit zijn zak. 'Heb je de tekeningen van Bryce gezien die dat rare heksenkind op de meiden-wc heeft gemaakt?'

'Ja, die ken ik.' Ik probeer het luchtig te zeggen. Niet toegeven aan die ogen.

'Chelsea was er hartstikke pissig over. En daar was ik weer pissig over. Want ze is nou met mij, niet met Bryce.'

Het verbaast me dat Jake zo tegen me praat. Alsof ik een vriendin van hem ben of zo.

'Weet je wat ik denk? Dat ze nog steeds een zwak heeft voor Bryce.'

'O.' Ik weet niet wat ik nog meer moet zeggen. Ik geloof dat ik hem leuker vond toen hij het alleen maar over honkbal had.

Hij haalt een sigaret uit het pakje. 'Ze denkt dat IK nog steeds een zwak heb voor jou.'

Ik val bijna om van de schrik. 'Voor MIJ?'

Hij tikt met de sigaret tegen zijn been en kijkt me niet

aan. 'Ja. Zoiets heeft nog nooit iemand gedaan, wat jij toen deed.'

'Je bedoelt... die klap?' Ik krimp in elkaar.

Hij lacht. 'Ik bedoelde eigenlijk de manier waarop je "nee" tegen me zei. Maar die klap ook, ja.' Hij raakt zijn wang even aan. 'Ik vond je knettergek.'

'Het spijt me,' mompel ik. En ik geloof dat ik het meen. Want na die klap is alles misgelopen in mijn leven. Ik heb er spijt van, maar niet voor Jake. Voor mezelf. Als ik hem geen klap had gegeven, had ik al die tijd bevriend kunnen blijven met Tori. Dan was die vervelende ruzie met haar vriendinnen niet nodig geweest. En wat belangrijker is: dan was ik nooit bevriend geraakt met David en Rachel en had ik me niet zo verraden en in de steek gelaten gevoeld. Dan zou mijn leven anders zijn verlopen. Mijn leven zou fijner zijn geweest.

Jake biedt me een sigaret aan.

Ik schud mijn hoofd. 'Ik rook niet.'

Hij haalt weer zijn schouders op. 'Ik ook niet.' Hij stopt de sigaret terug in het pakje. 'De trainer zegt dat ik er slechter van ga spelen. Maar soms' – hij knipt de aansteker aan en uit – 'doe ik alsof.' Dan stopt hij het pakje weer in zijn zak.

Ik doe ook wel eens alsof, bedenk ik. De laatste tijd deed ik alsof ik iemand was die alles onder controle had, die wist wie haar vrienden waren en die iedere situatie aankon. Iemand die jongens sloeg die zich misdroegen en snapte hoe relaties werken. Maar dat was een leugen. Ik ben net zo zwak als Coole Katie. Ik heb me nooit dapper durven gedragen in het populaire groepje, zoals Tori daarnet heeft gedaan. Ik durfde niet tegen Rachel in opstand te komen. Ik viel als een blok voor David. Ik kan het zelfs niet aan om die twee samen te zien, terwijl het zich al die tijd pal voor mijn neus heeft afgespeeld. Ik huiver. Het wordt tijd dat er hier het een en ander gaat veranderen. Het wordt tijd dat Nerdy Kate verdwijnt.

Een dwarrelende sneeuwvlok landt op mijn wang. 'Ik heb het koud,' zeg ik.

Jake haalt een hand door zijn blonde haar en kijkt me aan met die ogen van hem. 'Je bent juist hot,' zegt hij.

Zijn stem bezorgt me een huivering. Zijn ogen zetten me in vuur en vlam. Ik heb de verkeerde keuze gemaakt. Zou het te laat zijn om... nog te veranderen?

'Zullen we teruggaan naar het feest?' vraagt hij met die hese stem van lang geleden. De stem van die keer dat ik bijna doodging van geluk omdat hij MIJ had gekozen voor het zoenspelletje.

Mijn eigen stem klinkt zwak. 'Oké.' Waarom ook niet?

Ik krijg het helemaal warm van zijn blik.

Ik volg hem op de voet naar Tori's feestkelder. Ik zou hem overal volgen, geloof ik, alleen om die blik nog een keer op me gericht te zien.

Hij raakt mijn arm aan. 'Ik ben echt blij dat ik je tegen het lijf ben gelopen,' zegt hij.

Mijn arm gloeit. 'Hm-hm,'zeg ik.

'Ik geloof dat ik nog geen sorry heb gezegd. Voor die ene keer.' Jake buigt zich naar me toe en pakt mijn ketting vast. Hij laat de kraaltjes door zijn vingers gaan.

'Hm-hm.' Het doet er niet meer toe. Ik kijk hoe de sneeuwvlokjes op zijn schouders langzaam smelten.

Hij strijkt met zijn vingers langs de hals van mijn jurk. Ik huiver.

Jake verplaatst zijn vingers. Hij streelt mijn wang.

Ik doe mijn ogen even dicht. Als ik ze weer opendoe, is die indringende blik van hem op mijn mond gericht. Nu weet ik weer waarom ik met hem de kast in wilde, lang geleden. Dat was ik vergeten omdat ik daarna zo kwaad op hem was. Ik was vergeten dat ik met hem de kast in wilde, dat ik hem ontzettend graag wilde kussen. En nu krijg ik een nieuwe kans. En kans om te zien wat er gebeurd zou zijn, hoe het gevoeld zou hebben... als ik geen nee had gezegd.

Ik slik iets weg.

Hij zoent me in mijn hals.

Ik doe mijn ogen dicht om het beter te voelen. Ik ruik die mannelijke pepermuntgeur.

Ik hoop dat David me ziet.

Jake en mij.

Ik wou dat Chelsea of Kristy me nu kon zien. Ik hoop maar dat ze de roddel snel zullen horen.

Hij mompelt iets in mijn oor. 'Kom mee, Katie, laten we een rustig plekje opzoeken.'

'Oké.'

Zwijgend lopen we naar de kast. Dezelfde kast waar we al die weken geleden in hebben staan zoenen. Hij trekt de deur achter ons dicht.

'Ik zal rustig aan doen, dat beloof ik.'

'Dat hoeft niet.' Ik meen het. 'De vorige keer was ik er nog niet aan toe.'

'Maar nu wel.'

Het is geen vraag. Hij gaat zitten en trekt me naar zich toe. Zijn zoenen zijn meteen heel heftig en zijn tong draait verrukkelijke rondjes in mijn mond. Hij mompelt: 'Katie.'

Zo heet ik niet.

Wat doe ik hier?

Ik weet niet meer wie ik ben.

En ik geloof dat het me niks kan schelen.

Ik geniet van zijn zoenen en laat zijn handen hun gang gaan. Waar ze maar willen. Overal waar ik ze hebben wil.

'Katie, eindelijk. Ik wilde je net gaan zoeken. Ik heb er genoeg van om hier een beetje jassen te zitten tellen.' Jake lacht loom naar me.

Hij weet niets van wat er net buiten de kast is gebeurd. Typisch Jake, hij mist altijd de belangrijkste gebeurtenissen: in de bioscoop, bij het ijshockey en in het leven.

Ik heb geen zin om te praten. Dat doen we nooit. Dus kus ik hem en we laten ons zachtjes op de vloer van de kast zakken.

Hij streelt nu mijn blote huid met zijn handen. Ze glijden naar beneden; ik vergeet alles om me heen door die dwalende handen.

Mijn hoofd is helemaal leeg. Ik ben me alleen nog bewust van Jake. Jake's warme zoenen, zijn zachte aanraking en zijn harde lijf.

Jake, Jake, Jake.

Na een paar minuten heerlijk zoenen en Jake's warme handen op mijn hele lijf hoor ik een blikkerig geluid. De gesp van een broeksriem.

Ik verstar.

Jake stopt meteen. 'Wil je het niet?' fluistert hij in mijn oor. Hij blijft intussen mijn rug strelen en geeft vlinderkusjes in mijn hals.

Heel eerlijk gezegd weet ik het niet. Deels wil ik het wel. Ik smelt helemaal van zijn zoenen. Waarom zou ik niet meer willen?

Maar langzaam kom ik uit mijn trance.

Waarom doe ik dit? Vind ik Jake echt leuk? Wat wil ik nou eigenlijk bewijzen? Doe ik dit om David te laten zien dat ik aantrekkelijk ben voor iemand anders? Doe ik het om wraak te nemen op Chelsea?

Maar David is sowieso niks voor mij. Hij past bij Rachel.

Jake is ook niks voor mij. Hij is in alle opzichten Chelsea's type.

Als ik opkijk, zie ik Albie's dikke jack in de kast hangen. De lichtgevende strepen op de mouwen. Het is het jack dat hij droeg op de dag dat hij me van het ijs heeft gered. De dag dat we urenlang over van alles hebben zitten praten. De dag dat hij me heeft verteld, al was dat niet met zoveel woorden, dat hij me leuk vond, al vanaf het allereerste begin.

Het voelt niet goed om dit nu met Jake te doen.

'Je wilt het wel, ik voel het,' zegt Jake, en hij gaat door met strelen. 'Je weet best dat je het wilt, schatje.'

Mijn rillingen van genot gaan over in een huivering.

Ik weet wat ik wil. Wat ik al die tijd heb gewild. Dit alles – en al dat andere – was een vergissing. Het heeft me afgeleid van de waarheid. Waarom zag ik dat niet in?

'Jake... het spijt me heel erg.'

Jake's handen stoppen abrupt. Hij kijkt me aan, een beetje teleurgesteld, maar niet kwaad. 'Daar gaan we weer. Wij zijn blijkbaar niet voor elkaar bestemd, hè baby?'

'Nee, ik denk het niet.' Ik zucht. 'En ik heet Kate.'

Jake zucht ook. Hij staat op en stopt zijn handen in zijn zakken. 'Ik kon je maar niet uit mijn hoofd zetten, maar, eh... Katie?'

'Kate.'

'Nu is het wel afgelopen, snap je? Ik geef je niet nóg een kans.'

'Geeft niks,' zeg ik. 'Het spijt me voor jou en Chelsea. Ik had niet met je mee hierheen moeten gaan. Dat was niet goed.'

'Het voelde anders wel goed, voor mij en voor jou.' Weer die smeulende blik, maar mij laat hij koud.

'Nee.' Eindelijk heb ik het gevoel dat ik echt weet hoe ik

erover denk, en nu durf ik het ook te zeggen. Het is lang geleden dat ik me zo heb gevoeld.

Sinds die vorige keer in de kast met Jake.

Jake loopt weg.

Hij pas echt totaal niet bij mij.

Albie's reddingsjack zwaait heen en weer boven mijn hoofd als Jake de kastdeur dichtgooit.

Ik bedenk hoe anders ik me voel dan de vorige keer dat ik hier stond. Die eerste keer ben ik voor mezelf opgekomen, dat wel, maar zodra er kritiek kwam van het populaire groepje ben ik gezwicht. Ik vluchtte en probeerde te veranderen. Ik raakte mijn grip op de situatie kwijt. En op mezelf. Ik had evengoed Coole Katie kunnen zijn, want Nerdy Kate was net zo zwak als zij. Een half mens, een schim van mijn eigen ik.

Deze keer ga ik zitten en ik denk aan de redder in nood met het sneeuwjack. Albie.

Maar ik hoef niet meer gered te worden.

Ik heb mezelf gered.

Jake, Jake, Jake. Zijn lippen, zijn handen, zijn warme adem. Ik kan aan niets anders denken. Tot ik mijn ogen opendoe en naar boven kijk. Daar hangt het sneeuwjack van Albie, met de lichtgevende strepen op de mouwen.

En dan kan ik alleen nog maar aan Albie denken.

Ik zou hier niet met Jake moeten zitten. Jake is niet degene die ik wil.

'Wat is er nou, Katie?' vraagt hij.

Het klinkt niet geërgerd. Hooguit lichtelijk geïrriteerd, alsof hij een vlieg wegslaat. Hij lijkt minder arrogant dan de Jake van het eerste honk. Misschien zat dat hele William-verhaal hem inderdaad nogal dwars, zoals Tori zei.

Maar ik denk dat ik zelf ook veranderd ben. Ik gebruik het Katiegiecheltje lang niet meer zo vaak. Het kan me zelfs niet meer schelen wat het coole groepje van me denkt, in ieder geval tot op zekere hoogte. Tori is mijn vriendin en de anderen zijn dat niet. Wat geeft het dat ze mijn kleren afkeuren? Tori vindt ze ook niet mooi, maar ze blijft mijn vriendin.

Ik raak even mijn kralenketting aan. Misschien wordt het tijd om me weer iedere dag echt als mezelf te gaan kleden.

Maar dat steile haar wil ik wel houden, geloof ik. Zo nu en dan.

'Hé, is er iets? Waarom stop je nou?'

'Het... voelt niet goed.'

'Oké.' Jake is stil. Na een tijdje zegt hij: 'Omdat ik iets met Chelsea heb?'

'Wat?' Het komt er hoog en schel uit.

'Dat wist je toch? Je hebt ons samen gezien in de mall. We... vrijen wel eens met elkaar. Chelsea zei dat je dat niet erg zou vinden, omdat Britse meisjes daar veel makkelijker in zijn, maar ik twijfelde.'

'WAT?'

Houdt dan niemand het bij één persoon? Moeten jongens altijd een reservevriendin achter de hand houden voor het geval ze zin krijgen in iets anders, net zoals mijn vader met Kelly?

En vrouwen doen het ook, hoor. Neem nu Chelsea.

'Weet Bryce daarvan?'

'Niet echt. Chelsea gaat het binnenkort uitmaken. Hij behandelt haar hartstikke slecht. Hij gaat ook met andere meisjes uit en zo.'

Niets wijst erop dat Jake er de ironie van inziet.

'Cookie zei dat ik je sowieso beter kon dumpen, na al die leugens en zo. Maar dat wilde ik niet...'

'Waarom niet?' Misschien is hij echt verliefd op me en

durft hij het niet te laten merken. Misschien was al dat gepraat over sport wel bedoeld om zijn zenuwen te verbergen. Misschien moet ik medelijden met hem hebben. Per slot van rekening ben ik niet verliefd op hem.

'Omdat, eh... niemand nee zegt tegen Jake Matthews. En omdat al mijn vrienden verwachten dat ik het met je ga doen. Je weet wel... alles. Ik kan het niet maken om dat niet te doen. Ze rekenen op me.'

Natuurlijk. Ik probeer nog een beetje woede op te roepen, maar eigenlijk voel ik me alleen maar treurig en teleurgesteld. Bovendien heeft Chelsea gelijk. Ik heb inderdaad gelogen tegen Jake. En ik heb hem gebruikt om haar vriendin te kunnen blijven. Dat is helemaal verkeerd, en zo gaat het al vanaf het begin.

'Dat klopt niet,' zeg ik tegen Jake, 'wat ze zei over Britse meisjes. We zijn gewoon zoals alle anderen. Je hoort maar één vriendin tegelijk te hebben.'

'Maar ik heb al die tijd gedacht dat je een vriend had! En ik wou het je vertellen, van Chelsea. Het was knap lastig, want jullie wilden allebei met me naar het schoolfeest. Maar toen heb ik haar maar met Bryce laten gaan.'

O.

Mijn god.

Ik moet bijna lachen.

Hij blijft even zitten en zegt dan, alsof hij het bijna niet kan geloven: 'Dus je wilt echt niet? Verdergaan, bedoel ik? Ik kreeg namelijk het gevoel dat je... wel zin had.'

Ik schud van nee en haal mijn schouders op. 'Nee, ik wil niet.'

'Dan ga ik Chelsea maar zoeken.'

Gatver.

'Eh, die is weg,' zeg ik. De bijzonderheden zoekt hij zelf maar uit.

'Echt?' Het klinkt niet al te bezorgd. 'Nou ja. Ik zie je nog wel, Katie.'

'Jake, wacht even.'

Hij blijft staan bij de kastdeur. 'Ja?'

'Dat klapje op de billen dat jij altijd geeft, hè? Dat moet je niet meer doen. Het is walgelijk.'

Hij kijkt verbaasd en zegt: 'Ik dacht dat meisjes dat leuk vonden.'

'Niet dus.'

'Ik heb er nooit klachten over gehad.' Dan zegt hij nonchalant 'oké' en is weg.

Ik ga de kast nog niet uit. Ik blijf in het donker zitten nadenken.

Jake heeft me dus gedumpt. Min of meer. Dus mag ik me sletterig gedragen, volgens Tori's regels. Ik mag zoenen met wie ik wil. Was dat maar waar.

Kwam Albie nu maar de kast in om zijn sneeuwjack te pakken.

Na alles wat er is gebeurd heb ik mezelf eindelijk weer in de hand, geloof ik. Ik hoor niet bij het coole clubje, en dat wil ik ook niet. Ik ben niet Jake's vriendin, maar dat vind ik ook niet erg. Ik ben veel beter af zonder hem.

Het komt wel goed. Ik heb mezelf gered.

Ik zit hier in het donker.

Ik leun met mijn hoofd tegen de muur.

Ik denk na over de vraag wat ik nu eigenlijk wil.

Ik weet het. Ik weet wat ik wil. En ik wacht nog even, voor de zekerheid.

Ik heb geen idee hoe lang ik hier zit als de deur opengaat.

En dan gebeurt het. Albie komt binnen.

Het is Albie. 'Hé, gaat het wel?' vraagt hij.

Hij kijkt me aan. Ik kijk hem aan. Ik weet niet goed wat ik moet zeggen.

Ik weet nu wat ik tegen hem moet zeggen. Maar misschien kan ik het beter niet doen.

Nu weet ik wat ik wil zeggen.

Eerst antwoord ik: 'Ja, hoor.' Dan zeg ik dat andere ook, omdat ik het wil.

Ik besluit het te zeggen.

Ik zeg: 'Ik zat net aan je te denken.'

'Ik zat net aan je te denken.'

Hij kijkt me een hele tijd aan.

Er valt een stilte.

Albie zegt: 'Ik had je hier naar binnen zien gaan met Jake en ik zag hem zonder jou vertrekken. Ik heb gewacht, maar... Gaat het echt wel goed met je?'

Albie zegt: 'Maar Jake en jij... Is alles goed?'

Ik knik en zeg: 'Ik moest... nog iets afhandelen met Jake. Dat heb ik nu gedaan. Vergeet het alsjeblieft, het is niks.'

'Het is uit met Jake,' zeg ik. 'Dat is beter.'

Albie zegt: 'Dus je hebt... niks met Jake?'

'Is het uit?' Albie lacht. 'O, eh... rot voor je.' Zo te zien kost die bezorgde frons hem veel moeite.

Ik schud mijn hoofd. Ik moet lachen als ik zijn gezicht zie.

'Nee joh, het is echt prima zo.' Ik moet lachen.

Albie gaat zitten.

Hij komt naast me zitten.

We praten en praten. Ik begin zelfs over mijn moeder. We vertellen elkaar van alles. Het gaat vanzelf. Heerlijk.

We zitten een hele tijd te praten. Over het leven en over school en mijn plannen voor het liefdesleven van mijn moeder. Alles.

Maar dan wil ik niet meer praten. Ik raak zijn gezicht aan.

Tot ik zijn gezicht aanraak en hij ophoudt met praten. Hij kijkt me aan.

Hij zwijgt. We zitten samen in en uit te ademen.

Ik besef dat ik dit heel lang geleden al had moeten doen, dat ik me niet had moeten laten afleiden door de mening van anderen.

Had ik dit maar veel eerder gedaan. Want wat ik ook van andere jongens dacht te vinden, het was niets vergeleken met dit. Dit is veel meer. Ik sla mijn armen om Albie's nek. Ik kus hem.

Ik doe mijn ogen dicht. Breng mijn gezicht dichter naar het zijne. Onze neuzen raken elkaar. Ik adem de lucht in die hij uitademt. Ik kus hem.

Hij kijkt me aan alsof hij niet kan geloven dat ik dit zomaar doe.

Hij kijkt me aan alsof hij niet kan geloven dat hij zoveel mazzel heeft.

En dan zoent hij me.

En dan zoent hij me terug.

We zoenen. Ik ga met mijn hand door zijn stekeltjeshaar en streel zijn gezicht. Dat voelt koel, maar zijn mond is warm op de mijne. Hij ruikt naar verse sneeuw. Hij leunt tegen me aan. Ik leun tegen hem aan. We pakken elkaars hand. Beide handen. We strekken onze armen en vlechten onze vingers in elkaar.

We kijken elkaar aan en lachen.

We zoenen weer. Het is alsof hij me heeft gered uit de sneeuw in de bergen. En alsof ik hier altijd ben geweest, hier in zijn armen.

We zoenen heel lang.

Ik zit hier in een kast te zoenen met de coolste en lekkerste jongen van de hele school. En het is een gigantische school. Het Engelse woord *snogging* voor zoenen kennen ze hier trouwens niet, en een kast heet niet *cupboard* maar *closet*.

Maar daar gaat het nu niet om. Waar het wél om gaat: ik zit te zoenen met Albie Windsor, de coolste jongen van de hele school! Misschien wel van de hele wereld. In ieder geval voor mij.

En weet je wat het ongelooflijkste is? Ik ben zelf het tegenovergestelde van cool.

Of dat WAS ik.

Of eigenlijk ook niet.

En toch weer wel.

Ach, het doet er niet toe. Ik heb de juiste keuzes gemaakt om de verkeerde redenen, en de verkeerde keuzes om de juiste redenen, en verder nog alle andere denkbare keuzecombinaties.

En ik wist zelf niet meer wie ik was en ik vergat wie mijn vrienden waren, en waarom.

En toen wist ik het weer.

Ik wist het weer omdat mijn trouwe vrienden... zo trouw waren. Echte vrienden.

En dit is het dan. Dat gedoe over 'jezelf zijn' waar je iedereen altijd over hoort, dat onmogelijke, dat wat ik nooit heb begrepen. Maar nu wel. Dit is het. Het maakt niet uit welke beslissingen ik neem, zolang ik ze maar echt voor mezelf neem. Voor de 'ik' van wie ik hou, van wie mijn vrienden houden. Mijn vrienden en familie – de mensen die toch wel van me houden, omdat ze van MIJ houden, niet van mijn beslissingen. Mijn moeder, Hailey, Tori. En mijn vader ook wel, denk ik. En wat kan mij het ook schelen: misschien zelfs Kelly. Heel misschien, hoor. Waarschijnlijk niet.

Maar Albie wel. Albie heel zeker.

Dus zit ik te zoenen met Albie Windsor en het kan me niet schelen of anderen me cool vinden of niet. En hem ook niet. Dat heeft hem nooit wat uitgemaakt. Maar zelf heb ik een lange weg afgelegd, of eigenlijk twee lange, parallelle wegen, voordat ik dat inzag. En nu heb ik mijn bestemming bereikt.

Ik ben helemaal mezelf.

Hij is helemaal Albie.

En dit is super.

Dit was mijn waargebeurde, arm-wordt-rijk-, rijk-wordt-arm-, lelijk-eendje-wordt-mooie-zwaan-, mooie-zwaan-wordt-lelijk-eendje-, nooit-verwacht-maar-de-liefde-overwint-alles-verhaal.

Katie's keuze, het verhaal van Katherine Reilly. Vanavond op Lifetime, morgen de herhaling.

Er zijn twee verschillende versies.

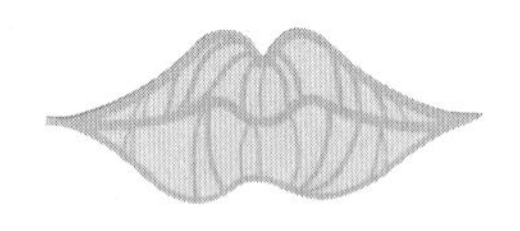

HOMERUN

Ik weet wat je nu denkt, maar ZO'N homerun bedoel ik niet. Niet die allerlaatste stap. En al had ik het gedaan, dan zou ik het je niet vertellen. Maar het jaar hier is om en ik ga terug naar Engeland. En dit is het gedeelte van iedere goede zwijmelfilm waarin we te zien krijgen hoe het met iedereen is afgelopen. Daar gaat-ie. Ik loop ze allemaal even voor je langs.

En volgend jaar... een nieuwe wedstrijd.

Katherine Reilly

(ofwel Kate, ofwel Katie)

Katherine heeft het hele verdere jaar verkering gehad met Albie en ze is nog steeds zijn vriendin. Op en top. Ze vindt het heel erg om weg te gaan uit Massachusetts, weg bij hem. Vooral bij hem natuurlijk, maar ook uit Massachusetts, een naam die ze nu kan spellen. Katherine ging met Tori naar de mall en Tori ging met Katherine naar de tweedehandswinkel in Walnut Street. Uiteindelijk sloten ze een goed winkelcompromis: de outlet in New Hampshire, waarover ze allebei tamelijk tevreden waren.

Katherine is de grootste fan die Madison Rat heeft en je kunt haar regelmatig vinden bij hun optredens. Ze hebben in een paar Ierse pubs gespeeld in Boston, Brighton en Allston, en in een paar kleinere tentjes in Milltown zelf. En ze hebben nog twee keer in de *Improper Bostonian* gestaan. De band is hot. (Vooral de zanger.)

Katherine heeft schaatsles gekregen van Albie en kan nu een hele ronde rijden op de ijsbaan, gewoon recht vooruit, zonder te vallen. De driedubbele lutz-salchov-lus komt de volgende keer wel.

Katherine ontdekte dit jaar donutzaakjes en leerde met de Red Line en de T reizen, tot over de Charles (de rivier). Ze is officieel verliefd op Albie, Madison Rat, Boston en chocoladedonuts. In die volgorde.

Mevrouw Reilly

(ofwel Suzanna, ofwel mijn moeder)

Mevrouw Reilly heeft de liefde weer gevonden, dankzij haar fantastische dochter. Zo is het gegaan:

Eerst hamerde Katherine er voortdurend bij haar moeder op dat niemand hoeft te veranderen voor een man die de moeite waard is. En ze wees erop dat Rashid mevrouw Reilly duidelijk leuk had gevonden zoals ze was toen ze pas in Amerika woonde, toen ze samen voor het eerst zo stom gedanst hadden op David Bowie. Dat soort dingen bleef ze maar zeggen, al eindigde het iedere keer in een enthousiast verhaal over Albie en hoe geweldig hij was.

Maar Katherine had een slim plan, deels uitgebroed op de avond van het schoolbal. Ze vroeg aan David of hij zijn vader wilde vragen om iets door te geven aan Rashid: dat Suzanna hem op oudejaarsavond wilde zien bij de ijssalon van Milltown. (Zelf moest Katherine eerst haar eigen vader uit de buurt zien te houden.)

Natuurlijk was mevrouw Reilly met oudjaar alweer zo ver dat ze het nog eens wilde proberen met Rashid, omdat Katherine al die tijd op haar had ingepraat. En omdat haar exman er was en ze nu pas besefte dat ze aan hem helemaal niks miste.

Bij de ijssalon was gezorgd voor livemuziek. Madison Rat speelde een fantastische cover van 'Come Back and Stay' van Paul Young, een klassiek herenigingsnummer uit de jaren tachtig dat Suzanna en Rashid meteen met elkaar meezingen. Wat konden die oudjes toch gênant zijn. Maar Katherine mocht niet klagen, want het hoorde allemaal bij haar eigen plan.

Mevrouw Reilly en Rashid zijn het hele jaar bij elkaar gebleven en Katherine vindt hem wel oké. Je kunt meer lol met hem hebben dan met haar vader, maar een weekendmarathon op Lifetime is leuker.

Mevrouw Reilly heeft haar contract bij de bollebozen helemaal uitgediend en sluit niet uit dat ze teruggaat naar Amerika als ze weer een baan en een visum kan krijgen. Ze is van plan een Engels-Franse langeafstandsrelatie aan te houden met Rashid, die volgende maand teruggaat naar Parijs.

Meneer en mevrouw Reilly

(ofwel mijn vader en Kelly, ofwel John en Kelly, ofwel saai en nog saaier)

Het bezoek van meneer Reilly is goed verlopen, vooral voor de kleine Lolly, die dol is op haar grote zus, maar de nieuwe mevrouw Reilly was verschrikkelijk lastig en Katherine besloot om haar toch maar niet om modeadvies te vragen.

Natuurlijk is Katherine niet met haar vader teruggegaan naar Engeland. Ze heeft regelmatig contact met meneer Reilly en heeft weer nuttige adviezen van hem gekregen, zoals hoe je kunt voorkomen dat je dubbel belasting betaalt, en dat uit recent onderzoek is gebleken dat draaiend tandenpoetsen effectiever is dan de ouderwetse op-en-neerbeweging.

Hailey Smith

(ofwel de Amerikaanse filmster in spe, ofwel allerbeste vriendin aan de andere kant van de oceaan)

Hailey heeft het ook heel leuk gehad in Boston, al heeft ze Katherine een paar keer flink de les moeten lezen omdat ze vond dat die 'veranderd' was, en 'eigendunk' had gekregen. Waarop Katherine tegenwierp dat zij er ook niets aan kon doen dat ze op spiritueel en intellectueel gebied was gegroeid dankzij haar avonturen in Boston en dat Hailey zich niet in de steek gelaten hoefde te voelen: ze kon zich gerust bij Katherine voegen op haar hogere plan. Maar Hailey ging gewoon terug naar Engeland met het 'fiegtuig' (zoals Lolly het noemde) en kreeg verkering met Jonathans vriend Grant. Katherine hoopt dat hij Hailey geen liefdesverdriet bezorgt, maar ze staat klaar om in dat geval troost te bieden.

Victoria Windsor

(ofwel Tori, ofwel allerbeste vriendin aan deze kant van de oceaan)

Tori bleef maar liefst een week single, en daarna kreeg ze iets met ene Ralph, die op de Universiteit van Boston zat. Na hem kreeg ze verkering met twee vrienden van hem (maar niet tegelijk – zoiets doe je toch niet?) en nu heeft ze Topher, een jongen die studeert aan Tufts. Katherine en Tori hebben al heel wat leuke feesten in Somerville gehad dankzij Tori's drukke liefdesleven. En ook bij Tori thuis in het souterrain is volop gefeest, maar Chelsea en Kristy behoorden geen enkele keer tot de genodigden.

Tori vindt het geen punt dat Katherine misschien niet de allercoolste is; ze vraagt zich zelfs regelmatig hardop af waarom ze zo lang met die valse meiden is blijven omgaan. Het antwoord is natuurlijk dat ze toen de nerd-maar-ook-coole-wervelwind van een Katherine Reilly nog niet kende.

Tori kan nu ook best genieten van bepaalde zwijmelfilms, sinds Katherine haar voorzichtig heeft laten kennismaken met *Freaky Friday* – de onbekende, onderschatte versie met Gaby Hoffman. Tori heeft nog altijd een voorkeur voor de uitvoering met Lindsey Lohan, maar dat is logisch, want zij lijkt meer op Lindsey Lohan terwijl Katherine juist het type Gaby Hoffman is. (Katherine's moeder kijkt alleen naar de originele versie met Jodie Foster.)

Tori zal Katherine volgend jaar gigantisch missen, en daarom heeft ze haar vader gevraagd of ze naar een Engelse school mag. Hij denkt erover na, want eerlijk gezegd lijkt een Britse koninklijke opleiding hem wel wat voor zijn dochter.

Albert Windsor

(ofwel Albie, ofwel mijn vriend)

Albie is knap, talentvol en heeft een ontzettend goede smaak als het om vriendinnen gaat. Hij heeft nog altijd verkering met de fantastische Katherine. Hij schrijft superteksten en zingt die voor haar, waardoor ze het gevoel heeft dat ze de enige persoon in het vertrek is. (Het telt niet als ze inderdaad de enige persoon in het vertrek is.)

Albie is gestopt met zijn baantje als manusje-van-alles van de familie Cook, maar niet vanwege een geheime verhouding met mevrouw Cook. Meneer Cook is volledig hersteld en weer in de running, en mevrouw Cook kleedt zich weer aan en heeft de troostende armen van knappe tienerjongens niet meer nodig.

Albie zal Katherine gruwelijk missen, en daarom denkt hij erover om een jaar in Engeland te gaan werken voordat hij gaat studeren. Meneer Windsor ziet dat wel zitten, want dan kan Albie een oogje houden op de koninklijke opleiding van zijn zusje. En na dat jaar is Katherine oud genoeg om eventueel samen met Albie in Amerika te gaan studeren. Nou ja, dat zijn althans de plannen.

Jake Matthews

(ofwel eeuwig sexy)

Jake Matthews heeft zo'n beetje alle cheerleaders van het eerste jaar gehad en een paar uit de hogere klassen, en hij heeft een soort knipperlichtverhouding met Chelsea: aan, uit, aan. Hij wordt nog altijd gezien als de lekkerste, coolste jongen van de hele school, mede dankzij die ogen van hem. Maar wat ook een rol speelt, is dat hij zijn vriendinnetjes niet langer op hun kont slaat. Dat is volledig te danken aan Katherine, misschien wel het enige meisje (behalve Chelsea) dat niet zwijmelend aan zijn voeten lag toen ze iets met hem had. Althans, niet de hele tijd.

Chelsea Cook

(ofwel Cookie, eeuwig meisjesachtig)

Chelsea heeft het hele jaar door iets met Jake gehad, zie boven. Ze heeft ruzie gekregen met Kristy over een andere jongen, maar niemand kan zich daar de bijzonderheden van herinneren. Ze gaat niet meer naar dezelfde feestjes als Katherine. En dat vindt Katherine prima.

Kristy Melbourne

(ofwel eeuwig gemeen)

Kristy heeft het uitgemaakt met Carl, om een of andere belachelijke reden, al verdiende die irritante zeurpiet niet beter. Daarna heeft ze een paar andere sportieve, stoere vriendjes gehad en scherpte ze voortdurend haar nagels om andere meisjes op afstand te houden – gewoon omdat ze daar zin in had.

David McCourt

(ofwel de eeuwige flirter)

David heeft het hele jaar een relatie gehad met Rachel. Ze zijn nog steeds samen. Waarschijnlijk blijven ze voor altijd bij elkaar, ook al heeft Rachel vaak woedeaanvallen en gaat ze er regelmatig woedend vandoor, meestal als David flirt met meisjes bij wiskunde-voor-gevorderden, of met andere meisjes die laten merken dat ze meer dan één hersencel hebben. David McCourt is nog even knap, maar Katherine heeft alleen oog voor Albie en ze hoeft geen andere gevoelens meer uit te schakelen. Tenminste, niet zo vaak. Laat Albie dit niet lezen.

Rachel Glassman

(ofwel de eeuwige botterik)

Rachel is de vriendin van David, zie boven. En Katherine is soms nog steeds een beetje bang voor haar, maar meestal niet, want ze zijn min of meer vriendinnen. Rachel tekent niet meer op muren en schrijft nu samen met David romans in de vorm van stripverhalen. En ze heeft eindelijk tekeningen gemaakt op de zwarte hoge schoenen van Katherine, van een meisje MET neus. Katherine was er blij mee en heeft haar uitvoerig bedankt, en niet alleen omdat ze extra aardig tegen Rachel is sinds ze een Katherinevoodoopoppetje in Rachels kluisje heeft zien liggen. Dat poppetje heeft ze schijnbaar gemaakt na Katherine's eerste schooldag, omdat David duidelijk liet merken dat hij Katherine leuk vond en Rachel jaloers was op die 'net iets te leuke en knappe Limey'.

Rachel heeft gezworen dat ze het voodoopoppetje nooit heeft gebruikt en dat zij niets te maken heeft met alle rare dingen die Katherine dit semester zijn overkomen. Katherine weet het nog niet zo zeker, maar ze mag niet klagen, omdat het allemaal goed is

AFGELOPEN.